新 潮 文 庫

状 況 曲 線

上　　巻

松本清張著

新 潮 社 版

4790

状況曲線

上巻

一

六月の十日であった。

都心のガード下に沿った狭くて細長い地帯に走る路地は、ちょっとした迷路となっていて、屈折したり行きどまりになったりしている。そのようなガード下、区域的には有楽町と大手町の中間とでもいうか、やはり迷路じみた中に、すし屋とバアにはさまれた狭い間口の喫茶店があった。樫材《かしざい》に擬《に》せた重々しげな赤黒色のドアには鍍金《めっき》した獅子《しし》の頭《かしら》だけの彫刻が貼《は》りつけられ、その上に『DATE』と白の彫り文字が按配《あんばい》されていた。

この店名を見て同じ綴《つづ》りから「逢引《デート》き」と早呑《はやの》みこみする者があるかもしれないが、金色の獅子頭がそぐわないから首を捻《ひね》ろう。相応《そぐわ》ないのも道理、デートでも店主の意は棗椰子《なつめやし》の実である。さてこそ熱帯に生い繁《しげ》る棗椰子《デート》の密林にライオンの頭が浮んでいるわけだが、どうして棗椰子を店の名にしたかわからぬ。あるいはこのガード下の細長い地帯の迷路じみた小路をジャングルの小径《こみち》になぞらえたのかもしれぬ。梅雨空《つゆぞら》の下であった。斑《まだら》に墨を散らした雲が低く垂れこめ、細い雨が降ったりやんだりの、蒸し暑くて、うす暗い地表であった。この路地は黄昏《たそがれ》のようで、陰気この上なかった。

棗椰子《デート》の店は奥に細長かった。これも以前の地形《じがた》を継承して、三角形や変形矩形《くけい》の建物と同類である。天井両側の蛍光灯《けいこうとう》の長い管は遮蔽物《しゃへいぶつ》でかくされたやわらかい間接照明だったが、これがまた光度に乏しいので、店内は幽暗であった。

そのほの暗さにずいぶん助けられてはいるが、それでも店内の安設備を完全に胡麻《ごま》化《か》すことはむずかしかった。無神経な壁紙、それに何点か掲げられた四号ぐらいのひどい油絵、煙草《たばこ》で焦《こ》げたテーブルにかけられたありきたりな模様のクロース、何度も塗りかえられたようなイス、何もかも安っぽいという形容で云《い》い尽せそうな喫茶店であった。

だが、そぐわないのはこの喫茶店の中に三人の中年紳士が客で坐《すわ》っていることであった。三人とも、どうしても英国産の生地《きじ》としか思えない上等な洋服を着、鷹揚《おうよう》にかまえ、その貫禄《かんろく》と押し出しの立派なことは、衿《えり》のボタン穴にバラの花を挿《さ》すか、議員バッジをはめこむかしてもすぐに似合いそうであった。

三人の紳士は、しかし、場違いな安喫茶店にコーヒーをのみにきたという様子は少しもなかった。それどころか行きつけの店でくつろいでいる気やすさがありありと見えていた。コーヒー茶碗《ぢゃわん》はとっくに空《から》になって、底のほうに茶色の液体が粘って残っていたが、それで切りあげるではなく、快適な場所から去りがたくてさも未練げにへばりついているというふうにさえ見えた。

三人の中年男のうち年長者は、五十二、三、赭《あか》ら顔《がお》の、肩のもりあがった、腹のつき出た男で、顎《あご》も嬰児《えいじ》のように可愛《かわい》く二重にくくれていた。中なるは四十七、八の丈の高い男で、長い顔はすこぶる尖鋭《せんえい》にみえた。年少者でも四十四、五くらいで、おだやかな楕円形《だえんけい》の顔だったが、その輪廓《りんかく》の中の濃い眉《まゆ》と太い鼻とはなかなか精力的な印象を与えた。

だが、三人は同じテーブルにほとんど身体《からだ》を寄せ合うようにして坐り、大きな声で話すでもなく、高らかに笑うでもなく、静かな態度を保っていた。が、それは様子ぶっているのでは決してなく、むしろ何らかの必要があって、その内なる活動的な、精力的なものが身ぶりに顕《あら》われるのを圧《お》し殺しているようであった。はたから仔細《しさい》に観察する者がいたら、そう感得するはずだった。

三人は、あきらかに此処《ここ》で何かを待っていた。

三人は、ときどき手首をめくって腕時計を見ていたが、やがて四十七、八の顔も丈も長い男が時刻がきたといった表情で立ち上った。店の出入口に近いレジの横に置いた淡紅色の公衆電話に歩いて、受話器をはずし、十円銅貨を丁寧《ていねい》に落した。まるでそのへんから対手《あいて》と通話がはじまったといったようだった。

レジにはだれも坐っていなかったが、男は受話器の口を長い指で囲い、背をかがめて、まわりに洩《も》れぬ低い声で話していた。が、それも、ほんの二語か三語くらいの口の動かしかたで、対手の返事を聞いて腕時計に視線を走らせると、すぐに受話器を置いた。もし、そのレジにだれかが坐っていたら、受話器からかすかに洩れる女の声を聞いたかもしれなかった。

丈の高い男は満足そうな微笑で、ほかの二人が結果を待ちかまえているテーブルに戻った。

「三時十分に先生は戻られるそうです。そういう連絡があったそうです。あと、三十分。いまから霞《かすみ》ガ関《せき》を出られるそうです」

ほかの二人は一様に自分の腕時計を眺《なが》め、安堵《あんど》の色を眼《め》もとに浮べた。肥《ふと》った五十男は身体を眼に見えぬ程度に揺がし、年少の四十男は片脚を貧乏震いさせた。

この喫茶店は先方が指定したいつもの待合せ場所なのである。

三人の紳士は、ここですでに二時間近くも待っていた。その間に一人がよごれた桃色の電話に三度向い、いまのを入れると四回目であった。

「沢田さんがさすがに気の毒がっていました。いつもは事務的な声しか出さない女性ですがね。先生も忙しいので、かんべんしてくださいと云っていました」

いま戻った電話の報告者は伝えた。

「そりゃ、成瀬さんに好意をもっているからじゃないですか。ぼくらにはいちどもそんなしおらしいことを云ったことがない」

肥った男が、おちょぼ口をすぼめて背の高い男をひやかした。

「とんでもない」

成瀬といわれた男はポケットから銀のシガレットケースを出し、長い指先に一本を抜き取って眉間《みけん》に神経質な苦笑を上《のぼ》せた。

「対手は、そんな、たおやめではありませんよ。ご承知のとおり」

「まったく」

鼻の太い四十男が肩を前に少しせり出して同調した。

「あの女性は、海千山千の男たちを毎日十数人も電話一本でさばいていますからね。

どうしてどうして、しっかりしたものです。先生に六年間もついていれば、黙ってても鍛えられますよ」

あの女性というのが、成瀬がたったいま電話で聞き合せた対手の「沢田」という名であった。三人であろうと、男たちの寄り合いに一人の女が話題になるのはたのしいことで、口数が多くなるほど興味をもりあげるものだった。

しかし、三人の顔にはその種の興味が充分に見えていても、口数は多くなかった。ということはかれらの抑制が言葉を少なくしていたのである。そこにはたぶんに相互の牽制《けんせい》がひそかに行なわれていたのだが、それよりも調子に乗って口を辷《すべ》らせた片言がまわりまわって、対手への告げ口にでもなりはしないかという万一の怖《おそ》れが先に働いているようだった。三人の紳士はここでは仲間だったが、その事業の上では気のゆるせぬ競争者であり、敵であった。

だが、いま此処で云い足りなかった話を紳士の一人がもう少し云うことのできる機会がすぐあとにやってきた。その機会というのは表に獅子の頭のついた桃花心木《マホガニー》色《いろ》の重いドアを遠慮げに半分ほど開いて六十すぎの白髪頭《しらがあたま》で、頬《ほお》の張った男がのぞいたことから持ちこまれた。

その新入来者も仕立下ろしの洋服をきた紳士だったが、テーブルにいた肥った男がそれに眼をむけると、両手をイスの肘《ひじ》かけに突き、それに力を入れて自分の体重をもち上げた。

「ちょっと失礼」

肥満した紳士は、残る二人に会釈《えしやく》した。

「すぐに戻って参ります。ほんの五、六分。出発までにはかならず……」

「十分後にはここを出たいと思いますが。味岡さん」

シャープな顔の紳士が、言葉は柔かだが、眼つきをいくらか鋭くして注意した。

「わかっています。わたしも気がせいていますから」

味岡と云われた肥った男は半円の顎をうなずかせ、さきに消えた白髪頭のあとから広い背中を見せてドアの外へ出た。

「あの人をご存知でしょう、中原さん？」

成瀬が隣のイスの紳士に云った。中原といわれた楕円形の顔の男は太い鼻を見えないくらいにかすかにうごめかした。

「甲東建設の社長末吉祐介《すえよしゆうすけ》さんですね。どこかのパーティの席で見たことがありますよ」

成瀬がかすかに合点《がてん》をした。

「南苑会《なんえんかい》に何とか加入させてもらいたいと味岡さんにもう半年も前から熱心に紹介を頼みこんでおられるようです。が、まだまだ無理でしょうな」

「無理でしょう」

中原は言下にその意見に同調した。

「……関東の業界では甲東建設は急速に伸びてきていますが、まだわれわれ大手の仲間入りにはほど遠いですね。南苑会に加入したい気持はわかりますが、資格審査のきびしいことを十分にご存知ないようです」

「それにしても、今日、南苑会のわれわれだけが、急に呼ばれたのを末吉さんはどうして嗅《か》ぎつけてここへ来られたのでしょうな？」

「味岡専務ですよ。昔からの因縁でね。口をすべらせたのかもしれません」

質問するまでもなくその答えは成瀬に分っていて、問いはその確認のためだった。

「だからね、味岡専務はよけいに末吉さんにまつわられるんですよ」

成瀬は腕時計を見た。こんどは出て行った仲間の帰る時間を気にしていた。

「今日、もう一度先方に話しておきます」

味岡は堂々たる体軀《たいく》で立ち、自分よりは五センチは低く十キロ以上は軽い末吉の白髪頭を見下ろしていた。

二人は、ガード下から外に出るようなことをしなかったので、立話はラーメン屋とトンカツ屋とが接している前の路地だった。

「入会のことを話してくださるのは、先生にですか？」

末吉は、調理場の窓の煙の前から味岡の巨軀が動かないので、仕立下ろしの洋服の肩を気にしながら、味岡を見ていた。

「様子を見てからです。ご機嫌《きげん》がよくなかったら、云い出しても逆効果ですからな。われわれも今日は臨時の召集です。先生にお会いするまでは内容が分らない。ま、いつものことですがね」

「秘書の沢田さんの反応では？　いえ、わたしの入会の件ですよ。専務さんのお話だと、沢田さんには半年も前から云ってもらっているそうですが」

「沢田さんが正確には秘書といえるかどうか。あの女性は、東明経済研究所の事務員さんでしてね。秘書という名目ではないのです」

味岡は返事の前に相手の言葉を訂正した。

「名目はともかく、普通の女事務員ではなく、実質的には秘書さんでしょう？　東明経済研究所のことは何もかも掌握していて、それが六年にもなるといわれましたね？」

「東明経済研究所の留守番役としては彼女一人しか居ない。電話が一つとね。連絡係ですよ、彼女は。留守番中にかかったほうぼうからの電話をメモにして先生の御覧に入れる。そのとき簡単な用件ぐらいは書いているかもしれませんがね。深いことはだれも云わない。先生もそのように指示しておいでになりますからね」

「電話一個に女事務員といえば秘書ですよ。先生の胸の中は、みんな読みとっているんじゃないですか。沢田さんはだいたい何歳《いくつ》くらいですか？　蔭《かげ》でも婦人の年齢を聞いては失礼ですが」

「あれで、三十二、三かな」

「六年間もつとめていれば、そのくらいになりましょうな。独身だそうですね。きれいなひとですか？」

「あんたは、それをこれで三度はぼくに訊《き》きました。とびぬけた美人じゃない。十人なみ。けど、男好きのする顔かもしれない。まあ、見る人によりけりだが」

「恋人はあるんですか？　同棲《どうせい》しているとかいったような……」

「そんなことはぼくには分らん。気になるなら、君が当人に聞いてみることですな」

「聞いてみます。だから、早く東明経済研究所に連れて行ってください」

「上手にひっかけましたね。駄目駄目《だめ》。まあ、今日は沢田女史に先生の内意をそっときいてみますよ。ぼくがあんたのことを前に話したのを女史は先生に取り次いでくれているだろうからね……。お、時間が過ぎた。あの二人がじりじりして喫茶店で待っているだろうから、では、これで」

「専務さん。よろしくお願いします」

顔は精悍《せいかん》で身体の貧弱な白髪頭の老人は、巨《おお》きな体軀へ拝むように腰を折った。

——三分もすると、ガード下から三人の紳士が急ぎ足に出ると、近くの駐車場に待たせてあった各自の美事な外車三台に分乗して南方向へ去って行った。たれさがった黒い雲の下のうす暗い景色は小雨を添えていた。


そのビルぜんたいがクリーム色のよごれた濁りを持っていた。細部には過去のものになった意匠が過剰に彫りつけられてある。都心のなかでも中央部だった。周囲が、丈の高い、四角な、ガラス窓ばかりでできたような簡素美を誇る近代様式のビルなので、そのなかで、時代おくれで、重く沈んで、見すぼらしかった。

張り出した玄関の軒の庇《ひさし》には擬古的文様の丁寧な浮き彫りがあった。その前にガード下付近から出てきた三台の外車がつづいて停《とま》った。三人が一つの車に同乗する経済的な方法をとらなかったのは、それぞれ会社が違うからである。

降りた三人は、各自の車を移動させた。ビルの前に待たせて人目に立つことをきらったようである。七階建てで、「神邦ビル」の文字が玄関屋根の上にならべてはめこんであった。

一階は眩《まぶ》しいばかりの照明に輝いていた。場所から、一流の商店がならんでいるからだった。建物の両方が出入口になっていて客がシャンデリアの下の通路をかなり歩いていた。二階以上は急に照明も少なく、人のいない寂しい場所になっていた。貸事務所ばかりで、無愛想なドアの部屋が廊下の先に細まってならんでいた。

三人は四階で旧式なエレベーターを降りた。肥った味岡が先に出た。

窓が少ないので廊下は暗い。それに外は雨降りだった。狭いせいか蒸し暑かった。真鍮板《プレート》に彫りつけた会社名のドアの前を三つぐらい通りすぎて三人は足をとめた。腕時計を見た。

くすんだ色をしたドアの横手の壁には、門の標札よりは大きい程度の部厚い板が下がっている。「東明経済研究所」と墨で書いてあった。この板もすすけた色をしていた。

味岡がボタンを押してネクタイに手をやった。あとの二人、成瀬と中原もそれにならった。

ドアが内から開いて、顔はまるいが頸《くび》の長い女が半身を出した。ブラウスの赤がこの灰色の場所で燃え立つように鮮かに映った。女は眼もとに微笑を浮べて、おじぎするともなく短い顎《あご》をひいた。

味岡、成瀬、中原の順で内に入ると、女は彼らの背中にドアを閉める鈍い音を聞かせた。

部屋は受付と事務室と来客を待たせる場所とを兼ねていた。壁側に寄せて事務机がある。電話機が机の上に一つと、赤い花が、青い細長いガラス容器に挿してあった。電話機の傍に切替え装置がある。本立てにはふくらんだファイルが五、六冊ならべてある。背には何も書いてなかった。卓上スタンドには灯が入っていた。机の前のイスは一つだが、そこからはなれた壁際《かべぎわ》には簡素なイスが三つならんでいた。客用のものである。旧《ふる》い建物だけに、この部屋もスペースが十分にとってあった。ドアはほかに二つあった。

三人はそのイスに腰を下ろさなかった。味岡が女にむかって、低い声で、

「沢田さん。いつもお世話になります」

と云《い》って頭をさげた。あとの二人もいっしょに腰をかがめた。

声が低かったのは、隣室を仕切ったドアの奥に遠慮してのことだった。

成瀬が半歩出て女に静かな笑顔をむけた。

「おそくなりました」

「いえ。こちらこそ、お待たせしました」

女は憚《はばか》るところなく高い声で云い、つかつかとまん中のドアに歩いて把手《ノッブ》に手をかけると、さっと扇のように向う側へ押し開いた。

「お見えになりました」

これは奥へむかってとりついだ声だった。

うむ、とか、あ、という口の中の返事があった。女は身を寄せて客のために開いたままのドアを手でおさえた。

その部屋は五坪くらいの広さはたっぷりとあった。立派ではないが、ひろい机が窓際に寄せて一つあった。背後に大きな本箱のような棚《たな》があるが、戸が閉まっている。机の上は窓のあかりを受けて木目を見せていた。つまり、何も置いてないのである。電話機が一つと卓上ボタンが小さく乗っているだけだった。壁に画《え》もなかった。

花を入れた花瓶《かびん》は、机からはなれた楕円形《だえんけい》の大きなテーブルの上にあった。それをかこんで来客用のイスがならんでいた。奥側には長イスになったクッションがある。

革製でも何でもない、デパートで家庭用の応接セットとして売っているのと同じだった。すべてが実用的なこしらえだが、この広い床に一面に敷いたペルシア絨緞《じゅうたん》だけは眼を奪った。色彩といい、文様といい、柔かさといい、厚さといい、あきらかにイランでもイスファハーンあたりの本場ものだった。

すべての調度が貧弱なくらい実用的なところに絨緞だけが贅沢《ぜいたく》なのはちぐはぐの感じだが、これは馴《な》れるにしたがって不自然でなくうけとれるようになる。この絨緞が部屋の雰囲気《ふんいき》を支配していることがわかるからであり、それが主人の人柄《ひとがら》であった。

主人といっていいか、東明経済研究所長は、小柄で、短い頭髪は真白であった。六十五歳。しかし、眉《まゆ》は、その端にこそ長い白毛がまじっているが、まだ黒くて太かった。眼窩《がんか》は落ちくぼんでいるが、眼は大きかった。若いときは、そのくるくるした眼が愛嬌《あいきよう》があって、可愛《かわい》らしかったにちがいない。頬はもちろんすぼんで、棚の落ちた眼の上と共に黒い影をつくっていた。鼻は、脂肪の落ちたせいで隆《たか》くて尖《とが》っている。口はうすくて横にひろい。細い頸に血管の筋は浮いているが、濃紺のダブルに夏らしく白っぽいネクタイをつけて年齢《とし》よりはいくぶん若くみえた。

三人の紳士は、楕円形のテーブルに沿うイスに楕円形にならんで掛け、経済研究所長の前に両手の指を前に組み合せ、膝《ひざ》を揃《そろ》え、眼を伏せて畏《かしこ》まっていた。大手建設会社の専務二人と常務一人であった。所長は対《む》い側のクッションに股《また》をひろげて少々自堕落に坐《すわ》っていた。

「霞《かすみ》ガ関《せき》のほうが、思いのほか時間をとってな、約束の時間からだいぶんおくれたようで、みなさん、忙しい身体《からだ》なのに、えらい悪かった」

所長は微笑《ほほえ》み、少し反歯《そっぱ》の皎《しろ》い前歯をみせた。が、義歯は一本もなく、全部自前という羨《うらやま》しい歯であった。

笑ってもまるい眼はあまり細まらないが、言葉に関西弁の抑揚がいくらかあって、調子が柔かだった。

「とんでもございません。われわれの忙しいのは商売の勝手ですから、なんとでもなります。先生こそご多忙のところを、いつもわれわれに格別のご好意をいただいて、会長、社長ともども感謝申上げております」

ここでも年長の味岡専務がまるい顎をひきしめるようにして代表格として礼を述べた。感謝の意を最大限に表わそうとすると、かえって言葉が形式的になるものである。

むろん成瀬専務も中原常務も頭を低く垂れた。

先生――と味岡は云った。ここだけではなく、ガード下の喫茶店にいて互いの話でも「先生」とよんでいた。

丸ノ内、銀座、赤坂界隈《かいわい》でホテルの一室や貸ビルの中に「――政治経済研究所」の看板が掲げてあるのを見るのは、そう珍しいことではない。また、その所長が、先生と敬称されていることもそれほど奇異ではない。というのは、たいていの「政治経済研究所」の「所長」が政治家か政治評論家だからである。が、そこで日本や世界の政治・経済が「研究」されているというのはあまり聞いたことがない。たいていがその名目の看板で、その実、連絡場所にすぎないからである。

しかし、「東明経済研究所」には、そのように常套《じようとう》的な名目の「政治」の文字が脱《ぬ》けている。代議士や政治評論家の連絡事務所ではなさそうだし、事実、白頭の小柄な年寄りにはそういう肩書はなかった。

それでは「経済研究所」の名による総会屋の連絡事務所かというと、彼はまたそのような人物でもなかった。もっとも、風丰《ふうぼう》を見ると、その方面の老闘将と間違われそうな可能性はあった。

赤のブラウスの女が入ってきて紅茶をテーブルに置いて去った。沢田美代子である。三十一歳。二重瞼《ふたえまぶた》の眼《め》に、ちんまりとした鼻。唇《くちびる》を嚙《か》みしめるように強く結ぶ癖があった。童顔の輪廓《りんかく》だが、額のところにわずかだが手術したあとがあるせいか、わりと神経質にみえた。

ガード下の喫茶店『DATE』で、三人が話題にした女性である。

隣室では電話がたびたび鳴った。そのつど、沢田美代子のちょっとかすれた声が応《こ》答《た》えていた。「先生」に電話をとりついで返事の指示を受けにくるでもない。答えも短かった。話の内容はここまでは伝わってこないが、いかにもてきぱきと片づけているといった感じだった。

彼女はこっちの話合っている三人を意識してとりつがない電話もあるようだった。あとでもういちどかけてくるようにと云っているらしい。「先生」に電話をとりついで、かかってきた先方の名前を客の三人に聞かれては困るのである。

「山上に会った」

眼の大きい年寄りは云った。三人はすぐには返事をしなかった。声を呑《の》んだ面持《おももち》で相手の顔を見つめていた。

「十分くらいだったけどな。なにせ、面会人が多い。こっちの気持もせわしのうてかなわん。ああいう場所は苦手や」

「ごもっともでございます」

味岡が頭をさげた。

「局長室というのはたいへんでございますね。わたしどもは建設省の局長室しか存じませんが。それも陳情で七、八人がいっしょになって伺っただけです。大蔵省の局長室となるとまた廊下に面会の順番を待っている人たちでいっぱいでございましょうね」

「山上が気をつかってな。あの男は若いときから腰が軽くて、身体がよく動く。今も変らんわ」

年寄りは味岡の言葉にとりあわずに云った。

「先生には、局長もとくべつでございましょう」

成瀬が云った。

「とくべつということはないが、多少ほかの人間とは違うやろな。昔から知り合いにはなっておくもんや」

「ごもっともでございます」

「十分間のうち、半分くらいは、あのころの話になった。山上は、一カ月前にシンガポールからジャカルタを出張で回ってきたそうや。その時シンガポール市内の丘《ヒル》の公園に行ったら、茶店のおやじが出てきて、日本語でなつかしそうに挨拶《あいさつ》した。ちゃんと山上を憶《おぼ》えていたそうで、これには山上もびっくりしたそうや。三十何年も前のことなのになァ。もっとも、それだけ山上の顔が若いときと変っとらんということや」

「局長は、よそながらお見かけしたことがございますが、お若く見えます」

中原が云った。

「若いいうたかて、あんた、もう五十二や。そやけど、ああいう特徴のある人相は変らん。現地人までちゃんとおぼえておる。もっとも、その男、かくべつにものおぼえがええ奴《やつ》やな。わしのことを山上に聞いたそうや。コセさんはお元気ですか云うてな」

巨勢《こせ》堂明《どうめい》というのがこの「東明経済研究所」を持っている年寄りの名前であった。三人はそんなことをしゃべる年寄りの話を謹聴していた。その短い白髪頭《しらがあたま》がゆらゆらと動く。窓の外が曇ってなかったら、この白髪にはもっと艶《つや》が光るはずだった。

大蔵省の局長との面会時間は十分間だったが、シンガポールの話に半分はとられた。沢田美代子から前もって云われた三人の面会時間は二十分だったが、老人のシンガポールの話は、もう十五分を越えていた。

隣室では、電話が頻《しき》りとかかっていた。多い面会の申込みを沢田美代子が抑えている様子だった。

三人の顔に、ようやく焦燥が滲《にじ》み出た。ガード下の喫茶店で二時間近くも待たされ、来てみるとこの想出話《おもいでばなし》であった。もっとも巨勢堂明と大蔵省の局長との親しい間柄を聞かされるのは決して無益なことではなかった。しかし、そのことは、あまり他人には云わないでくれと口止めされて、前からうすうす分っていることだった。大手といわれる三つの建設会社の役員が年寄りから「話がある」と云われて、こうして揃って参上している。目下のところ、どうでもよい雑談を聞きに来たのではなかった。

しかし、肝腎《かんじん》の話は、残りの五分間に年寄りの口から出た。

「この前から出ている観光道路を二つの県でつくる話なァ、ありゃ大蔵省のほうで金を出すことにきまったらしい。山上の口裏で判《わか》った。……」

その話をすると巨勢堂明は三人の来客との面談を打ち切った。その打ち切りの合図はドアの低いノックだった。沢田美代子が巨勢の前に二つに折った紙片を運んできた。年寄りに眼鏡をとり出す手間を省かせるため紙片には大きな字が濃い鉛筆で書いてあった。

《宮村さんから第三回の電》の文字がこぼれた。指先が少し硬直しているせいで巨勢が紙片をテーブルの上にとり落したため、二つ折りが開いたのである。巨勢はすぐに拾いあげ、三人には裏側をむけて眼を動かしていたが、たたんでポケットに入れ、立っている沢田美代子にうなずいた。

坐った位置の関係で、その鉛筆の文字が瞳《ひとみ》に入ったのは味岡だけであった。が、むろん味岡は眼を伏せて両手を太い膝の上に置いたまま身じろぎもしなかった。肥《ふと》っている彼は、そうした姿態がいかにも鈍感そうに見えた。

成瀬が気を利《き》かせて腕時計をのぞき、両隣の味岡と中原とに眼配せした。そこで三人はイスから腰を浮かせた。味岡がいちばん遅かった。

「それでは、わたくしどもはこれで失礼させていただきます」

味岡が代表格で云い、三人いっしょに立ち上って巨勢に頭を下げた。

「さよか。忙しいところを長いこと待たせて済まなんだな」

巨勢はまるい眼のふちに愛嬌のある皺《しわ》を寄せた。

「いえいえ。わたくしどもこそお忙しい先生にわざわざご親切なご配慮をいただいて、なんともお礼の申し上げようもございません」

成瀬が深々と頭を垂れた。

「まことにありがとう存じました」

中原がそれにつづいた。

「ま、今日は局長の反応をちょっと知らせといただけや。詳しいことはまた近いうちに寄って話そう」

イスから立ち上った巨勢は瘠《や》せて、低い背だった。

「はい。ありがとうございます」

「云うまでもないことやが、この話はあんたがた三人の胸の中だけにしまっといてや。いまのところ、日星建設、大東組建設、共栄建設、この三社だけや」

「は、それはもう……」

三人が一斉《いっせい》に腰を折ると、沢田美代子は巨勢の横にまわり、見下ろすように柔かいブラシで上衣《うわぎ》の肩を軽く刷《は》いた。巨勢の白い頭は彼女の咽喉《のど》までしかなかった。

「ああ、それからやな、近いうちにみなでゴルフをやりに行こう。ええな？」

巨勢は後肩を刷かせながら云った。

「はい。それは、もう、ねがってもないことでございますが……」

成瀬が鋭い感じの顔に笑みをいっぱいこぼして眼を輝かせた。

「日にちがいいな？」

「はい」

「あとで、連絡しまっさ。場所もな。先さまの都合もあることで」

「ごもっともでございます。お待ち申し上げております。てまえどものほうは、いつでも……」

中原が云った。

「いつでもと云《い》うたかて、あんたらは役員さんばかりや。前からきまったスケジュールの行事もあるやろし、出張もあるやろ。ゴルフ会の日は、一週間前までに通知させてもらいましょ」

「なにからなにまで、お手数をおかけして恐縮でございます」

味岡が口もとをまるめて礼を述べた。

「ほなら、これで」

巨勢は片手を肩のところまで挙げて三人の前を歩いた。

「行ってらっしゃいまし。失礼いたします」

「おおきに」

三人のおじぎは、巨勢のあとに随《したが》う沢田美代子の通過までつづいた。

三人は廊下に出ず、ドアの内側に立って、巨勢をエレベーターに入れた沢田美代子が戻ってくるまで待っていた。巨勢は人に見送られるのが好きでない性質《たち》で、知らなかった最初、余計なことをしないでほしいと叱《しか》られた。この年寄りは、だれに会っているかを他人に見られるのがうれしくないようだった。

旧式のエレベーターのことで、その扉《とびら》を開閉する音が相当に離れているここまで聞えた。その間、三人はそこに佇《たたず》んだままなんとなく黙っていて、互いが眼をそらすくらいにしていた。ガード下の喫茶店にいたときとは雰囲気《ふんいき》が少し変っていた。その微妙な変化は「二つの県が観光道路をつくる、前からの話」を年寄りから聞いたのが境のようだった。

沢田美代子が廊下を帰ってきた。近づいてくる靴音《くつおと》が正確な歩調であった。耳にするだけで彼女が長身をまっすぐに伸ばして歩いてくるのが分った。

「お待たせしました」

ドアを開いて現れた沢田美代子は想像したとおりの姿勢であった。巨勢がエレベーターで一階に到着するころあいを見はからって、客の帰りを誘導したのだった。

失礼します、お世話になりました、と三人の建設会社の役員はそれぞれ彼女に云って部屋を出た。彼女はわきに立ったままにこやかに微笑んでいた。

車が東京駅の八重洲口《やえすぐち》が見えるところまで来て、味岡正弘は運転手にもとの神邦ビルに引返すように云った。忘れものでもしたような口吻《こうふん》だった。

さっきまで前後して走っていた大東組建設の成瀬の車は、ほかの車の流れに呑まれて消えていた。共栄建設の中原の車は、あの古いビルの前で反対方向へすぐに走り去ったものだ。蒸し暑いうえに小雨なので、窓ガラスは霧をかけたように白く曇っていた。運転席の前ではワイパーがガラスを半円形に拭《ふ》きつづけていた。

《宮村さんから第三回の電》

味岡だけが眼に入れた沢田美代子の文字である。

味岡には「宮村」という名に心当りがあった。沢田美代子と同じように巨勢堂明の秘書ともつかず、その事務所の事務員ともつかない女であった。やはり電話一つに女事務員が一人といった小さな設備であろう。そこには最小限度に調度を置いた巨勢堂明の部屋と狭い事務員の執務室とがある。執務室といっても机が一つに電話が一本、いま見てきた沢田美代子の居る場所と同じであろう。彼女らは連絡用の電話番であり、客がくれば接待役である。

味岡が「宮村」の名を前に聞いたのは、不動産関係の業者からだった。やはり大手の不動産会社の幹部連がその巨勢の事務所に出入りするらしい。極秘だがと教えてくれた会の名が「竜水会《りゅうすいかい》」であった。耳打ちしてくれた当の業者は「竜水会」に加入していないので、詳しい内容を知っていなかった。

「南苑会《なんえんかい》」は味岡たちが入っている巨勢堂明を中心にした親睦会《しんぼくかい》の名である。建設業者ばかりで十七社ほど加入している。「竜水会」は不動産業者の親睦会であるらしい。何社が入っているかわからない。

味岡に教えてくれた不動産業者は、「竜水会」に入会したがっている同業が多いことを云って、その事務所の責任者が「宮村」という女性だと聞いていると伝えた。味岡が二つ折りのメモが開いた隙《すき》に見た「宮村」の名に心当りがあったのはそれだった。「竜水会」といっても、そういう看板がぶらさがっているわけではない。「南苑会」の例からみて、巨勢の「××経済研究所」式の門札のような小さな板がどこかの目立たないビルの一室に掲げてあるにちがいなかった。巨勢は、他においてある事務所について一言も口にしたことがなかった。都内でも、はなれた場所に存在するとは思えない。だいたい官庁街やビジネス街に近いと考えられる。巨勢堂明の「仕事」の性格がそういう種類のものだった。

雨が少し強くなって車の窓を叩《たた》いた。味岡はまだ見ぬ「宮村」という女の顔を想像した。巨勢堂明は、沢田美代子と「宮村」とどちらを重用しているだろうか。沢田美代子に対する味岡の興味が「宮村」に幻影をつくっていた。

「東明経済研究所」に出入りしている味岡たちの間では、巨勢堂明と沢田美代子との知られざる間柄《あいだがら》に揣摩《しま》臆測《おくそく》がおこなわれていた。だれもそれを云う者はなかったが、様子でわかるのである。来客のないときの事務所には巨勢と沢田美代子だけである。指定のないかぎり、来客がそのドアの前に立つことは決してない。環境的な条件は出来上っている。

味岡がいま改めてそんなことを考えているのは、これから沢田美代子に遇《あ》いに行くからである。しかし、もちろんそんなことを偵察《ていさつ》に行くのではない。用件は公正なものだった。甲東建設の末吉祐介から執拗《しつよう》に頼まれている「南苑会」入会のことが可能かどうか巨勢堂明の反応を彼女に訊《き》きに引返して行くのである。さっきは成瀬と中原とが居たので、それが口に出せなかった。

窓ガラスに流れる雨の縞《しま》の間に神邦ビルの古典的建物が滲んで見えてきた。肥えている味岡は心臓の動きが速くなった。


神邦ビルの一階はテナントの商店街で、買物客と通行者とでかなり混《こ》んでいた。エレベーターの場所は東と西の両方に出入口をもつほぼ三十メートルの商店通りの中ほどである。味岡は西のほうから入って行ったのだが、七メートルくらいのところで足がとまった。人群れの間に見おぼえの後姿を見たからである。撫《な》で肩の高い背は成瀬敬一であった。うす茶色の洋服は二十分前に別れたときのままだった。

味岡はあわてて横の海苔屋《のりや》のウインドウの前に寄った。成瀬がいつ振り返るかわからないからだった。陳列飾りの海苔の詰合せ箱を見るようなふりをして、顔は斜めにむけ視野の端にうす茶色の洋服の動きを入れておいた。困難な顔の位置だが、これはそう長く辛抱することはなかった。案の定、その後姿がエレベーターのある位置で消えた。

成瀬も車を迂回《うかい》させてこのビルに戻ってきたのだ。彼も二十分前にこのビルを出て車を走らせてから二人を撒《ま》いたつもりでいるらしい。

成瀬は、なぜ、ここへ引返してきたのだろうか。味岡は海苔屋の隣にある洋酒店のウインドウに歩を移し、黒い瓶《びん》の形とラベルの色とを眺《なが》めていた。肥った身体《からだ》だから、陳列窓をのんびりと見入っている姿がたいそう似つかわしい。

成瀬のやつ、どういう用事で戻ったのか。——味岡は、ならんだ洋酒のラベルの字をぼんやりと読みながら考える。仕事の上で抜け駆けを思いついて引返してきたのか。もちろん巨勢の不在は成瀬も承知だ。巨勢が出て行ったのを三人であの部屋の中にいて見送ったのだから。

巨勢が居ないとわかっているのに成瀬が四階の東明経済研究所に引返してきたのは、忘れものを取りにきたのでもなければ、他人からの依頼を伝えにきたのでもない。仕事をもらうための抜け駆けといっても、「二つの県がつくる観光道路」について大蔵省の局長の諒解《りょうかい》がとれたという「感触」だけを巨勢から共同で伝えられたのであって、具体的な話になるのはこれからである。また、いままでの例からみて巨勢の斡旋《あっせん》は呼びつけた者には公平に与えるという建前を通してきている。抜け駆けが不可能なことは成瀬も承知のはずだった。

残るのは、割のいい仕事がもらえるようにする運動だが、成瀬はそれを頼みに沢田美代子に会いに行ったのだろうか。だとすれば、成瀬は彼女の巨勢に対する助言の効験性を評価してそうした行動に出たことになる。この場合、巨勢と彼女との間を見る成瀬の当て推量がどういうものかわかってくる。

しかしほかに、巨勢をきり離して沢田美代子単独に成瀬が会いに行ったという想像もある。シャープな顔つきをし、すらりとした背格好をもち、年齢も四十七歳という成瀬敬一は、女遊びも上手だと建設業界仲間での取沙汰《とりざた》であった。

いまごろ、その成瀬がエレベーターを四階で降りて、あの部屋のブザーをひっそりと鳴らしているかと思うと、ウインドウの前に立って洋酒のラベルを見ている味岡の脂肪のついた心臓が息苦しくなってきた。

たっぷりと三十分はそこに佇んで洋酒店の前をはなれた。

エレベーターの前には味岡のほか四人が函《ケージ》の降下を待っていた。味岡はわきの壁へ身を寄せていた。さっきから見ていたのだが、エレベーターから吐き出されて行った成瀬の姿を見ていないので、いま降りてくる函の中に居るかもしれないのである。顔を合わせないように横へ身を除《よ》けたのだが、肥った身体はこういうさいに不便であった。

エレベーターのドアが開いて、男女五人が出てきた。成瀬が居なかったので味岡は安堵《あんど》の溜息《ためいき》をついた。吐き出された五人は二階以上の各階にある会社の事務員であった。入れかわりに入った四人も同じ風采《ふうさい》だった。二人が三階のボタンを押し、上衣を脱《と》った男が四階を押した。味岡はいちばん上の七階を押した。二十四、五くらいの女事務員は手を出さないで立っていた。

味岡が四階のボタンを押そうとしなかったのは、そこで下に降りる成瀬とぶっつかることが考えられ、危険を避けるためだった。鉢合《はちあわ》せになれば東明経済研究所に引返してそこから出てきた成瀬も狼狽《ろうばい》するだろうし、引返してそこへ行く自分も体裁が悪い。いったん七階まで上って、それから四階に降りてくるつもりである。そのぶん余計な時間がかかるが、それだけに成瀬が四階から居なくなる可能性も大きくなる。

成瀬はまだ四階の巨勢堂明の事務所で沢田美代子と話し合っているとも思われるが、あるいはすでにそこを出ているとも考えられる。注意深く見張っていたつもりだったが、二度ほどエレベーターから出てきた人間が多勢だったことと、ちょうど洋酒店の前とエレベーターとの間にかなりな数の客が入りこんで視野を妨げたことなどがあって、確信がもてなかった。成瀬がすでに退去しているのにいつまでも待っているのは無駄《むだ》で莫迦《ばか》莫迦しいことである。常識として三十分も経《た》てば成瀬の用談も済むと思っていい。

エレベーターはボタンの命令どおりに三階にとまって二人を吐き出し、ドアを閉めて上昇した。旧式だから速度がなかった。

四階にとまった。味岡はドアの横に肥った身体をへばりつけた。ドアが開く。蒸し暑さにシャツだけになった若い男が出て行った。女事務員はそのまま残って立っていた。

そのとき女事務員が外の靴音にむかって云った。

「上ですよ」

「あ、上へ行くんでしたか。失礼」

女事務員が注意したのがよかったのである。

七階で味岡と女事務員は降りた。彼女は廊下を右へ向って歩いて行く。味岡はエレベーターの前で別れるとき、きれいとはいえない彼女に、ありがとう、と一口言いたかった。

あの声はまぎれもなく成瀬敬一のものだった。女事務員が注意しなかったら、昇り降《くだ》りとをとりちがえた成瀬が函《ケージ》に飛びこんでくるところだった。

味岡はエレベーターが下がって行く目盛りの針の動きを見上げていた。針は4の数字で停止した。何秒かして動き、3、2、1と古い回転盤をまわった。成瀬は函から吐き出されて、いまごろはこのビル内の商店街を歩いている。

成瀬は三十分も巨勢《こせ》の事務所に居て沢田美代子と何を話していたのだろう、と味岡は廊下の突き当りの窓に立って考えていた。

その窓に歩いて行くまで廊下の両側には事務所の部屋がならんでいた。各室のドアは密閉され、廊下側の窓も閉め切って、中からは声一つ洩《も》れてこなかった。明りがないので、通路になっている廊下の上にうすぐらい電灯がついていた。静かというよりも寂寞《せきばく》としすぎて気味悪いくらいだった。

つきあたりの窓にはすぐ近くの高いビルがいっぱいに見えている。ガラスばかりの、まるで鏡でできたような近代建築であった。それにこの時代おくれの意匠過多な小さなビルのシルエットが映っている。

成瀬が三十分も沢田美代子と話し合ったのは、こんどの二つの県にまたがる観光道路の建設工事のことにちがいない、と味岡は鏡のビルを眺めながら考えていた。中部地方の山間地帯を南北に貫く道路建設であった。むろん県の予算だけでやれる工事ではなかった。国からの助成金三〇パーセントが必要である。

各建設会社では、建設予定線が分っているので、すでに工事費の試算を行なっていた。材料・工法など施工主の仕様書を数種類にも想定して緻密《ちみつ》な計算を積んでいた。施工主とは、二つの県にできる道路公社である。建設省も自治省もこれを了解している。だが、最後の決定が国から助成金が出るかどうかにかかっている。それは大蔵省の権限である。オイル・ショックいらい大蔵省は歳入減で、支出を極端に抑える方針をとっている。殊《こと》に地方の観光道路建設に助成金を出すことはまず見込みうすと思われた。その観光道路建設による地方の産業開発、経済興隆、県民の受益などをどのようにうたい文句にしてもである。

ところが、助成金の出る見込みがあるというのである。大蔵省の有力な局長にその積極的な反応があったと巨勢堂明がさきほど日星建設・大東組・共栄建設の在京三社の担当役員を呼んで伝えた。

これがほかの者だったら三社の役員もその言葉を当てにしないで半分は聞き流してしまったろう。しかし、相手が巨勢堂明であった。

巨勢堂明の過去はよく分らない。とにかく大蔵省の局長や主計官クラスに影響力を持っているらしい。それが大蔵省だけではなく、ほかの省の中堅幹部にも、そのほとんどはいわゆるエリート官僚なのだが、同じように顔が利《き》いている。

巨勢堂明は戦前の内務官僚だったという噂《うわさ》がある。これはかなり確実らしいとされているが、そのあとの履歴が世間によくわからない。六、七年前に神邦ビルの一室に突然「東明経済研究所」の看板を掲げて世の中に出た。戦後と、それまでの間が世間の眼《め》からは空白となっている。

ただ、三社の役員を「内輪の人間」として巨勢堂明はシンガポールの話を洩らした。大蔵省の「山上」という局長が「主計少尉《しょうい》じゃった」と云っている。戦争中の話である。しかし巨勢堂明はどのような役目で滞在していたのか理由は知られていない。

とにかくその巨勢が二つの県にまたがる観光有料道路の建設に国からの助成金が出る可能性を大蔵省の山上局長の反応として伝えてきたのである。時期からいって、いまが各省と大蔵省との予算折衝の準備段階で、各省は大蔵省の意図を打診して見込みのあるものからあらましの予算要求づくりをする。巨勢堂明の情報は信憑性《しんぴょうせい》が高いから、年末近くにはじまる新年度（翌年四月以降）の本格的な予算折衝には成功するとみてよい。

予想される施工主の仕様書をつくって各社ともさまざまな試算をおこなっている。それが間もなく生きてくる。むろん入札制度によってどの社に落札するかわからないが、大きな建設工事になると分担して各社に請負わせることがある。ことに二つの県がそれぞれ道路公社をつくるのだから分担工事の可能性は強くなる。

大東組の成瀬敬一が、ほかの二社の役員を出し抜いたつもりで雨の中を途中から引返したのは、沢田美代子に頼んで巨勢に助言してもらい、巨勢の便宜を獲得する狙《ねら》いであることは、まず間違いなかろう。

味岡は、窓から隣の鏡のビルに映る反射の影を見ていたが、そのうちに思案が成瀬と沢田美代子との個人的な交渉の影に縮小されてきた。縮小されただけにその影は濃くなり凝集してきた。

成瀬の鋭い容貌《ようぼう》は、なかなか男臭い魅力がある。女遊びに馴《な》れているという評判だけに、女の扱いには長《た》けているに相違ない。

個人的な交渉といっても、この場合は商売につながることだった。これは捨ててはおけない。

「捨ててはおけない」

味岡は思わず声を口から出して窓からはなれた。

捨てではおけないのが商売上の競争相手のことなのか、沢田美代子のことなのか、そのへんの区別が彼の意識の中では曖昧《あいまい》であり、混淆《こんこう》していた。

味岡は長くて寂寥《せきりよう》とした七階の通路をもどり、階段を一歩ずつ降りた。味岡の靴裏《くつうら》はようやく四階の廊下に達した。この通路も静かなものだった。階段を降り切ったところはエレベーターの出入口とならんでいた。ここには人がいなかった。彼はその上の針を見上げた。針は半円盤の1のところで停止していた。だれも昇ってこないようだった。

東明経済研究所はエレベーターの前から五つ目の室《へや》であった。味岡はその近くにきてネクタイに手をやり、ついでポケットから鼈甲《べつこう》の櫛《くし》をとり出して髪を撫でた。

味岡はドアを軽く叩いた。応答はなく、中で電話が鳴っていた。ここにくる前から鳴っているようだったが、受話器をとりあげる様子はなく、いつまでも音をつづけていた。が、やがて諦《あきら》めたように沈黙した。そのあいだ、味岡はドアの外に立っていたことになる。再度ノックをするまでもなく中には人がいないようだった。

彼はためしにドアの把手《ノツブ》を回してみた。かすかな音がして扉《とびら》は内側に開いた。ロックしてなかったとわかった。

のぞいてみたが、案の定、沢田美代子の姿はなかった。机の上の青いガラス容器に挿《さ》したガーベラが前からひきつづきその細長い花弁を呼吸《いき》づかせていた。

「ごめんください」

味岡は声をかけた。答えはなかった。

彼は中に入った。ちょっと部屋を空けたといったふうな沢田美代子の戻りを待つつもりだった。隣のドアは閉め切ってある。一時間前まで巨勢堂明と味岡とがほかの同業二社の役員とともに会っていた広い部屋である。奥へついている狭小《きょうしょう》なドアは控えの間といったところで、これは沢田美代子が着がえなどする部屋に宛《あ》てているらしかった。

味岡は壁ぎわのイスにもかけず、たったままでいた。沢田美代子は一階の商店街に買いものにでも行ったのだろうか。ドアに外から鍵《かぎ》をかけてないのは、すぐに戻ってくるつもりからであろう。いつかここに来たときは、彼女のほかに掃除婦をかねた五十ぐらいのおばさんがいたが、今日はそれも見えなかった。

机の上にはメモ帳がある。書いては指で切り除《と》るもので、いま出ているところは白紙であった。厚さが半分くらいになっている。ボールペン、鉛筆、赤鉛筆、消しゴム、小刀、鋏《はさみ》など机の上でそのままになっている。

味岡の視線は、その机の横から下に降りた。商店名の入った紙製のショッピング・

バッグが置いてあった。商店名は一流の婦人服飾品店であった。

上から見下ろしているので、少し開いた口から底に沈んだ包装紙の四角い包みが眼に入った。ショッピング・バッグもそうだが、この包装紙は銀線を交えた凝った意匠で紙質も贅沢《ぜいたく》なものだった。まるで高価な商品だけを包む専用包装紙のようだった。

味岡は、やられた、と思った。成瀬が沢田美代子に手渡して行った贈り物にちがいない。成瀬の引返しは、これにあったのだ。たぶん、前から用意していて車の中に入れていたのだろう。

味岡は自分が引返してきた用件とこの贈り物とを比較せずにいられなかった。自分の用事というのは甲東建設の末吉祐介に頼まれて彼が「南苑会《なんえんかい》」に加入できるかどうか、沢田美代子に巨勢の決定的な意向を聞くにあった。少なくとも表面上の口実はそれだった。なんという愚かな用件でUターンしてきたことだろう。成瀬の贈り物こそ「抜け駆け」であった。

味岡が婦人服飾品店の銀線の包装紙に打ちのめされた思いでいるとき、眼の前の電話が鳴った。味岡は一瞬だが心臓に弱い電気が通じたようになった。電話のベルの音は、状況によっては警報のように甲高く聞えるものである。不意のことだったし、やむをえなかったとはいえ誰もいない事務所に入りこんでいる怯《ひ》け目《め》を感じている際だった。身体が生理的にひと震いした。

電話は規則的に短い休止を置いている。これも警報の鳴り方と似ていた。

味岡は立ったまま電話を見つめていた。主のいないときだから来客が勝手に受話器を取るべきではない。そのままに放《ほう》っておけばベルもそのうちに熄《や》むだろうと思った。しかし電話のベルは容易に沈黙しなかった。味岡は、いつまでも鳴る電話機を眺めているうちにしだいに手が動いた。音は、早く受話器を取るように催促している。沢田美代子の代りに何か答えてあげよう、そのほうがこの事務所に黙って闖入《ちんにゅう》しているのではなく、彼女の帰りを待っているという自分の心の証《あかし》にもなると思った。それにいつまでも鳴るこの電話のベルで人がのぞきにくるような気もした。

彼は受話器を取って耳に当てた。が、その段になって少し迷いが生じた。先方からこっちの名前を聞かれたらどう答えようかという思案だった。これが普通の事務所だったら、むろん電話に本名を名乗れるのだが、とにかくあまり公開を好まない組織だった。主人の巨勢堂明がそういう性格なのである。あらゆる複雑な連絡がこの電話一本に集中しているらしい。迂闊《うかつ》に、留守中に来ている者ですとも云《い》えなかった。

味岡が口を利けずにいると、奇妙なことに受話器のほうが勝手にしゃべっていた。が、ひどく遠い男の声である。何か性急に云っているのだが、遠すぎて話している内容がよく分らなかった。

味岡も受話器を持ったまま答えずにいる。先方は、こっちの電話がなかなか出ないので、出るのを待つあいだに、横にいる人間としゃべっているのだった。

よくある経験で、先方が横の者と前からのつづきで夢中に話している間に、受話器を持った手を耳や口から無意識に離しているのだった。

受話器を耳にぴたりと当てて味岡は先方の男の話を聞き分けようとした。声が遠いのは向うの受話器が口の前からずれているからである。

しかし、巨勢堂明の声ではない。もっと若い中年男のそれである。巨勢堂明の年寄りじみた嗄《しわが》れた声なら特徴があるし、味岡も前に電話で何度も聞いたことがあるのですぐに分る。男の声は、彼の耳が判断するところ四十歳前後と思えた。声に張りがあるのである。

味岡は声を出さずに、一分間は大きな手に握りしめた受話器を耳に密着させていた。話の内容が何かの情報に関することかもしれない。そういう好奇心があった。先方は受話器が取られてこちらに聞かれているとは気がつかないのである。

「……そりゃア、いかん。そりゃダメだ。……え？……うむ、うむ……しかし、そりゃおそすぎるよ、おそすぎる……」

何のことを云っているのだろうと味岡は思った。むろん、その話相手の声までは入ってこない。相手が男か女かは分らなかった。

味岡は耳を澄ませている。しぜんと眼も机上のガーベラの花瓶《かびん》から動いて下の一点でとまっていた。その視線の先に、婦人服飾品店のしゃれたショッピング・バッグがあった。

味岡はそれに眼も凝らし、声に耳も研ぎ澄ました。静かな場所からかけているらしく、騒音は聞えなかった。

「……そりゃ、すぐにやらなければ……ぐずぐずしてはおられん……」

男の声は相変らず遠かったが、だんだん性急な調子になっているのはたしかだった。

が、その語調がふいと変った。

「しかし、出ないなァ。何を……」

何をしているのか、と云いかけて声がはたとやんだのは、受話器を耳につけて送信音がやんでいるのにようやく気づいたからだった。

だが、先方はすぐに受話器に声を出すのではなく、しばらく黙っていた。沢田美代子の声が出てないので、向うでも要心しているらしかった。

「……もしもし……」

こんどは受話器に近い声だった。近いけれど圧《お》し殺したような低い声であった。こっちを確かめるような、さぐるような声であった。

味岡に逡《ため》らいが水面の乱れのように起った。が、吸いこまれるように答えた。

「もしもし。こちらには、どなたもおられません。留守です」

すぐ質問がくるかと思っていると、電話は向うから黙って切った。受話器に低い唸《うな》りが残った。

先方が名前を訊《き》かずに黙って切ったところは、いかにもこの隠密《おんみつ》的な事務所にふさわしかった。

なまじ声を出さなかったほうがよかったかもしれない、と味岡は後悔した。電話を鳴り放しにさせておいてよかったのである。受話器を取っても、耳に付けたまま答えないでいたほうが面白かったかもしれない。いやいや、それは拙《まず》い。受話器を取った人間が、この事務所にいて何も云わないでいるとなると、よけいに訝《あや》しまれる。自分だということが沢田美代子なり巨勢堂明なりにあとで知れると、立場が悪くなる。あのていどには答えるべきだった。

いまの電話が巨勢堂明に関係あるところからきたかどうかはわからない。しかし、単純な電話だったら、自分の声というよりも男の声を聞いたとたんに何も云わずに電話を切るということはなかろうと味岡は思った。先方は沢田美代子でなかったからこそ黙って切ったのだ。

まあ、いい、味岡という名前を口から出さなかっただけでもまだマシだったと彼は少し気が軽くなった。緊張がゆるんでくると、関心は再び机の横下に置かれた紙袋にむかった。大東組の成瀬敬一の「抜け駆け」の証拠品だった。

沢田美代子はまだここに戻ってこなかった。ドアに鍵をかけずに出て行っているから外出ではなさそうである。このビルの中だろうが、すぐ戻ってくるつもりが何かのことで時間がかかっているのかもしれない。この旧式なビルは、ドアもロック式ではなく、いちいち鍵をさしこんで回さなければならない。すぐに戻る人間にはその面倒さを省く気持がある。

いままで味岡は成瀬がここで沢田美代子に会ってこの贈りものを手渡したものと思いこんでいたが、もしかすると沢田美代子の留守はその前からかもしれないという気がしてきた。もし、この想像があたっているなら、紙袋の中には成瀬のメッセージが入っているはずである。留守だと彼に分ったのはこの部屋に来てからだから、伝言はこの机の上で自分の名刺にでも書いたにちがいない。その名刺がこの紙袋の中に入っているかどうかである。

味岡は紙袋のほうへ少し近づいて袋の中をのぞいた。いままでは分らなかったが、中の函《はこ》には包紙の上から金色のリボンが斜めにかけられ、花模様の飾り結びが派手についていた。函の大きさからみて、ブラウスがたたんで入っているかと思われる。その婦人服飾店は高級品ばかりを扱っているから、ブラウスもフランスもので、世界に名だたるデザイナーのサインでも縫い付けられているのかもしれない。

紙袋は深くて、それに函包みが入っているので、底のほうは分らなかった。名刺を入れるなら、リボンに挟《はさ》むのが普通だが、それがないところを見ると、リボンからはずれて下に落ちているのかもしれない。名刺を確認するには紙袋の底に手を突っ込んで函の下までさぐるしかなかった。

が、それはさすがに味岡にもためらわれた。倫理感と危惧《きぐ》とが交錯していた。危惧はそんな動作をしているさいちゅうに不意に沢田美代子が戻ってきそうなことだった。

しかし、味岡は紙袋の底をさぐってみたい誘惑に勝てなかった。彼の肥《ふと》った身体《からだ》はイスのうしろに窮屈そうに回り、床に置かれた高名な婦人服飾品店の紙袋へそろそろと近づいて行った。袋の底に落ちた名刺を見ないことには、贈り主の名も分らないではないか。大東組の成瀬専務とは思うものの、あるいは違っているかもしれないのである。

紙袋に手をかけたとき、また電話が鳴った。

味岡はこんどこそ心臓に石をぶっつけられたように飛び上った。彼はあわてて紙袋からはなれた。彼の大きな図体《ずうたい》は机の端に当って、青色の花瓶を倒しそうになった。あやうく広い掌《てのひら》でそれを押えたものの、揺れたガーベラの花弁が二枚ほど落ちた。彼はそれを拾い上げ、机の下にある屑《くず》カゴの中に入れた。が、そのほかの一枚が知らないあいだに肘《ひじ》に附着し、さらにそれがズボンの折返しのところに落ちて止まったままでは分らなかった。

電話は規則的に鳴りつづけている。味岡はまるで警報に追い立てられるように廊下へ出た。

二

エレベーターを降りた味岡が一階のテナント商店街を半ば放心した状態で歩いていると、シャンデリアの下の通行人のなかから、

「味岡専務」

と声をかけられた。

それに活を入れられたように瞳《ひとみ》をさだめると、横に背の低い白髪頭《しらがあたま》が立っていた。

「あ、末吉《すえよし》君か」

甲東建設の社長末吉祐介《ゆうすけ》が大きな眼《め》を開いていた。つい、二時間にもならない前にガード下の喫茶店から彼に呼び出されて会ったばかりだった。

「専務」

末吉は味岡の前に回ってきて彼を見上げて低声《こごえ》できいた。

「わたしが南苑会に入れる見込みはどうでしょうか？」

小男だが太い眼をしている末吉はそれを飛び出すばかりにして味岡を見つめていた。

「うむ、まあ……」

味岡は曖昧《あいまい》に云ったが、そこで気がつき、

「君はここまで様子を見に来ていたのか？」

と逆に末吉を見返した。

末吉の太い眼が皺《しわ》に囲まれて半分になり、

「そういうつもりはありませんが、やっぱり気になりましてね。この界隈《かいわい》をなんとなくうろうろしていました。四階には上りませんよ。そこまではよう上れませんが、もしかするとあそこからお帰りの専務を見かけるかもしれないと思いましてね。その期待があたったんです」

と、厚い唇《くちびる》から不揃《ふぞろ》いな歯を見せた。彼は気づいたようにあたりを見回した。

「おや、ほかのお方はどうされましたか？」

成瀬敬一と共栄建設の中原武夫のことだった。喫茶店「棗椰子《デート》」で三人が待ち合せ、東明経済研究所に揃ってきたことをむろん末吉は知っていた。

「あの二人はもう帰ったよ」

察するところ末吉がこのビルに来たのは時間が遅かったようであった。

「ああそうですか」

末吉はべつに自分がおくれてここに来たとは気づかず、

「この地階に喫茶店があるんです。こういう場所ですからあまり混《こ》んでいません。ねえ、味岡さん。十分くらいはいいでしょう。ぜひ、お話をうかがいたいのです」

と、粘《ねば》い言い方でいった。

話をしようにも、末吉の希望について、巨勢《こせ》堂明《どうめい》からの確答がまだ無いままであった。その意向の是非を沢田美代子に訊きに引返したのだが、彼女も居なかった。引返したのを末吉の熱心さに動かされたと正面切って云えば気がとがめるけれど、たとえ口実としても、まんざらの嘘《うそ》ではなかった。

地階に降りる階段も手すりも天井も宮廷風な花模様の線が彫りくぼめられているように凝っていたが、白亜の壁は黒ずみ、微細なところにヒビ割れの筋が走っていそうだった。

間口のせまい店がならんでいたが、ここは中華料理店だのスシ屋だの天プラ店だの食いもの店が多かった。古色の深い典雅な建築物とは似つかわしくなかったが、そこに進んでいる荒廃を華美な店つきが隠しているようにもみえた。

理髪店の隣にある喫茶店は、末吉が云うとおり客はわずかしか居なかった。

「蒸し蒸ししますね。ここは冷房もよくきかないようです」

末吉は運ばれたおしぼりの一つをビニール袋から破ってひろげ、味岡の前にさし出した。

「どうぞ」

気がついてみると、味岡の額には汗が粒になって溜《たま》っていた。心臓が肥大しているせいで、荒い息づかいがまだ静まっていなかった。

味岡は末吉が出したおしぼりで顔の汗を拭《ぬぐ》った。自分ではわからなかったが、異常な経験をしたときに似た衝撃がひとりでに生理的な現象に出ていた。動悸《どうき》はまだ高鳴りしていた。医者に云われて肥大した心臓を知っているだけに、味岡はこうした心悸《しんき》亢進《こうしん》の状態になるのが不安であった。

早く末吉の前から去りたかったが、この動揺した状態を彼に気どられてはならないと思った。末吉は勘の鋭い男である。小さな土建業者から叩《たた》きあげてきた人間のもつ嗅覚《きゅうかく》があった。

三流会社に入り追いつけ追い越せで現在に至った味岡は末吉に同情的な立場をとってきたのだが、いまでは末吉がそれに付け入ってきている様子に近いので、少々煩《わずら》わしくなっていた。ほかに凭《よ》るところのない新興の中企業の経営者の末吉としては日星建設の専務を頼りにしている状態だが、その下には一種の強引さがみえていた。好意にとりすがる態度の底には狎《な》れがあった。これが味岡にときどき不快をおぼえさせた。

不快だが、味岡はそれを正面から末吉に云えなかった。そんな自分の気の弱さも彼は自覚している。苦手に頼られているというよりほかなかったが、末吉の執拗《しつよう》さが次第に分ってきて手にあまるようになった。このビルの四階に引返して沢田美代子に会うことにしたのも、半分以上は末吉のその執拗さに圧迫感をうけているからである。いずれ近いうちに末吉とは手を切らねばならない。

「あんたのことを先生にもういちど打診してみるつもりだったがね、先生はわれわれと話の途中に出て行ったので、切り出すひまがなかった。で、あとは沢田さんだが、これも成瀬君や中原君が居るので、この二人の前では、君を南苑会の会員にしてもらうよう先生に再度頼んでほしいとはとても云い出せなかった」

味岡は末吉に伝えて、いちおう報告して義務をはたしたつもりだった。またいずれ機会を見てと云い添える慣用句の用意もあった。

「どうもありがとう存じました」

末吉は白い頭をさげた。礼儀正しいが、どこか気が入らないところがある。一つの言葉を云いながら、いつもほかのことを考えている男だった。背は低いが、その赭《あか》ら顔には脂《あぶら》が滲《にじ》んで光っていた。

「わたしとしてもね、なんとか南苑会には入らせていただきたいのですよ。いえ、儲《もう》けを考えているわけじゃありません。それはいつも云うとおりです。南苑会に加入しているということで一種の有資格者になりたいのです。業界のね。わたしもこれまでさんざん除《の》け者《もの》の悲哀を味わってきましたからね」

末吉は運ばれてきたコーヒーをすすった。この述懐も味岡はこれまで何度となく聞かされていた。

「あんたもよく頑張《がんば》ってきたものだ」

味岡は冷たいソーダ水を一気に呑《の》んだ。咽喉《のど》が乾いていた。ここで少し話相手になって別れるつもりでいる。

末吉祐介はC県の小さな土建業者であった。道路建設では市町村単位から県の公共事業に喰《く》いこんできている。むろんC県だけではなく近県のそれにも参加していた。それまでが苦労で、既成の同業者に苛《いじ》められてきた。末吉が甲東建設の看板を掲げたのは十五年前であった。市町村単位の受註から伸びて県の公共事業の入札指定業者になるまでには、苦難の連続であったという。業者どうしの談合を蹴《け》って、談合屋の「俠客《きょうかく》」の手で半殺しの目に遇《あ》わされたことも一再ではなかったと話した。

「いまは社員がどのくらい？　一年前には五十人で、下請けの組が二十社だと聞いていたが」

「社員がやっと百人近くなりました。支店や出張所が近県に八カ所です。下請けが四十社になりました」

「そんなに？　一年のうちに倍になったのかね？」

味岡は驚歎《きょうたん》してみせた。業界のことだからそのへんのことは判《わか》っていた。末吉の云《い》うことよりも実際は二割がた少ないのだけれど、甲東建設が躍進していることに変りはなかった。

「あんたはすごい事業家だ」

「とんでもありません。小さいから、あなたがたの大手と違って小まわりが利《き》くんです。けど、やっぱり無理を重ねてきました。背伸びするとどうしても無理をします。自分でもよくここまでやってこられたと思っていますよ。これからは業界の信用を得たいのです。これまで苦労してきたのは、その信用がなかったからです。たかが田舎の土建業者上りだというので莫迦《ばか》にされ、疎外《そがい》され、差別されてきました。血を吐くような想《おも》いでしたよ。つくづく業界の有資格者にならなければいけないと思いましたね」

「業界の有資格者」とは妙な言葉である。たぶん末吉は公共事業を請負った企業の下請けをしているころから、中央官庁の役人にはエリートコースを歩む「有資格者」というのがあるのを聞いて、それを使っているのであろう。教養の低い彼は、有資格者がエリートの訳語ぐらいに思いこんでいるらしく、業界の有資格者などと云っている。

もっとも、末吉祐介が「南苑会」の会員になることが有資格者だと云う意味なら、そのかぎりでは間違いではない。この会に入っているということだけで業界の信用が違ってくる。とにかく大手がその会員になっているのだ。同じように会員章を胸に下げることで一流業者に伍《ご》したことになる。もちろん、ゴルフなどのとくべつな集りに徽章《きしょう》のつもりで付けるだけだが、イメージとしての「会員章」は存在する。

話が途切れた。味岡がふいと黙ったのは耳に先刻の声が甦《よみがえ》ったからである。

《……そりゃア、いかん。そりゃダメだ。……え?……うむ、うむ……しかし、そりゃおそすぎるよ、おそすぎる……》

普通の事務処理とは違うようである。秘密臭い行動的な感じがする。電話機は巨勢堂明の隠密《おんみつ》的な連絡場所にあった。——

「南苑会に入らせてもらったからといって、すぐにわたしも仕事をもらえるとは思っておりません」

末吉が大きな眼でこっちを見つめ、厚い唇を動かしていた。

「うむ」

味岡は機械的にうなずいた。意識からすると、この現実の声のほうに距離があった。

「そうなれば新参者ですし、先輩の大手業者の方々にお近づきになれただけでもありがたくて、涙がこぼれそうなくらいです。順番というものがありましょうからね。四年でも五年でも、仕事をいただけるのをじっとお待ちしています。南苑会に入会させていただくだけで光栄なんですから。先生をはじめ会員の皆さん、ご紹介してくださる味岡さんには決してご迷惑をおかけいたしません」

「うむ、うむ」

味岡は二重にくくれた顎《あご》を引き、空《から》返事をしていた。

《しかし、出ないなァ。何を……》

という先方の声につりこまれて、うっかり受話器に返事したのがいけなかった。

《もしもし。こちらには、どなたもおられません。留守です》

電話は切れた。

声を出すのではなかった。軽率だった。味岡は末吉に気づかれないようひそかに唇へ歯を当てる。電話が切れたのを残念がっているのではない。こっちの声を先方に聞かれたのを後悔していた。失敗だった。

電話がただものでなかった。もしそうでなければ、留守ですと云えば、先生または沢田さんはいつごろそちらにお帰りでしょうか、と向うがたずねるのが普通である。あるいは、どなたでしょうか、とたずねそうである。でなかったら、失礼しました、と挨拶《あいさつ》しそうなものであった。

それがなく、男の声を聞いて先方から黙って切ったということは、この巨勢堂明の事務所とかなり関係深い先にちがいない。つまり、先方は沢田美代子の声だけが受話器に出るものとはじめから決めていたのだ。こちらの声を出したからといって、それがすぐに日星建設の味岡と向うに判るわけはないが、とにかく沢田美代子の居ない事務所に知らない男が忍びこんでいたということで先方は神経を尖《とが》らしているにちがいない。

巨勢が電話のことを聞いてあとでだれかに調べさせるかもわからない。味岡は眼の前に夕闇《ゆうやみ》が流れてきたような思いであった。

「わたしも、このごろはゴルフの練習に精を出しています」

「あ、そう」

味岡は前のつづきで形式的にうなずいたが、ふいにそれが聴覚を鋭くよびさました。

「え、ゴルフの練習を？」

「はあ。南苑会に入会すると、ゴルフの会があるそうですから。いまのうちに、せめてハンディを18くらいにしておきませんと、役所のお偉方に嗤《わら》われますからね」

末吉は腕でも撫《な》でそうな表情で云った。

近いうちにゴルフをしよう、と巨勢堂明は味岡、成瀬、中原の三人の前に云い捨てて四階のあの部屋から出て行った。沢田美代子の《宮村さんから第三回の電》のメモを見てからすぐだった。

まさか巨勢のあの声が末吉祐介の耳に届いたわけではあるまい。これも末吉の持つ動物的な嗅覚からであろうか。

また、末吉は巨勢堂明主催のそのゴルフ会の性格をよく知っている。ゴルフが下手だと「役所のお偉方に嗤われる」と云った。ゴルフ場には局長や課長クラスの高級官僚が出てくる。それこそ紛れもなく「有資格者」であった。

役人たちと業者らとが直接に名刺を交換するのではなかった。商売の話をもち出すのでもなかった。それらはすべて禁制となっている。ただ、巨勢堂明だけが、役人と業者のゴルフ場での交歓儀礼をとりしきっていた。高級官僚たちは役所がどのように多忙なときでも、なんとか都合して、「南苑会」のゴルフ会には必ず参会する。飛行機で来て近くの温泉地に一晩泊り、翌日午後のおそい便で東京に帰ってゆくのである。会員の業者が全員参加するのはもちろんのことであった。

これは絶対秘密の行事であった。会員の業者にはきびしい口封じが巨勢堂明から命じられていた。高級官僚らに迷惑がかかってはならないというのである。

業者はこの義務を守っている。企業の道徳は現実の利潤に基盤がおかれていた。局長や課長らを困難な立場にさせると——たとえばゴルフ会のことが風聞になって新聞や週刊誌などに出たりすると、「南苑会」は崩壊の危機に陥る。高級官僚と接触が絶たれた「南苑会」はその根本的な機能を失うからである。

末吉祐介はどうしてそのゴルフ会のことを知りえたのか。「南苑会」の名をうすうすと聞いている人間、それは会員外の業者だが、その者でもゴルフの集会のことまでは知っていない。

味岡の驚きは、しかし、その表情までであって、言葉に出すことはなかった。だれからそんな話を聞いたのかと質問するのは愚かなことだった。こっちから藪《やぶ》をつつくようなものである。

末吉はコーヒーを飲み終り口のあたりを紙ナフキンで拭《ふ》いていた。その所作が「南苑会のゴルフ」をさりげなく出して味岡に与えた効果の度合いを測っているようにみえた。太い眼玉《めだま》を味岡の肩越しに、その背後にある壁の複製画に向けているようだが、それとなく彼の顔へ動かしていた。

口のまわりをぬぐった末吉はその紙を揉《も》んで足もとに落した。が、床がきれいなので気になったとみえ、イスにかけたまま腰を曲げて下に屈《かが》み、その紙を拾いにかかった。

「おや」

末吉がテーブルの下に頭を沈めたまま云った。

「味岡さん。ズボンに何か付いていますよ」

　テーブルの下は空《あ》いている。

「あ、そう」

　味岡は自分のズボンを見おろした。右の折返しの上に、紅《あか》い小さなものがひっかかっていた。紙きれだと思って味岡はイスを退《ひ》き、肥《ふと》った身体《からだ》を難儀して前に折った。しゃがんでズボンから指先でつまみ上げたとき、柔かい、ねっとりとした感触を知った。花びらだった。

　味岡は、末吉に見つめられている気がして手の中に揉みこんで隠すこともできず、指でつまんだまま身体をあげた。

　さりげなくポケットの中に落すつもりだったが、末吉の視線がその小さなものにまっすぐに当っていた。

「おや、花びらですね。……ガーベラじゃありませんか、専務。これはまた風情《ふぜい》がありますなァ」

　末吉がニタリと笑って云った。

「さあ。どこでこんなものが付いたのかな」

　味岡は狼狽《ろうばい》が顔に出ないように努めた。言葉もわざと間のびした云いかたにした。

「花屋にでもおいでになったんじゃありませんかね？」

末吉《すえよし》は、味岡が揉んだ花びらをポケットの中に入れるのをあきらめて床に落すのを見て云った。

「……花屋の店の中は狭いですからね。鉢植《はちう》えの花を足もとにならべています。歩いているときに気づかないでズボンにふれることがありますよ」

末吉が解答を与えてくれた。が、それにすぐ乗るわけにもゆかない味岡は顔をひと撫でして、

「なんにしても、花屋に入ったおぼえはないが」

とつぶやいた。

「ものが付くのはツイている証拠で、けっこうですよ」

末吉は厚い唇《くちびる》を動かして笑い、

「わたしなんか少しツキにあやかりたいですね。このごろはこれはと思う工事が一つも取れないんです。みんな半端《はんぱ》な仕事ばかりでして」

と新しい煙草《たばこ》に火をつけた。

「しかし、それはいずくも同じさ」

と味岡は云った。が、それはあまり切実感のない語調だった。

大手の土建業者は、土木工事と建築工事とに部門が分れる。会社によって違うが、だいたい建築部門が八〇パーセント、土木部門が二〇パーセントで、なかには前者が

六〇パーセント、後者が四〇パーセントというのがある。味岡の日星建設は7：3の割合だが、末吉祐介の甲東建設は6：4で土木部門のシェアがかなり多い。

建築部門よりも土木部門のほうが現在かなり成績がよい。これは土木部門のほとんどが官庁発注の公共事業ということと建設資材価格の変動とがからみ合っている。

これら公共事業が二年間から四年間ぐらいにわたるために、その間の鋼材の値下りによって業者に利潤が出ている。民間の発注と違って、官公庁では契約した金額は鋼材の値下りなどを問わないでそのまま支払ってくれるからである。これが建築部門だとその発注者の多くが民間だから鋼材の値下りぶんだけ契約額から値引しろと迫ってくるが、公共事業だとそのような要求は一切しない。

土木部門の伸びの基盤になっているものは、「政治家が居るかぎり公共事業である土木工事の発注は絶えない」ということなのである。

土木部門にとって官庁予算は実質的に採算がよい。げんに不況だとは云っても、土建業界で土木部門の赤字をもつ会社は皆無といってよい。

甲東建設の末吉祐介《ゆうすけ》が「南苑会《なんえんかい》」の入会希望に熱心なのはそういうところからきていた。

末吉は入会のことを漫然と口にしているのではない。二つの県をつなぐ観光有料道路の建設のこともかなりな内容まで嗅《か》ぎつけているらしい。山間部の或《あ》る部分を南北に横断して全長約五十キロ、その間に隧道《ずいどう》と峡谷の架橋がいくつかある。総工費の予算約二百五十億円。一社が二、三キロの工区を受けもつとして十六社の共同落札ということになる。もちろん各社とも下請け会社をいくつも持っている。

二つの県の道路公社には国庫から三〇パーセントの助成金が出て、二十年返済の無利子貸付けである。大蔵省の高級官僚に顔が利《き》くという巨勢《こせ》堂明《どうめい》の睨《にら》みは共同落札の十六社だけでなくその下請け会社にも利いている。彼の意向次第で落札会社は下請け会社の変更や新参加まで認めなければならない。

末吉はどうやらその有利な下請け会社を狙《ねら》っているようだが、「南苑会」に未加入の現在では、こんどの観光有料道路の工事には間に合わない。彼の言葉どおり、その会に入れることに意義があり、五、六年はじっと機会を待つということなのだ。

——どうしてガーベラの花びらがズボンの裾《すそ》に付いたのだろう？

味岡は気になることをまだ考えていた。末吉の濁った眼がまん前に存在していてもその言葉は耳から遠のいていた。

電話が鳴った時、あわてて狭いところから大きな身体を引き、机の花瓶《かびん》を倒しそうになった。その時散った花弁の一枚がズボンの折返しのところにひっかかったとみえる。知らなかった。

　気にかかるのは、それが沢田美代子の居ない巨勢堂明の事務所で起ったことだ。沢田美代子が戻ってきてガーベラから花弁が欠けたのに気がつくかもしれない。閉まっている窓から風が吹きこんでくる道理はなく、ドアに鍵《かぎ》をかけてなくてもビル内の廊下は微風ひとつ立っていない。花弁が除《と》れたのは人為的なものだ。留守のうちにだれかがここに忍びこんできた。その者は花瓶の花びらを落すほど行動的なことをした。

　何一つ盗まれてなくとも、留守中の異変だけでも彼女は神経を尖《とが》らすであろう。そういう秘密性の多い事務所である。警戒心は高い。彼女は異変を巨勢堂明の耳に入れるであろう。巨勢による調査活動がはじまるかもしれない。この懸念《けねん》が、指に、尖った微細な木片の錐針《とげ》が刺さったようにさっきからつづいている。

　味岡はあの事務所に入るときも出るときも人に見られていない自信はあった。廊下は細長い無人地帯だった。自分の行為だと判《わか》ることはまずないと心配の下から慰めていたのだが、それがさっき末吉祐介にズボンの花びらを見つけられて危機に直面するのを覚えた。

　沢田美代子にもういちど会って、ことの次第を正直にうちあける方法もある。そのほうが気が楽になる。が、それには何故《なぜ》、机の花瓶を倒しそうになったかまで説明しなければならない。留守の彼女が部屋に戻ってくるまで待っていたのだったら、入口から左側の壁ぎわにならんでいる来客用のイスに腰かけているか、そこに立つかしていなければならない。右側の机に近づき、しかも花瓶を倒しそうになるまで行動したのは、机上の本立てにならぶファイルをのぞきに行ったととられそうである。その綴《とじ》込《こ》みのなかには他人には絶対に見せられないものがしまってあるにちがいない。秘密な連絡場所なのだ。どんな連絡メモや秘密連絡先の名簿が匿《かく》されているかわからぬ。

といって、机の横下に置いてある袋の中味を調べに行ったとも云《い》えないのである。どんな権限があってそんな検索ができるのかと詰問《きつもん》されるだろう。あれは大東組の成瀬敬一から沢田美代子へのプレゼントにちがいないと思うが、それだけにそれを覗《のぞ》きに行ったといえば必然に彼女の怒りを買う。卑劣だと面罵《めんば》されてもしかたがないのである。彼女に腹を立てられたら巨勢堂明からも突き放される。

業者が東明経済研究所を訪問し、その客間のソファに坐《すわ》って実見しているかぎりでは、沢田美代子は普通の秘書か事務員であり、巨勢は「所長」であった。所長は十分に威厳に満ちた態度と言葉で彼女を使い、彼女は有能な秘書・事務員としてまったく実務的に、いくぶん鞠躬如《きつきゅうじょ》として仕えていた。そこには瞬間も私的な親密さを洩《も》らすようなことはなく、あの箭《や》のような特殊な合図《サイン》を何分の一秒でも交わすようなことはなかった。にもかかわらず、神邦ビル四階の事務所に出入りする「南苑会」の会員は両人の裏側を臆測《おくそく》していた。

そのようなことで、味岡は正直な告白によって沢田美代子を憤《おこ》らせ、それが巨勢堂明に通じ「南苑会」から除名されるような羽目になるのは極力回避しなければならなかった。

さらにそのうえ悪いことに、味岡はあの電話に不用意に答えていた。それだけでも調査捜索される可能性があった。向うは巨勢堂明の関係者にちがいないのだ。あの言葉つき、急な沈黙、電話の切断。

味岡の心臓の動きがまた速くなった。

ガーベラの花びらがズボンの裾に付いていたのをこの末吉に黙らせる方法はないものだろうか。些《さ》細《さい》なことだから忘れてくれるのがいちばんいいのだが。……

現在のところ、末吉祐介と巨勢堂明や沢田美代子との関係はない。だから末吉がそのことを彼らに云うことはない。

が、将来、末吉と巨勢堂明ひいては沢田美代子とが知合いになれば、いつなんどき、彼が雑談の途中にそれを思い出して口にするかもしれないのだ。これは、うかつに末吉を「南苑会」に加入させることもできないぞ、と味岡は思った。「南苑会」は加入がむつかしいところだ。秘密的な組織だけに資格審査が厳重で、巨勢のほうからあらゆる調査がなされる。その企業の業績のほかに、とくに当人について個人的な調査がおこなわれる。口の固いことが第一の条件だから、それを考慮に入れた身許《みもと》調査・素行調査が徹底的になされる。「南苑会」に加入を認められても、少なくとも一年間は、新入会員に対して巨勢堂明の観察がつづくのである。

「南苑会」はそのように入会条件がきわめて厳重であるから、ずいぶん努力したがあんたの入会は承知してもらえなかったよ、と末吉に云っても決して不自然ではない。末吉も入会が容易でないことは知っているから諦《あきら》めるにちがいない。

そうだ、そうしよう、と味岡は心に決めた。もともと末吉に頼まれても気のりのしない仲介工作であった。このような事態になったら、よけいに彼に断念させる方向にもって行くことであった。

だが、末吉を「南苑会」に近づかせなくても、彼はズボンの花びらのことをここ一カ月のうちにでも誰かにしゃべりはしないだろうか。味岡さんも隅《すみ》におけませんね、女の部屋に居たんですよ、きっと花瓶の花が落ちるまで相手ともつれていたんでしょうな、文字どおり落花の振舞いですかな、とこの末吉なら含み笑いして宣伝しかねないのである。

土建業者仲間のことで、それが回り回って成瀬や中原の耳に入り、巨勢や沢田美代子に面白げに語られないともかぎらない。味岡の心配は不確かな仮定のことに根を置いているが、その現実性がないとはいえなかった。

「名前は出せませんが、竜水会《りゅうすいかい》のメンバーの人から、わたしのほうの藤田が聞いたところによると、中南相互銀行が先生のところに近ごろちょくちょく接近しているそうですがね」

末吉の声が味岡の聴覚を揺り起した。

それまで、といっても三分か四分間のことだったが、味岡は自分の思案に閉じこもって末吉の話す言葉にも身を入れていなかった。不況の愚痴話のつづきくらいに思って耳もとに鳴る虻《あぶ》の翅音《はおと》のようにしか聞いてなかったのだが、竜水会という声に耳穴に詰ったものが落ちたようにはっきりとなった。

「中南相互銀行というのはどこの相互銀行かね？」

「静岡市に本店があります。支店は中部地方の目ぼしい都市にありますが。専務、その中南相互銀行とこんどの観光有料道路建設とは何かかかわりがあるんですかね？　地域的にもあまり遠くないですが」

「さあ、知らんな。近いけど、県も違うしね。第一、今度の道路建設にそんな相互銀行が介入していることまで聞いていない」

相互銀行なら法規上大蔵省の監督をうけているので、巨勢堂明とは無関係ではない。しかし、その話は初耳であった。

「そうですか。竜水会なら不動産会社ですが、そこから出た話だと土地の関係ですかね。しかし、観光有料道路のほうは路線にあたる土地の買収はもう終っているはずだし、何でしょうな。地方の大手相互銀行が先生の前に飛び出してくるなんて面妖《めんよう》ですね」

「あんたのところの藤田君は、どう云っていたね？」

藤田というのは甲東建設の専務藤田平吉で、末吉祐介の腹心というのは味岡も知っていた。

「藤田にもよく分りません。ただ、竜水会の会員の方から耳打ちされたというだけでして。わたしはまた中南相互銀行がこんどの道路建設と関係があるのかと思っていました。どうもおかしいとは考えながらもね。専務のいまのお言葉で、やっぱり違うことが分りました。……しかし、それが違うとなると、あとは何でしょうなァ」

末吉祐介は太い首をしきりと傾《かし》げていた。

サイレンの音が天井から聞えていた。

サイレンの唸《うな》りは地階のこの喫茶店に居ると、四隅に唐草文様の彫刻が古びて残っている天井の真上で停止したように聞えた。

この神邦ビルの界隈《かいわい》は外国品ばかりを売るような高貴な雰囲気《ふんいき》を持つ店舗がならぶ通りがあり、裏通りには、バアや日本料理店などがたくさん入っているビルもならんでいた。昼間でも警察のパトカーが走ってくるような喧嘩《けんか》や事故も多いにちがいなかった。

末吉祐介はちょいと天井に眼を上げたが、すぐに話のつづきにもどった。

「藤田も首をひねっております。どうもよく分らんと云っています。不動産屋さんの竜水会だから土地のことにきまっていますが、それに静岡の大手相互銀行が入ってきて先生に接触している。すると、これは大蔵省筋に先生から働きかけてもらう運動だが、この三題噺《ばなし》がいっこうにつながらないのですね」

「とにかく、そりゃ例の観光有料道路とは関係がないだろうね。これには相互銀行などが入る余地はないのだからね」

味岡は突きはなした。

「そうでしょうな。総工費がほぼ二百五十億の工事を大手の数社がほとんど共同請負いをするのですから、地方の相互銀行が入る余地はありませんな。入るとすれば地元の土建業者と結んだ相銀でしょうが、そうなると相銀の役員が先生とこに接触するわけはない。これはどうしても土地の線ですね」

総工費ほぼ二百五十億と末吉は厚い唇からさりげなく云ったが、この額はだいたい適《あた》っていた。もっともこの道路建設計画を耳にした業者なら概算は簡単に弾《はじ》き出せるのである。

味岡はそれに答えなかった。その工事に参加の可能性のない末吉の話につき合っているのは無駄《むだ》だし、そのうえ、末吉がいろいろと聞きほじくりそうである。末吉祐介はそういう男で、粘液的な黄色い眼《め》が執拗《しつよう》な彼の性格を見せている。そんな話にこれ以上つき合うのは鬱陶《うっとう》しいし、深入りするのは危険だと判断した。

敏感な末吉は味岡の顔色を読んだらしく、その話をやめて溜息《ためいき》に切りかえた。

「いまはどうにか黒字の土建業界も来年あたりから不況に入りますな。鋼材の値上りが眼前にせまっている。われわれのような小さな土建会社の受難時代です。これからは倒産が続出ですな。土建会社は全国で約三十万社といわれていますが、その大半が道路建設部門をもっているんですからな。これは倒産が続々と出る。わたしのほうも危ないです。専務さん。どうかお力になってください」

末吉は、直面する危機を「南苑会」の加入でのがれようとしている。

末吉には「南苑会」が途方もない特権的な受益団体に映るらしかった。

巨勢堂明が口をきく土建工事は全部が官庁関係である。末吉はこれまで地方自治体の小さな道路建設工事ばかりをやってきた。地方自治体のなかには支払いの悪いところもあるが、民間の工事にくらべるとずっといいはずだ。民間工事は、資材の値下りを言い立てて契約額からの値引きを要求するが、予算の決まった地方自治体ではそういうことはない。末吉は巨勢の力で、それをもっと大きい官庁工事にまで喰《く》いこもうとしている。――

末吉祐介の愚痴にはそのような野心もこめられているので、味岡はいい加減にして別れることにした。それでなくとも飽き飽きしているところであった。

ただ、露骨にその表情が見せられないのは、やはりさっきのズボンについた花びらを末吉に気づかれている怯《ひ》け目《め》であった。ここでイヤな顔を見せると末吉にひそかな反感をもたれそうである。花びらのことを業者の間に吹聴《ふいちょう》されては困る。ガーベラが沢田美代子の机の花瓶にあったのは、彼女や巨勢堂明はもちろんのこと、仲間ではあの部屋を二時間前に訪問した大東組建設の成瀬敬一、共栄建設の中原武夫が知っている。ここは上手に彼と別れねばならなかった。

「末吉君。まあ、そんなに先のことをくよくよ神経質に心配することもありませんよ。

これはあんたのとこだけじゃなく、業界ぜんたいの問題だからね。もちろん、ぼくも極力あんたが南苑会に入会できるよう明日からでも再度努力します。様子次第では先生にじかに当ってみましょう」

味岡は声に力を入れた。別れぎわに好意を強調することだった。

「ぜひ、ご努力のほどを」

末吉《すえよし》はイスにかけたままで両手をテーブルの上に置き、両肘《ひじ》を張って白髪頭《しらがあたま》を深々と下げた。

それで末吉がすぐに立ち上るかと思うとそうでもない。彼は上体を上げたあと、煙草《たばこ》をもう一本つまみ出しにかかった。まだここにねばって話をつづけるつもりらしかった。

しかし、味岡が末吉から解放されたのは彼の予期しないことからである。

店内が静かなうちにも急にざわつきはじめた。外から戻った店の女の子が同僚にささやき、カウンターの中にいる男に耳打ちすると、告げられた女の子も出て行き、男は白い帽子を脱ぎ捨てて出て行った。うしろの調理場からも同じようなのが小走りに出て行く。

「何かあったのかな？」

末吉があたりを見回した。客の中にも飲みものや食べものを途中で放棄して急いで出て行く者があった。

「さっき、サイレンが鳴っていましたな。火事ですかな」

これでは落ちついて話もつづけられないと思ったか、末吉はようやくイスから立ち上った。

「専務。長いことお引きとめして申訳ありませんでした。おねがいの件は、くれぐれもよろしくおたのみ申します」

末吉は最後に上体を折った。

「わかりました」

味岡は、ほっとしたが、こんどはあたりの騒ぎが気になった。サイレンは消防車のものかもしれない。が、警察のパトカーかもわからぬ。それも最初耳にしたときに考えたように近くの喧嘩とか泥棒《どろぼう》とかでなしに、このビルの中で起った事故だという気もした。異変は四階の東明経済研究所で発生したのかもしれない。沢田美代子があの部屋に居なかったことが思い合わされた。

喫茶店を出ると、地階のエレベーターの前に人が集り、乗れない者は階段を駆け上っていた。味岡が末吉祐介《ゆうすけ》から完全に離れたのは一階に出てからで、この商店街にも人々が上にむけて駆ける現象が起っていた。

ビルの外に出ると救急車がパトカー二台とともに停《と》まっていた。ビルの横にある狭い通用口の前であった。そこには巡査が立ち、一般の者が入ってくるのを防いでいた。パトカーと白塗りの車の横まで弥次馬《やじうま》の輪ができ、そのうしろから走ってくる人々がその輪をふくらませていた。雨はまだ降っていた。黒・白・赤・青・黄の傘《かさ》の花がそこに咲いていたが、傘をささないで立っている者もいた。どの視線も一斉《いっせい》に通用口にむけられていた。

も早、このビルに何らかの異変が出来《しゅったい》したことは明らかであった。それもパトカーや救急車がくるような変事なのである。

しかし、味岡はその群衆の中に入って、何が起ったかを聞くようなことはしなかった。訊《たず》ねるのがなんとなく空おそろしかった。彼は自分の身体《からだ》が肥満していて人々から目立つことを知っていた。肥《ふと》った男がまわりにいろいろと訊《き》いているのは、たしかに警察官の眼を惹《ひ》くにちがいなかった。

いや、そのときでなくとも、あとになっての聞き込みで、当時の群衆の中で、そういえば肥った五十男が発生した事件のことをしつこく聞きまわっていましたが、あれは反応の様子をさぐっていたのかもしれませんな、と捜査員に告げそうであった。聞き込みは巧妙に誘導して捜査の手がかりをひき出すものである。

犯人はかならずもう一度現場に戻る、とか、犯行後も現場から遠く去らずに捜査の様子をじっと見ているものだ、とかいう犯人心理を述べた警察関係の人の文章を何かの雑誌で読んだ記憶が味岡にあった。

その雑誌だけではなく新聞にも、犯人を挙げてみると当人は現場の弥次馬の中にいたとか捜査員に協力していたとかいう記事がよく載っていた。

沢田美代子の居ない、無人の部屋に「忍びこんだ」のは自分だけだと思うと味岡は自分でも顔から血が汐《しお》のように引いてゆくのをおぼえた。彼は警察の車や群衆とは反対の方向へ、傘がなかったので建物の軒下づたいに肩をすぼめ、人目につかぬところに待たせている車の場所へむけて歩いて行った。その通りでも人々が神邦ビルのほうへ駆け出していた。

ビルの屋上から投身したらしい、という声が行き過ぎた。ビルに強盗が入って人質を取って警官と対抗しているらしいぞ、という声も駆け過ぎた。投身自殺でないことは味岡自身が瞬間だが、その眼でたしかめてきている。人質の強盗もほんとうかどうか疑わしい。様子が分らないままに現場に走ってゆく弥次馬の勝手な臆測《おくそく》が、昂奮《こうふん》の言葉を街路に撒《ま》き散らして駆けて行くのである。

待たせてある場所に車は駐《とま》っていたが、運転手の姿がなかった。運転手も騒ぎを聞きつけて神邦ビルに行ったのだろう。

味岡は腹が立たなかった。運転手が戻ってきて起った事実を伝えるにちがいない。運転手の帰りが遅ければ遅いほど真相に近いものがわかってそれを教えてくれるだろう。

味岡はどこかの企業がつくった劇場ホールの軒下に入って雨宿りしながら佇《たたず》んでいた。広い通りにはたくさんの車が濡《ぬ》れた車体を光らせて走り交《と》うていたが、その中から新聞社の旗を立てた車が神邦ビルのある方向に走りこんだ。

運転手が戻り、帽子を脱《と》って詫《わ》びた。

「どこに行ってたの？」

味岡は車内でおだやかにきいた。運転手に憤《おこ》ってないところを見せて煙草も喫《す》った。これは自分が落ちついているところを見せるためでもあった。

「神邦ビルで人殺しがあったというんで、ちょっと弥次馬になって行きました。申訳ありません」

運転手はハンドルを動かしながら前へ頭をさげた。

「人殺し……だって？」

味岡は指から煙草が落ちそうになった。

「はい。あのビルの屋上でございます。七階の上が屋上で、そこに独立した機械室がありまして。換気施設だとか貯水槽《ちょすいそう》施設とか、そういうのを動かすモーターとかが入っておるそうでございます。そこから殺された人間の死体が見つかったとか云《い》っておりました。いえ、これは警官ではなく、弥次馬の云ってることで、はっきりと分りません」

「で、殺された死体というのは、女かね、男かね？」

味岡は生唾《なまつば》を呑《の》んで訊いた。

「それが、どっちなのか、まだよく分らないのでございます」

対向車が窓に水を滝のように掛けて走りすぎた。


神邦ビルの殺人事件を警視庁が捜査している。

新聞記事はこの警察の発表に沿っていた。各紙の記事にいくらかの違いはあるが、およそのところはこうだった。

神邦ビルの屋上に、給水（冷房用をかねる）や換気装置の機械室がある。中は大きなパイプが蛇《へび》のからみ合いのように這《は》っている。ビルの人は屋上機械室といっている。

六月十日午後五時十分ごろ、このビルの保全係（電気機械の技術者）がこの屋上機械室に入るために来たところ、入口の扉《とびら》につけた錠が壊されているのを見た。こんな室《へや》に泥棒が入ったところで機械ばかり据《す》えつけてあって、何も盗《と》るようなものはない。保全係がだれかの悪戯《いたずら》かと思ったのは、禁止しているのにビルの居住者がときたまこの屋上に上ってくるからである。借りている各階の会社事務員や階下のテナント商店の店員などが屋上からの景色を見にくる。古い建物なので安全設備が充分でなく、屋上見物は禁《と》めてあった。

三十二歳の保全係が扉をあけて中に入った。機械室にはうす暗い電灯がついているが、彼は懐中電灯の光をあたりに這わせた。大きなパイプと床の間に四角にふくれた麻袋の押しこまれているのが照らし出された。

この屋上機械室に、保全係が地下二階の動力室のある詰所から見まわりにくるのは十日に一度である。この日がそれに当ったのだが、十日前には異常のなかったことがたしかめられている。保全係が麻袋にさわったり、押したりしてみると、どうも人間らしいものが入っている。

警官が縄《なわ》で締めた麻袋の口を開けたところ、中に初老の男の死体がうずくまっていた。男の首には深い索条の痕《あと》が鮮かについていた。鑑識課員は殺害されてから三日と推定したが、この死後経過時間は解剖結果でも変らなかった。

麻袋にはカンナ屑《くず》がたくさん入っていた。これは袋の外形が人間でないように見せるため、死体の間に詰めたものである。

死体のつけていた洋服からは財布、名刺入れ、定期券（持っていたとすればだが）などの所持品は一切失われていた。少しくたびれた洋服をきていたが、上衣《うわぎ》のネームの縫付けも、シャツについたクリーニング屋の記号も破られていた。ふつうの強盗の犯行だと、こんな手のこんだことはすまい。

しかし、被害者の身もとは、ほかの鑑識方法から判《わか》った。

が、その前に、外部の者と思われる犯人がどうして死体をこの屋上の機械室に運びこんだかという新聞記事による捜査側の説明をのべねばならない。犯行がその現場ではなく、犯人は他の場所で殺して、その死体を運搬してきているからである。

その運搬方法は、ビルの横にある通用口から、ビルを管理する従業員（保全係もその一員）専用のせまいエレベーターに麻袋入りの死体を乗せて七階に上り（エレベーターは七階まで）、屋上に出るドアをあけて階段を上り、屋上に出て機械室の錠を破壊し、死体を詰めた麻袋をパイプと床の隙間《すきま》に押しこんだというものである。

死体の運搬は、発見前日の九日午後八時十分ごろであった。通用口の前に小型のライトバンが着いて三人の作業服の男が降りた。そのなかの一人が受付を兼ねた警備員に、遅くなったけれど、頼まれた屋上機械室用の資材を持ってきたと云った。中は何だ、と警備員が四角な麻袋をみて訊いたところ、冷房用の資材だという。警備員はうなずいた。あとでわかったが、麻袋が四角に見えたのはカンナ屑がそのような形になるよう死体のまわりに強く詰めこんであったからである。

警備員が、もう保全係が帰っていないが、というと、それじゃ自分たちで屋上まで運び上げておきましょう、と云った。警備員は明日出勤してくる保全係の手数が省けると思って、そのように頼むといった。同僚に思いやりを働かせたのが失敗だった。

人員が足りなくて忙しいだけの警備員は彼らに従って屋上に行くこともなかった。機械室に入るのではなく、その前に資材の荷物を置いておくという作業服姿の三人の言葉を鵜《う》呑《の》みにしたからでもある。青い作業帽に青い作業服というユニフォームが警備員の眼を安心させ、さらにうす暗いところに立った彼らの人相もよく見なかった。それでなくとも作業帽の長い庇《ひさし》の下にある顔は、後日の判別をあいまいにするものである。

窓口の警備員は、たしかに相手の名前を聞いている。工務店の名とその運搬員の名とを受付簿に書き入れたが、真実を告げるライトバンのナンバーは記入から落した。なにもかも安心し、信用しきっていたのである。三人とも年齢二十四、五歳くらいだったという印象しか彼に残っていなかった。もちろんその印象も絶対に正確とはいえなかった。

捜査側の意見は、犯人たち（死体運搬人がいるから、それだけでも複数である）はこの神邦ビルの内部事情に通じているというのだった。この見込みから、保全係、警備員、管理の職員らがかなり調べられたが、いずれも犯行と関係のないことがわかった。

ビルには多くの会社の事務所が入っており、一階や地下一階にはさまざまな商店が入っている。それらの社員や従業員はビル管理の内部事情までは詳しく知っていないので、妙なことに心当りはないかという聞込みは行なったが捜査の対象にはならなかった。その聞込みでも、この犯罪の手がかりになるようなものは得られなかった。

被害者の身もとが他の鑑識方法でわかったというのはその指紋からである。被害者には前科があった。

原籍は滋賀県安土《あづち》町、現住所は岐阜市丸山通一ノ三八、古美術商柳原孝助、当年五十九歳である。前科は八年前と五年前で前者は取りこみ詐欺《さぎ》で一年の懲役、後者は金融にからんだ詐欺で一年六カ月の懲役、いずれも服役している。

被害者柳原孝助の足どりは一ヵ月前から都内で切れていた。捜査側が最後につかんだのは、彼が五月十一日に都内京橋二丁目の株式会社内外精密機械製作所本社に経理部長を訪ねて、或《あ》る「金融」の話をしたことである。

そのとき柳原孝助は、「参議院議員　高尾雄爾《ゆうじ》後援会岐阜高尾会幹事長　柳原光麿《みつまろ》」という名刺と「本州特殊容器株式会社代表取締役本村卯太郎《うたろう》」という名刺とを持ってきた。前もって内外精密機械製作所の専務のもとに取引先の本州特殊容器の本村社長から電話があり、「私の知合いの者が金融の話で伺うから聞いてやってほしい」という希望が伝えられていたので、内外精密の専務は経理部長を応接室に出したのだった。

その経理部長が捜査側に述べたところによると、面会してみるとその初老の人物は洋服こそ着古したものだが、「人品卑《いや》しからぬ容貌《ようぼう》」であった。経理部長はまず「柳原光麿」の名刺を見て、「お公卿《くげ》さんのようなお名前ですね」というと、相手はニッコリと笑って「実はそうなんです。旧柳原子爵《ししやく》家の分家の流れなのです」と答えた。戦前に柳原子爵家というのはないが、名前からしていかにもそう思える。経理部長は戦争中に生れた人間だった。

ついで経理部長が「高尾先生とは前からご親交がおありですか？」ときくと、柳原光麿は「とても昵懇《じっこん》です。だから高尾のために彼の岐阜後援会の責任者になっているのです。本州特殊容器の本村社長も東京で高尾の後援者なんですよ」と云った。経理部長は、それで本村社長がこの面会に口添えしている理由がわかった。

柳原光麿が云う金融の話というのはざっとこうだった。

(某外資系の団体に二百億円の遊び金がある。これを日歩《ひぶ》二銭五厘《りん》、手数料十一パーセント、十年後一括返済。利息は六カ月後からでよい。手数料の十一パーセントは高尾雄爾の選挙資金にする。その領収証は高尾会が発行する。……このような条件で、この二百億円の金を使わないか)

この申出《もうしい》でに対して経理部長は専務に相談したうえ、

(当社は現在、二百億円もの資金を必要とする事業の拡張がない)

と丁重に断った。

捜査側では、この「金融」を紹介した本州特殊容器の本村社長に事情を聞いたところ、本村社長は、

(柳原光麿という男は、私の後援している高尾雄爾の岐阜後援会の幹事長をしているということで、パーティなどの席でも何度か会い、高尾の秘書からも、よろしくと云われた程度で深いつき合いはない。この前来て、何か融資の話で貴社の取引先の内外

精密機械の役員に紹介してもらえないかというので、とにかく彼の話だけは聞いてもらうよう先方の専務に電話をしただけである。あとで、同専務から、あの話は断ったと電話で通知があったが、それ以上のことは知らないし、関係はない)

と答えた。

捜査側が、高尾参議院議員に問い合せると、同議員は秘書を通じて、

(柳原という人は岐阜の後援者には間違いない。岐阜に『高尾会』という後援会があるとは聞いているが、自分の後援者組織は全国各地にあり、『高尾会』も各地に散在していることなので、そういう会の幹事長の人にはいちいち会ってはいない)

と、多少歯切れの悪い回答をした。

岐阜市丸山通一ノ三八、柳原孝助(本名)の妻は、

(主人は高尾先生の日常的な選挙運動と金融のことで東京や各地に出張して家には一カ月に一、二度しか帰らない。帰宅しても二日くらいしてすぐに出て行く。最後に家に帰ったのは四月二十五日で、東京から戻ったと云っていた。二十七日にはまた東京に行くため、午前中の新幹線に乗ると云って九時ごろに家を出た。主人は仕事のことはいっさい私に話さないし、一カ月帰らなくても出先から連絡をしないので、どんな人と交際があるのかなど事情は少しもわからない。骨董《こっとう》仲介の商売は八年ぐらい前に

はやっていたが、事故が起って〔最初の詐欺で一年の刑を受けた意味〕からは、あまりやらなくなっている。どういう金融の仕事をしていたか主人は何も云わないのでわからない。帰宅すれば二十万円くらい呉《く》れることもあれば、五万円くらいしか渡さないこともある）

と述べた。

解剖の結果、被害者の胃に食物が半分消化されていて、絞殺（凶器は麻紐《あさひも》のようなもの。発見現場に遺留せず）される約二時間前に食事をとったことが推定された。その食べものの中にアマエビが検出された。

——新聞記事は、だいたいこういうところである。

三

神邦ビルの殺人事件が起ってから二週間後、日星建設の専務味岡正弘は、道路建設部長と設計課長と測量主任とを同行して新幹線で名古屋に向いつつあった。

こんどの観光有料道路は、中部地方のJ県とR県とにまたがっている。施工主はJ

県道路公社とR県道路公社である。R県はその北部が日本海に面している。

　正式な入札通知はまだ来ていない。したがって施工主である公社からの工事仕様書も提示されていないが、この工事のことはかなり前から下話があったので、すでに技術部門ではいく通りもの想定仕様書をつくって研究しつくしていた。それは日星建設だけではなく、大東組建設、共栄建設その他の建設会社もみな同じである。

　味岡のこんどの現地視察は、自分らのつくった想定仕様書による計算の最後の仕上げのようなもので、なおもう一度、現地の地形を眼《め》で確認しておきたいというところからであった。したがって両県の公社関係方面にはどこにも顔を出さず、いわば隠密《おんみつ》裡《り》の視察であった。この視察行は一週間前に味岡の発意で決められた。

　今夜は、J県の府中という城下町に一泊する。新観光有料道路はこの城下町の近くが南側の起点になるはずだった。名古屋からこの城下町までは支線の急行で約二時間半であった。

　明日の夜はその観光有料道路の北側の起点近くのR県の温泉地に泊る。その次は味岡だけ京都にむかってそこに泊り、翌朝から琵琶《びわ》湖畔のカントリークラブで行なわれる巨勢《こせ》堂明《どうめい》主催の「南苑会《なんえんかい》」のゴルフ競技会に出席する。あるいはその晩に宴会があるかもしれない。そうなると、味岡にとって四泊五日の出張であった。「ひかり」は車窓に日本平《にほんだいら》の茶畠《ちゃばたけ》を遠ざけて久能山《くのうざん》のトンネルを終らせ、市街を近づけていた。それもまたたく間に静岡駅のホームを矢のように流した。初夏の陽《ひ》に光る市街の中に「中南相互銀行」の赤地に白抜きの文字看板が塔になって突き出ていた。

味岡の眼がそれにとまった。二、三秒の間にその看板塔も後方に去った。けれども、巨勢堂明のもう一つの組織で不動産業者の集る「竜水会《りゅうすいかい》」に中南相互銀行の名前が出ているという末吉祐介《すえよしゆうすけ》の言葉が、味岡の耳に蘇《よみがえ》った。そうか。あの看板塔がその中南相互銀行の本店だったのか。なるほど静岡市だった、と味岡は思っている。

すると、味岡の眼から看板塔の残影が失《う》せ、沢田美代子が巨勢に見せたメモの一部が代って浮んだ。

《宮村さんから第三回の電》

巨勢はそれを見てからすぐに出て行った。「竜水会」の事務所に向うらしいのを味岡は成瀬と中原といっしょに見送っている。

味岡は頭を振って、内ポケットから封筒に入れた書類をとり出した。中南相互銀行の看板塔を見てから、もういちどこの私立探偵社《たんていしゃ》からの報告が気になりだしたのである。

隣の道路建設部長も、前の席の設計課長も測量主任も、味岡の浮かぬ表情に遠慮して、ささやきも交わさず、窮屈そうに本や雑誌をひろげていた。
《……故柳原孝助氏が外資系の金融を内外精密機械製作所に持ちこむ前にも、同じような金融の話を矢島電機（株）に持ちこんだ事実が判《わか》りました。口利《くちき》きの紹介者はやはり本州特殊容器の本村社長です。が、内容は内外精密の場合と大同小異です》
社が特約している私立探偵社の調査報告は書いていた。
《柳原孝助氏はこのときも『参議院議員　高尾雄爾後援会岐阜高尾会幹事長　柳原光麿』の名刺を振り回しています。矢島電機（株）にもちこんだ金融話というのは、財団法人ニアイースト石油協会から五十億円を引き出すことができる。条件は日歩三銭、手数料一七パーセント、貸付期間十年間（一括返済）、それには一部上場会社の保証が必要、又は、一部上場会社が借り手になれば二期分の決算書添付が必要、というものです。……》
味岡が新聞記事から興味を持ちはじめたのは参議院議員高尾雄爾の名前である。
昭和十四年内務省入省、二十八年自治庁の局長、三十一年参院全国区初当選、以後当選三回、現在保守党政務審査会路線部会幹事。
与党の政審会路線部会幹事は土建会社にとって最高に近い権力者の一人であった。

味岡と、彼に随行する道路建設部長、設計課長、測量主任とは名古屋駅に降りた。日星建設株式会社の総務部庶務課で数日前に予約していたハイヤー二台がきていた。ハイヤーといってもタクシーとおなじだった。後部トランクに味岡のゴルフ道具を入れた。琵琶湖畔でおこなわれる「南苑会」のゴルフ競技会の用意だった。味岡の横には道路建設部長が同乗し、うしろの車には設計課長と測量主任とが乗った。

車は四十分後に岐阜市内を通過していた。市街の背後に金華山が見える。

柳原孝助という男、この岐阜に居たそうな。——味岡は町なみに眼を流してポケットから封筒をとり出し、眼鏡をかけた。

特約している私立探偵社からの報告のつづきであった。

《……本調査員は、『参議院議員　高尾雄爾後援会岐阜高尾会幹事長　柳原光麿』の名刺をもつ柳原孝助氏が、矢島電機（株）に持ちこんだ財団法人ニアイースト石油協会からの五十億円融資話について調査しました。

これについてはA石油株式会社輸入課が協力してくれました。心当り先にも照会してくれた結果、日本名に訳して『財団法人ニアイースト石油協会』なる組織は見当らないということでした。

世界石油会議当局者にも問合せてくれましたが該当するものがないということでし

た。フレンチ石油（C・S・P）略称トタールの回答を待ちましたが、結果は同じでありました。そのほか、日本シーベル・エグナー（I・F・P）等にも問い合せましたが、『財団法人ニアイースト石油協会』は架空の名称ではないかとの意見を寄せてきました。

調査員は、新聞記事をたよりに殺害された柳原孝助氏の住所、岐阜市丸山通一ノ三八に出向きました。老朽した木造モルタルの平屋で十五坪くらいなものでした。これを月二万五千円の家賃で借りているが、家主の話によれば家賃は三カ月も滞っているということでした。

柳原孝助氏宅の入口には、同氏の本名の名札と、『柳原光麿』の名札とがならんでおり、その横には『高尾雄爾後援会連絡所』の看板のように大きな木札がさがっていました。

近隣では柳原氏の妻の宣伝によって『柳原さんのご主人は、高尾参議院議員の秘書』ということになっています。『柳原さんは日常選挙運動で多忙らしく、他所《よそ》から帰宅しても車を外に待たせておいて、着替えをするだけですぐにまた出かける』とか『奥さんが名古屋駅まで着替えを持って行くほど忙しい』という評判です。

近所ではもちろん柳原氏が東京の神邦ビル屋上の機械室で他殺死体となって発見さ

れたことを新聞によって知っており、相当にセンセーションを起しているようですが、原因その他の心当りについてはまったく知ってないようでした。なお、奥さんは出京して警察立会のもとに死体を確認したうえ、東京で荼毘《だび》に付して滋賀県安土町の夫の実兄宅に持ち帰り、そこで葬儀をするとのことで、自宅には居ませんでした。

同じく近隣の話ですが、故柳原氏は前に『この辺りではめったに見られない高級車に乗っていた』ということですが、その種の車は昨年暮からは見られなくなったということです。家賃の遅滞納を除いては、住居付近には金銭上の揉《も》めごとはありません。

柳原孝助氏は以前に『参議院議員　高尾雄爾後援会岐阜高尾会幹事長』という名刺を使用していました。このことを高尾氏の本物の秘書谷川昌三《しようぞう》氏に聞くと『まことにまぎらわしい名刺』といって迷惑そうな表情をしましたが、柳原氏が殺害される前まで東京で『金融』の借手をさがしまわっていることは知らないようでした。殺害された件でも、それらの名刺から捜査当局に高尾参院議員も事情を聴かれ、同議員が秘書を通じて無関係と答えているのは新聞に出ているとおりです。

東京赤坂にある高尾議員の事務所には柳原光麿（孝助）氏に関する問合せが十数件来ていますが、同事務所では『中部地区の後援者の一人ではありましたが……』と云《い》っているだけで、やはり歯切れがよくないそうです。

本調査員の調査によれば、故柳原孝助氏に関して次のような事実が判明いたしました。

すなわち、柳原孝助氏は本年三月十六日に、東京都日本橋の安原商事株式会社より不動産売買の手附金と仲介手数料と合せて九百万円を受取りました。北関東に、すぐにもゴルフ場になるという二十ヘクタールの土地があるというふれこみでした。ところが同人が斡旋《あっせん》したこの取引は不成立に終りました。つまり柳原氏は売買できない土地を世話して手数料を取ったのであります。このときも柳原氏は、高尾雄爾後援会岐阜高尾会幹事長の名刺を出しています。

安原商事株式会社社長安原勝一氏は、高尾雄爾氏とは面識はないものの、かねてから高尾氏のファンであったところから右の名刺をもつ柳原光麿を信用したといっております。安原商事株式会社では、去る五月二日に柳原孝助氏に対して詐欺罪《さぎざい》で告訴しています。柳原氏は所在不明なために逮捕にいたらないうちに、六月十日、同人は東京で殺害死体となって発見されたものであります。……》

車の動揺で、報告書の文字は読みにくかったが、味岡は中止しなかった。

窓にいくつかの町がすぎ、町と町の間には大きな川が流れていた。山も次第にせばまってきていた。

《……柳原孝助氏が高尾参院議員の後援会の資金集めと称して奔走中だった『金融』は、それが十七億円であったり五十億円であったり、時には二百億円であったりしますが、その資金源についてはまったく根も葉もない話ではありません。

大阪の某大手商社系の某社長から出ていることで、百億円までなら貸付ける用意があるというものです。ところがそれは故柳原孝助氏の直接のコネではなく、同人の上には何人かのブローカーが噛《か》んでいます。借手を見つけてくれれば、いくばくかの手数料が同人の収入になるのです。この話は昨年の夏ごろから出ているのですが、借手がありません。

それには原因があって、柳原氏が持ちまわっていたような条件と、実際とはまったくちがっているのです。借手が東証一部上場会社であることが第一条件で、貸借にともなう諸条件は非常にきびしく、柳原氏が話していたような上場会社の保証があればとか、決算書二期分添付というような寛大なものではありません。

銀行筋の意見では、『元本五十億円、日歩三銭、手数料一七パーセントは、公定金利九パーセントから比較すると高利である（日歩三銭＝年利一〇・九五パーセント、手数料＝年一・七パーセント、計一二・六五パーセント）』というが、一方では『債務保証担保のない、いわば変則金融であることを考えると、それほど高い金利とはいえない』ともいわれます。

日銀筋に本件の内容を説明して解説してもらいました。

『道具立てと設定はたしかに巧妙だが、外資を貸す組織はその特約条件が日常の金融条件の比ではない。億単位の金を外国企業に貸し、十年待っているほど甘いものではない。元金と重役とがセットされて来るなら話は別だが』

とのことでした。

しかしながら、この種の『金融』話がよく市中銀行に持ち込まれていることが本調査で判明しました。某有力市中銀行の支店長が、『そんなのは、最近よく聞く話です』と例をあげてくれました。

農協とか農業団体に強力なコネをもっている議員が、その農業団体から金を引き出し、銀行の保証する企業に貸付けたいというケースがかなり多いそうです。議員はとうぜん手数料を欲しがります。つまり、これは議員がセットして持ちかける金融話なのです。

あるときは議員の秘書が話をまとめようとします。元金は一億円から五億円までの範囲が多く、手数料を含めて一〇パーセントから一一パーセントの金利というセットです。

このように『よくある話』ですが、まとまったという話も聞いたことがないそうです。

それは第一に銀行がその保証を断るからです。保証融資といって銀行が話をとりもつことはあっても、全面保証は避けています。

第二は借り手が支払う手数料の領収証の問題です。それが議員個人の領収証か、あるいは架空にひとしい団体の領収証か、ということです。天引きで手数料を支払い、領収証をもらったが、果してそれが税法上認められるかという問題になります。それには日銀または国の臨時金利調整法の適用を受けなければならないという面倒さがあります。つまり、あまりに利点の少ない『金融』と、銀行筋ではみています》

「専務」

味岡が報告書と眼鏡とを上衣《うわぎ》のポケットに分けて入れたのを見て道路建設部長は、しばらくぶりで声をかけた。大石といった。

「……お疲れになりませんか？」

揺れる文字を熱心に読んだせいか、老眼鏡を外したあとが痛くなって指先で眼のふちを揉んだのを大石に見られたのである。それでなくとも味岡は肥《ふと》った身体《からだ》がせまいタクシーの中にしばりつけられているように映った。

「いや。……ここは、どこだね？」

味岡は、首も痛くなったのでネクタイをゆるめて前をのぞいた。かなり大きな町が近づいていた。左側の山は斜面が白く削り取られて、下のほうに砕石工場があった。

「矢沢町です。駅名では美濃《みの》矢沢です。岐阜から府中町の三分の一以上は参りました。道路が空《す》いているので、わりと速うございました」

部長は云ってから、すすめた。

「専務。どこかでちょっと降りてお茶でもいかがですか。ろくなところはないでしょうが、ドライブ・インででも」

味岡がうなずくのを見た部長は、運転手になるべくきれいなドライブ・インへ着けてくれと云った。

ドライブ・インに入ると、後続車の設計課長と測量主任とが飛び込んで真先に立って、従業員に専務と道路建設部長の坐《すわ》る席をつくらせた。

「専務。お疲れではありませんか。朝が早うございましたから」

設計課長が腰をかがめてうかがった。平山といった。

「いや。……」

味岡は紅茶をたのんだ。ほんとうはコーヒー好きなのだが、肥ってきてからは心臓によくないのでやめていた。ほかの三人も揃《そろ》って紅茶だった。

坐っている専務を小原という測量主任がカメラで角度を変えては撮っていた。向うのテーブルにいる四人づれのトラック運転手がこっちを見ていた。

――そうか。あのビルの屋上機械室で絞殺死体で見つかった男は、与党の政審会路線部会幹事・高尾雄爾《ゆうじ》参院議員の後援会の名前で九百万円の詐欺をして追われていた金融ブローカーだったのか。

金融ブローカーのほうでも高尾雄爾の名前をフルに利用していたようである。「岐阜高尾会幹事長」の紛らわしい名刺で、二百億とか五十億とかの融資の借手をさがしていたというのだ。

金額は途方もなく巨《おお》きい。話も外国の資金である。たとえその男の経済知識が貧弱でも、与党の議員の名がまず借手を眩惑《げんわく》させ、お伽話《とぎばなし》を現実の話として化けさせる魔力がないでもない。

何某団体の「遊んでいる金」が議員の名と組み合せになって企業の間を神話となって絶えず徘徊《はいかい》している、と銀行筋では云うのである。議員は選挙資金を絶えず望んでいるものだという「常識」がゆきわたっているかぎり、この「よくある話」は金融界の裏街道から消えることはないように思われる。

——しかし、路線部会の高尾雄爾の地方後援者が、神邦ビルの屋上で絞殺死体になっていた男とは、どういうことになっているのか。

味岡が口に運ぶ紅茶の中にレモンの輪が揺れ動いていた。視覚の不安定が、心の動揺をまたしてもひき出した。新聞記事を見た瞬間の衝撃は落ちついたが、不安は沼底からの小さな泡沫《あわつぶ》のようにふきあがっていた。

あのときは、ビルの七階に昇った。エレベーターでは七階まで見知らぬどこかの女事務員といっしょだった。女事務員は廊下を反対側へ歩いて行った。

(死体が見つかる前でした。肥った、五十すぎの紳士がわたしといっしょに七階で降りて、屋上へ出るほうへ歩いて行っていました。このビルの人ではなく、初めて見る顔でした)

女事務員は捜査員の聞込みに答えているかもしれない。

(そういう人は、われわれの事務所には来ていません)

あの静寂な、無人地帯のような廊下にならぶ事務所の社員たちも云ったかもしれないのである。

用もない、見知らぬ男が、なぜ機械室のある屋上へ出る七階の廊下を歩いていたのか。その時、すでに死体は機械室にあった。あの廊下をつきあたりまで行ったのは、そこの窓から外の景色を眺《なが》めるためだったが、そこが屋上に出る場所とは新聞記事で知ったことだった。偶然であった。

——死体が気になって、様子を見に来た奴《やつ》がいる。

捜査側はそう考えているのではなかろうか。肥った五十すぎの男をもう捜している最中かもしれない。

あのときは、七階から階段を歩いて四階に降りた。巨勢《こせ》堂明《どうめい》の東明経済研究所の部屋に入って出てくるまで、だれにも見られていなかった。いや、見られてなかったと思っている。が、いまはそれに自信が持てなくなっていた。

わるいことに、東明経済研究所には沢田美代子も居なかった。捜査員に訊《き》かれたときに訪問の用事を証明してくれる者がいないのだ。それに、一階の商店街で遇《あ》った末吉祐介には、一人で巨勢の部屋を訪問したことをつげていない。

「専務」

テーブルの向うから道路建設部長の大石が心配そうに訊いた。

「お顔色がすぐれないようです。お疲れのご様子ですから、もうしばらくここで憩《やす》みましょうか？」

「いや。すぐ出発しよう」

味岡に大きな声が出た。

府中町を朝の九時半に出発した。ここで傭《やと》ったタクシー二台の乗車順序は、名古屋から来たときと変りなかった。

昨夜は朝霧屋旅館というのに泊った。断崖《だんがい》の上で、下に渓流《けいりゅう》がある。丘には小さな城が立っている。府中の町は山の斜面につらなり、どこを歩いても坂道ばかりだった。

「専務。昨夜はよくお睡《やす》みでしたか?」

横の大石道路建設部長が控え目な微笑を浮べてきいた。

「うん。よく睡《ねむ》った」

味岡は小さな欠伸《あくび》を出した。

「昨日の午後よりずっとお顔色がよろしいです」

部長は口もとの微笑《わらい》をひろげた。

——それほど熟睡はしなかった。

皆との夕食が七時で、土地の芸者が五人きた。年とったのが一人、年増《としま》が二人、若いのが二人。どれもあかぬけのしない顔であった。年とったのが三味線をひき、ほかの女が「府中追分」「府中しぐれ」「府中音頭《おんど》」などというのを唄《うた》った。大石、平山、小原は箸袋《はしぶくろ》に印刷したその文句を見て口ずさむ。あと一カ月後にはじまる「府中まつり」の話となった。山笠《やまがさ》の山車《だし》がたくさん出る。もとは盆踊りだったのが評判となり、宣伝もきいて今では三日間に十万近い観光客が諸方から集る。府中町を中心に近在の温泉と三つの町の旅館は半年前から予約で満員だという話。

味岡は疲れたからといって早く立ち、風呂《ふろ》に入ってから部屋に男のマッサージ師を呼んだ。肥えているので女のマッサージではきかない。男のマッサージ師はサービスのつもりか土地の言葉でいろいろと話しかけてきたが、屈托《くったく》があるときなので煩《うるさ》かった。

酒を飲み、風呂につかり、身体を揉《も》ませても、すぐには眠りに入れなかった。殺された柳原孝助の「職業」は私立探偵社《たんていしゃ》の調査報告書でだいたいわかった。が、なぜこの気宇壮大な千三つ屋の死体が神邦ビルの屋上に運ばれていたのか。巨勢堂明の事務所がある四階の真上にだ。だれが犠牲山羊《やぎ》を殺して祭壇のそこへ供献したのか。《宮村さんから第三回の電》。沢田美代子が持ってきたメモ。宮村は不動産業者の集合する竜水会の事務員。巨勢堂明がメモを一瞥《いちべつ》すると急いで外に出て行った。それからほぼ一時間後、沢田美代子は東明経済研究所の部屋にいなかった。扉《とびら》の鍵《かぎ》はかかっていなかった。どれぐらい不在にしていたのか。電話があった。(そりゃァ、いかん。すぐにやらねば……)。屋上の機械室では死後三日目の死体が腐敗を始めていた。外は雨が降っていた。

「専務」

大石が大きな書類鞄《かばん》から出した地図を膝《ひざ》の上にひろげ、運転手に車の停止を命じた。

「あと二十キロぐらいで小竹の町ですが、計画の第二案ではこのあたりがJ県側の入口になります。ここが柳井地区なんです」

府中町からつづいた上り勾配《こうばい》の国道は山峡の正面に白く細まっていたが、大石が指す左側は高い山嶺《さんれい》の麓《ふもと》へ村道が入りこんでいた。青黒い森の間に小さな屋根が点在していた。山の斜面は襞《ひだ》を折っていた。

「これ、こういうふうな地形になっています」

二万五千分の一の地図はその襞を等高線で彫りこんでいた。

「うん、そうか。小竹の町からはいまも国道が西北へ通じているように渓谷がゆるやかだが、こっちのほうは急斜面となっている。工事は難儀だが、完成したときは観光道路としての効果を発揮する。だから、小竹から入る第一案よりも、こっちの第二案のほうが有力というのだったな」

「そうです。のっけからハイランド・ラインの感じになりますから」

予想工事計画書には、たぶん「J・R県ハイランド・ライン計画」のような名前が使われるだろうからとそれが日星建設の社内では仮称になっていた。

《J県側ノ起点。――

第一案。小竹町ヨリ西北ニ入リ、国道八〇一号線ノ八木峠（標高七八二メートル）ヨリ南側ニ観光道路出入口ヲ設定シ、金鈴湖南側ノ標高約八二〇メートルノ山岳中腹ニ幅員十メートルノ完全舗装道路ヲ造成スル。R県側ハ日高町ヲ終点トシ、コレヨリ鶴《つる》見《み》市へ連絡スルモノトスル。

第二案。府中町ノ北六キロノ柳井地区ヨリ西ニ入リ天神川ニ出合イ、標高九四〇メートルノ地蔵峠ヲ越エテ金鈴湖ニ出《い》デ、以下西側ハ第一案ノ如《ごと》クニナル。但《ただ》シ、東側ハ八木峠ヲ西ニ越エタ湖岸ノ国道ニ連結スル。

第一案ニヨル全長五一キロ。トンネル延ベ二キロ（三カ所）。橋梁《きようりよう》、十五カ所。

第二案ニヨル全長六二キロ。トンネル延ベ三キロ（五カ所）。橋梁二十一カ所。

第一案、第二案ノイズレニスルモ、山岳地帯ヲ横断シ、金鈴湖ヲ或《あるい》ハ俯《ふ》瞰《かん》シ、或ハ湖岸へ下降シテコレニ近接スルナド出来得ル限リ観光効果ヲ発揮セントスル苦心ノ道路デアル》

うしろのタクシーから平山と小原が降りてきて、大石の窓のそばに立ち、用事を云《い》いつけられるのを待っていた。

「いま、専務に第二案による新設道路の出入口の位置をご説明したところだ」

道路建設部長が云うと、設計課長は、はい、とうなずいた。

「ここからは見えませんが、地蔵峠はその西南側の法華山、万福山につながっていまして、二つとも千五百メートル級の山です」

測量主任は山の壁にむかってシャッターをつづけて切っていた。上のほうは霞《かすみ》がかかっていた。

「小竹へ行ってくれ」

味岡は云った。


小竹は思ったより大きな町だった。車でひとまわりした。第一案にきまればここが新設道路の起点になる。旅館が二つあった。一つは和風二階建てで料理屋といった感じ。道路のすぐそばの入口にはかたちばかりの庭石を組んで松などを植込んでいた。庭の石の一つがいい。味岡はじぶんの庭に置いた石で気にそまないのが三つあった。十五年前に家を建てたとき、建築屋が持ってきたのをそのままにしていた。「幸輪旅館」とあった。

　タクシーが前に二台とまった音で二階切妻の下にあるガラス戸が開いて、和服の女が顔を出した。中年だが、面長《おもなが》な顔で、遠慮がちにのぞきこんでいた。知った客が来たと思ったのかもしれない。女主人であろう、上品な色気のある顔だった。仲居なら午前中から和服でのんびりとはしていない。

　もう一軒はそこから二百メートルくらいはなれたところで、これも二階建てだが、アパートのような構えだった。窓はカーテンが閉められ、だれも出てこなかった。

「阿波屋《あわや》」という看板があった。経営者は四国の人間かもしれなかった。

「幸輪旅館」と「阿波屋」とが、旅館と料理屋を兼ねていて、この町の宴会はこの二軒でおこなわれるのであろう。町では製材工場と木工場とが目についた。立派な体育館をもった高校があった。

「このくらいでいいよ」

　味岡は小竹の町を切り上げさせた。

　国道をまっすぐに北へむかうと北陸に出る。その途中にはダムもあり、有名になった民家の村もあった。車は途中から西側へ折れた。道幅は少し狭くても八木峠を越えて金鈴湖に出る国道である。国道はその北岸を湖面とすれすれくらいに走ってR県の日高町に出て、はるかに鶴見市に達する。

八木峠までは屈折した坂ばかりであった。途中でスキー場のヒュッテがある。コンクリートの高い台上に二階のように店が乗っているのは、冬の積雪を考えてのことだ。

《道路ノ「コンクリート」。土木協会ノ標準示方書ニ依《よ》ル配合設計デアリ、舗装「コンクリート」ハ圧縮強度ニ依リ材料比率ヲソレゾレ異ニスル。一般的ナ圧縮強度ハ、材齢二八日デ一平方センチメートル当リ三〇〇キログラムノ加圧ニ耐エラルモノ、即《すなわ》チ σ28＝300kg／cm² ナルモ、寒冷地ニ於《おい》テ凍結融解ノ恐レアルトコロハ特殊設計ガ必要デアル》

想定特記仕様書の一節である。

道路の曲り角は急だった。それだけに山襞が多い。対《むか》い側の山の斜面もそうで、V字形の谷底には渓流があるが上からは遠すぎて水音も聞えなかった。斜面はスギ、ヒノキなどの針葉樹林に暗く蔽《おお》われ、カラマツ、シラカバ、モミなどの陽《ひ》に当っているところは緑色を冴《さ》えさせていた。

ある角にさしかかって車の窓からみると小竹の町がはるか下の盆地に白く霞んでいた。味岡は幸輪旅館の二階からのぞいた女の顔を思い出した。

峠の近いことが登り道の正面に見え、小さなトンネルの入口でわかった。そこまで行く前に左側の引込んだところに一軒の茶屋があった。杉皮でふいた掘立小屋だが、赤い幟《のぼり》を一本わきに立てていた。ビールやジュースなどの値段をつけた立札が眼《め》につ
いて大石が云った。

「専務、ここでひと休みしましょうか。こういうところも風情《ふぜい》があってよろしいと思いますが」

味岡は車を出た。このごろは胴体がいよいよ重く、脚の運びがにぶくなってきた。うしろの車から出た平山と小原が先に茶屋の中に走りこんだ。

茶屋の幟には「桜茶屋」と染め抜いてあった。地の赤い色が褪《さ》めてよごれていた。幟の端もすり切れていた。

茶屋の中には四十くらいの瘠《や》せた女がいて、頭に手拭《てぬぐ》いの鉢巻《はちま》きをしてシャツに土によごれたニッカーボッカーをはいた六十くらいの労務者ふうな男と話をしていた。

店の前に駄菓子《だがし》や山菜の干したものなどをならべ、おでんの鍋《なべ》がプロパンガスの火に乗っていた。なかの焼豆腐、かまぼこ、こんにゃくなどは少ない汁の中で煮つまっていた。小屋の横に崖《がけ》から竹樋《たけひ》で引いた水を溜《た》める木の枠《わく》があり、その水溜めのなかにはビール、ジュース、コカコーラの瓶《びん》ものが冷やしてあった。

平山がジュースを水の中からとり出して栓《せん》を抜き、味岡にさし出した。握った瓶は

掌《てのひら》にひんやりと冷く、子供のころ母親が井戸水で冷やしたラムネの感触があった。味岡は店の腰掛にかける気もせず、見晴らしのいい店の前につき出た草むらの端に立った。

眺望《ちょうぼう》がいいので草の中に踏みこみ、ジュースの瓶からひと口ずつ飲んでいると、大石が傍にきてならんだ。

「まるで飛行機の上から見ているような眺めですね。山腹につけた道路をドライブするとそんな気持になるでしょうね。R県の温泉業者はうまいところに目をつけたものです。南側はまつりですっかり全国的に有名になった府中や民俗村があるし、これはいけそうですね」

想定特記仕様書には書いてないことだが、R県側の施工者の意図は県下の温泉群に東京や名古屋方面の客を直接に誘致するのがおもな目的だった。東京方面からだといまは新幹線の「ひかり」で名古屋に行き、北陸方面行の特急に乗り換えて行くのでたいへんな迂回《うかい》となる。その間、愉《たの》しむ風景はあまりない。現代はマイカー時代だから東京・名古屋間を東名高速道路、名古屋から「きたぐに温泉郷」までは、国道八〇一号線を府中町の先で観光道路「ハイランド・ライン」に乗る。山なみと山湖を観賞しながら、刈野・稗津《ひえづ》・鹿山・那珂山《なかやま》の諸温泉地にならぶ旅館玄関へ横付けさせようという計画であった。

店の中では瘠せた主婦と年とった労務者とがまだ話し合っていた。店先の軒には「八木登山記念」の墨字を入れた菅笠《すげがさ》が七、八個つり下っていた。その文字を彫った皮つきの杖《つえ》も横に束ねてあった。カメラを肩にさげた小原が店の中に入って金を払ったが、主婦がそのときようやく腰を上げた。

待たせてあるタクシーに歩いて、味岡ははじめて気がついた。トラックが道路ばたの邪魔にならないところに停《と》めてある。トラックなどというのは見馴《みな》れすぎて眼を惹《ひ》かない。ことに此処《ここ》にくるまで木材を積んだトラックには何十台となく出遇《であ》った。が、そのトラックは木材ではなく大きな石を十五、六個くらい積載していた。鉄分が少し多くて赤味がかっているが、皺《しわ》をたたんだ景色がちょっと面白く、形も悪くはなかった。荷台の横には「小竹庭石園」と白く書きつけてあった。味岡は幸輪旅館の前にあった石に思い当った。

タクシーは走り出した。県境のトンネルは短く、十メートルくらいだった。大石は窓からトンネルの天井を見上げていた。

《トンネル掘削工法。——地盤不良ナル個所ハ底設導坑先進ノ上部半断面工法トスル。地質良好ナル個所ハ上部半断面先進工法トシ、一度ニ大断面ノ掘削ニ着手スル。大型

機械ノ導入ガ可。工期ノ短縮可能≫

「この辺は地質が良いという報告どおりです。いっぺんに大断面の掘削に着手できますね」

大石道路建設部長がトンネルを通過してから云った。峠は越したのだが、両側の斜面が行く手を折りたたんで展開風景を封鎖していた。

「それでゆくと、どれくらいだったかね？」

「一メートルあたり六十万円といちおうは出しています。地盤が悪いところだと百万円とはじいていますが。……」

「うむ」

「安いでしょうか？」

「もう少し検討してみよう。共栄建設はともかく、大東組建設は相当な安価で入札するだろう。あそこの成瀬君はそういう癖が前からある」

「はい」

前面がややひらけて林の間から水の光が見えてきた。道はますます下り勾配であった。

「おや、あそこに工事小屋がありますね。生コンつくりの簡略な設備もあります。ちょっと降りて見ましょうか？」

「人が居るんじゃないかね？」

「どうやらだれも居ないようです。この先に短い隧道《ずいどう》をつくっているのですが、これはどこかの補修工事用かもわかりません」

車をとめて降りた。あとの車から出た平山と小原とが何ごとが起ったかという顔で出てきたが、大石から云われて小屋をのぞきに行った。小屋の前には砕石《バラス》が積まれているが、生コン製造機は沈黙し、コンベアは錆《さ》びついたようにとまっていた。人の姿はどこにもなく廃墟《はいきょ》のようだった。

「だれも居りません。従業員たちの荷物は置いてありますが」

平山設計課長が戻って云った。小原測量主任は小屋の戸を開けて中に入っていた。

——沢田美代子の留守にあの部屋に入りこんだ自分の姿を思い出して味岡は不愉快になった。

「おや、専務」

平山は眼を下にむけた。

「ズボンの裾《すそ》に草の葉が付いております」

「なに？」

これがいかにもおどろいた声だったので、平山のほうがびっくりしたようだった。彼は味岡のズボンの前にしゃがんだ。

「さっき、あの茶屋の前で草むらの中にお立ちになりましたから、そのときにくっついたのでしょう」

平山は一枚の細長い草の葉をズボンの折返しからていねいに剝《は》がした。

――ズボンに付いたガーベラの花びらを末吉祐介《すえよしゆうすけ》は忘れてくれるだろうか。末吉にはそれを思い出させないようにすることだった。

「行こう」

味岡は云い、まだ無人の工事小屋から戻ってこない測量主任のほうを睨《にら》みつけた。

「小原君は何をやってる？　早く引返させるんだ」

十分ののち、二台の車は高い山影を映した金鈴湖の傍を走っていた。


金鈴湖は、東南から西北にかけての細長い人造湖（ダム）で、V字形の、じぐざぐな渓谷《けいこく》による地形に沿って多くの屈折があり、湖畔の全長は約三十二キロである。

この北岸を国道八〇一号線がくねくねと匍《は》っている。山裾をまわるたびに左手南側につづく湖の景色が変ってくる。対岸の山は、ほぼ標高千百メートルくらいだが、すでにこの湖岸が七百メートルなので、高差は四百メートルくらい。それでもこちらからは見上げるような高さであった。

空が曇ってきて陽が翳《かげ》り、湖面は鉛色を帯び、山は黝《くろず》み、単色を基調とした微妙な諧調《かいちょう》となっていた。山の上部は霧がうっすらとかかっていた。湖面は山影を黒く落し、空の鈍い反射は数条の白い線でそれを横に截《き》っていた。

「涼しくなってきました」

大石道路建設部長が、味岡の顔色を見るようにして云った。専務の様子がときどきに変ってくるのでその気持をはかりかねている。

「そう。だいぶん高いからな。湖面からの水蒸気も冷えを加える。涼しいわけだ」

味岡も大石が気を兼ねているのを知ると、そうむつかしい顔ばかりはしていられなかった。眼を細め、たるんだ頰《ほお》に笑みを浮べた。湖上に釣《つ》り舟《ぶね》が出ていた。

「運転手さん。車を少しゆっくりと走らせてくれ」

大石が注文して、対岸の山を指さした。

「あそこに高い頂上がちょっとのぞいているのが琴岳で、千三百メートルです。東から西に源氏岳、桔梗《ききょう》岳と、この三岳が主峰です」

地図を味岡に見せた。

「ああ、そうか」

「このとおり、三岳は五キロばかり南に入っていますので、こちらからは前山にさえぎられてよく見えません。この山岳のあいだにいくつもの渓流があって、その水がこの人造湖に注いでいるのです。だから、対岸の山麓《さんろく》があのようにじぐざぐになって、ちょうど溺《おぼ》れ谷《だに》のように鋸歯状《きよしじよう》を呈しております」

鋸《のこぎり》の歯のようになったところに直線の道路をつくるので架橋が多くなる。この湖岸だけでも十二カ所の橋梁《きようりよう》が見こまれていた。

「専務」

大石がまたもや指を窓にあげた。

「あそこの中腹に細い線が横についていますね。ちょっと見えにくいのですが」

「ああ、あれか？」

「あれが林道です。林道といっても道はばが三メートルたらずのでこぼこ道で、山から伐《き》り出した木材を運ぶトラックが一台、やっと通れるていどです。観光道路はあれを拡《ひろ》げるのです」

「そういえば、山林がよく密生しているね」

運転手がハンドルを動かしながら咳払《せきばら》いをして口を出した。

「このへんの村の生活はぜんぶ山に凭《よ》りかかっていますでな。だれかに聞きましたが、土地状況は山林が全村の九六・五パーセントを占めるということですわい。そんなら、山だらけということで。このごろは夏場の客をめあてに村でも民宿がぼつぼつできましたけど、まだまだです。やっぱりまだスキー客のほうですなァ」

「雪は深いかね？」

「このへんで二メートルくらいつもります」

《此ノ地区ハ積雪ガ相当大ナルタメ、「シェルター」部分オヨビ雪崩《なだれ》防止ヲ必要トスル。タダシ地盤堅固ナルタメ、転石防止施設ノ必要ナシ。右ノ「シェルター」部分モ雪崩防止施設モ、可能ナ限リ自然的景観ヲ損ワヌヨウニ考慮シテ美的装置トスルヲ要トス》

湖岸の山鼻をいくつも曲った。対岸の山はときに近づき、ときに遠ざかった。高い山の上にはやはり白い霧がかかっていた。湖面にまた釣り舟が見えた。

「何が釣れるの、運転手さん？」

味岡がきいた。

「アマゴという川魚です。鮎《あゆ》よりもうまいというのですが、わたしらにはそれほどでもないですなァ。まあ、こういうことを云《い》っちゃなんですが、このダム湖の下には五つの村が沈んでいると思いますとな。なんだか気持が悪いです。家も便所も馬小屋も牛小屋もそっくりそのままです。このへんは雨が多いだけに、めったにそんなこともありませんが、それでも水が減ったときは岸辺の浅いところには村の家が亡霊のようにあらわれてきますでなァ」

角を曲ると、大型のバスがきた。「小竹行」の標示が出ている。幸輪旅館の二階からのぞいた女を思い出している味岡に大石が云った。

「この道路はだいたい標準仕様書をちょっと強度にして出来ています。舗装コンクリートの厚さが十五センチ、指定スランプは七センチメートルというところです。やはり冬の冷凍度が考慮されています」

「そうすると、新設道路はもっと高所だから、コンクリートを厚くした方がいいかな?」

「想定特記仕様書では、この道路より十センチメートル厚くすることを考えています。冬期の積雪もありますから」

スランプはコンクリートの硬度のことである。コンクリートは、セメントと砂・砂利と水と混和材とによってつくられるが、セメントに水を大量に使用すると作業はかんたんだが、圧縮程度・耐久性が悪くなる。セメントの重量に対する練り混ぜ用の水の量は w／c＝50％つまり五割以下でなければならないが、水が少ないと作業がしにくくなるし、充塡《じゅうてん》が不良になるので全体として弱い。適度の硬さが必要で、それをあらわすのに《slump＝x cm》で示す。

水を少なくして適当のスランプ硬度を出すためには、セメントの量を増加するか、減水剤を使用するか、空気速行剤を使用するかする。

道路造成にはコンクリートの舗装が最も重要なことはいうまでもない。できあがる部材の厚さ及び鉄筋の使用量により使用する骨材（砂利・砂を総称）の最大寸法がまた異る。《骨材の最大寸法の変化に依《よ》るセメント使用等の変化も大切であり、強度、耐久性の面から注意》と土木協会示方書は云う。

この部分をこんどの施工主、J県とR県の道路公社が現場状況に応じてどのような特記仕様書をつくるか、味岡の日星建設も研究しながら想定を三種類につくっている。

「県の役人だと工事検査が相当なものだろうね？」

味岡は、思ったことが、つい、口をついて出た。

「国道の建設省の役人や道路公団の役人のようには厳密でないかもしれませんが」

大石は口もとにうすい笑いをうかべた。

――道路の路体ならびに路床工事の作業工程で手抜きができる。ただし、公共事業では役人の眼をごまかすことはむつかしい。それで見て見ぬふりをしてもらう。そのためには、手抜き工事が発覚したとき監督の役人に言い逃れができるようなところをつくっておいてやらねばならない。役人は手抜きをしたことを知ってはいても知らぬことにしているので、それが露顕したときは、役人は工事人に工事のやり直しを命じることができる。露顕しなければ、もちろん頰かぶりである。……

その道路の向うに山小屋ふうなのや白い建物の湖畔レストランが見えてきた。

「専務、あそこでひとやすみして昼食をとりましょう」

大石が云った。

レストランの前には観光バスが二台とまっていた。建物の中には北陸のほうからきたらしい五十人ばかりの客が入っていた。

湖面を見わたす窓ぎわに、平山設計課長も小原測量主任もきて一つテーブルについた。小原は先刻、無人の作業小屋に入りこんで味岡に叱《しか》られたので、なんとなく悄気《しょげ》ていて、カメラもあまり活躍させなかった。

「いいところですね、専務」

平山が部下の小原を可哀想《かわいそう》に思ってか、味岡の機嫌《きげん》をとり、皆の気分を引き立てるように云った。

「……ぼくは写真でしか知りませんが、このへんの景色はスコットランドの山と湖の風景によく似ています。それで、ハイランド・ラインというのは少し表現が充分でないですね。マウント・レーク・ラインとするか、それで長たらしかったら、いっそ、しゃれて日本スコットランドとしたほうがいいと思いますね」

「日本スコットランドか。なるほど、それは思いつきだ。日本アルプスや日本ラインもあることだしね」

大石がけたけたと笑った。

「そりゃァ一つ、J・R県の道路公社の理事会にでも案として提出してみてはどうだろうね。採用になれば、それだけウチが有利になるかもしれんよ。ねえ、専務」

スコットランドの、マムソール山やヘンネービス山の渓谷、アーケイク湖・ロッキー湖にも比してみたいというこの人造湖は、空にはやはり重い雲が垂れこめて山影を映す湖面を鉛色に見せていた。その一部に雲のうすれたところから洩《も》れたうす陽《び》が射《さ》し、そこだけはにぶい光を小皺《こじわ》の水の上に溜《た》めていた。

湖面を横断して白塗りの吊橋《つりばし》がかかっていた。向う岸の小道にさし渡されているのだが、村に通う小道はこちらとおなじように湖岸についているだけで、風情《ふぜい》はなかった。新設観光道路はもっと山上に近い高所を削ってつくられる。

味岡がにこにこしはじめたので、小原にようやく生気がもどってきた。

——小原のやつ、あんな小屋に入りこむからいけないのだ。イヤなことを思い出させてくれたものだ。しかし、そういつまでも不機嫌そうにしてもいられない。味岡はそう思いなおして、わざと明るい顔をつくった。実際、忌《いま》わしい記憶は忘れてしまおう。

昼食にはあまごの塩焼きとぜんまいの煮付、酢のものが出た。川魚は運転手の云うようにそれほどおいしくはなかった。なにも湖底に沈んだ村の古い家が減水したときに亡霊のように姿を出してくるという話を聞いたからではなかった。ぜんまいはこのへんの名物の山菜だという。

食事が終ってコーヒーになったとき、大石がノートと図面をとり出した。

「想定特記仕様書の細部の割り出しがまだ出来ていませんが、土工、舗装・隧道、橋梁を総合して一メートルあたり六十万円平均とし、試算したものです。コンクリート舗装の百平方メートルあたりの諸材費の見積単数価がこれです」

大石は紙を出した。

《セメントコンクリート舗装は厚さ15cmとして起算。

a， 粗骨材（砂利）13. 20m^3（100m^2当り）＝22, 440kg。
b， 細骨材（砂）6. 60m^3（100m^2当り）＝11, 220kg。
c， セメント（100m^2当り）5, 610kg。
d， 作業員　混合作業15人　運転手　舗設３人》

「この単数価にしたがって第一案と第二案の全長の面積を試算してみました」
大石は次の方眼紙を出した。

《舗装面積（第１案）663, 000m^2
a，粗 骨 材　6, 630×13. 20＝87, 516m^3。トラック数延べ18, 000台
b，細 骨 材　6, 630×6. 60＝43, 758m^3。トラック数延べ9, 000台
c，セメント　6, 630×5, 610≒37, 194ton。トラック数延べ3, 700台
d，作 業 員　6, 630×18. 3≒121, 300人
舗装面積（第２案）806, 000m^2
a，粗 骨 材　8, 060×13. 20＝106, 392m^3。トラック数延べ22, 000台
b，細 骨 材　8, 060×6. 60＝53, 196m^3。トラック数延べ11, 000台

c，セメント　8,060×5,610≒45,217ton。トラック数延べ4,600台
d，作業員　8,060×18.3≒147,500人》

「これだけが鋪装面積で、橋梁と隧道工事の鋼材はもちろん別です。第二案は、J県府中町柳井地区―天神川出合―地蔵峠―金鈴湖南岸の山腹―R県日高町のルートです。全長が約六二キロです。第一案は、J県小竹町―八木峠―金鈴湖南岸の山腹―R県日高町のルートで、約五一キロです。……」

「ああ、そう」

味岡はたいぎそうに云い、数字の表や言葉から注意を遠ざけた。

さきほどからバスできた客が数人、窓ぎわに寄って湖面にかかった吊橋の上を見つめていた。危ないところで作業をしている、とか、湖水に落ちなければいいが、などという声に味岡もふと視線をむけたのだが、それがそのままそこに貼《は》りついた。吊橋の柱の上に揃《そろ》いの黄色い作業服《ユニフォーム》の男が四人登っていた。湖面から二十メートルもありそうな高さである。ワイヤーのボルトのところでも点検しているのであろう。

味岡の注意が数字からそっちへ向ったのは、危険な場所で仕事をしている作業員の冒険ではなく、その揃いの作業服にあった。

——神邦ビルには三人の作業員が死体入りの荷物を運搬してきた。受付の警備員もその揃いのユニフォームにうっかりと欺《だま》されたのだ。これは心理的な盲点をつかれている。警官、郵便配達人、病院の白衣、デパートや運送店の荷物配達員、ホテルやレストランのボーイ、坊さんや神官——その職業の象徴に人格が消失している。工務店の配達員の作業服をだれが調達して死体の荷をビルに運び入れさせたのか。個人の力ではない。これには組織がある——。

味岡は手洗いに立った。気分を変えるためでもあった。

店内の土産物売場のところで平山設計課長が公衆電話をかけていた。さっき平山が席をはずしたが、こんなところに居ると思って味岡はうしろ姿を見て通った。戻ってくるときも平山の背中はまだそこに佇《たたず》んで赤い受話器を耳にあてていた。かなり長い電話である。本社の設計課と連絡でもしているのかと思った。

味岡は席に帰ってなんとなく残りのコーヒーを啜《すす》った。窓の正面に対岸の山頂が濃くなっていた。霧が動いている。彼は湖面を眺《なが》めたが、吊橋の作業は見ないようにした。

平山が公衆電話から戻ってきて、イスにもすわらないで中腰のまま大石の耳に口を寄せていた。大石は黙ってうなずいていた。平山は空咳を一つ二つして席についた。

その様子で味岡は平山の電話の内容を察した。今晩は刈野温泉泊りになる。電話は予約している旅館にかけたのだろうが、普通の連絡だと声に出して大石へ報告していいはずなのに、ほかに聞えぬ耳打ちだった。その様子でおよそのことはわかった。味岡も平山くらいの地位のころはその種の連絡行動はしたものである。

車は出発した。国道は相変らず斜面の裾《すそ》をまわってゆくので、山と湖の風景は部分的な変化をつづけていた。空は曇っているが、北のほうに雲がうすれ、そこが切れ目のようになって明るく、遠くに青空の穴があった。

味岡は眼《め》を閉じて、うとうととしていた。横の大石は地図とノートとを膝《ひざ》の上において手持無沙汰《ぶさた》げに窓の外を見ていた。

味岡が居睡《いねむ》りをはじめたので、大石も本社作製にかかる想定特記仕様書と現地状況との説明をやめていた。実はこれが味岡のねらいで、居睡りを装ったのもそれを耳にするのがもう煩《わずら》わしかったからである。

そのような説明をここで聞かなくても、あとは東京の本社でいくらでもわかることだった。すでに道路工事計画の第一案・第二案にしたがって綿密な計算も出来上っていることだった。昔と違って近ごろは諸条件を様式化してコンピューターに記憶させてある。

――味岡が車の動揺を揺《ゆ》り籠《かご》にしてほんとに眠りこみ、わけのわからぬ夢を見ているうち、クラクションと急ブレーキの衝動で急に眼を開けたときは、大きなミキサー車が窓すれすれくらいに通り過ぎるところであった。巨大な壺《つぼ》を横に倒したような生コンクリートの攪拌機《かくはんき》が黄色い、ふくれた胴体をゆっくりと回転させていた。

タクシーの運転手はカーブを曲りながら、畜生、無茶をしやがる、とミキサー車を罵《ののし》った。

国道はようやくのことに金鈴湖からはなれ、じぐざぐの下り坂になっていた。左手に白い絶壁のダムと発電所とがあった。

「専務。お疲れのようですが、もう少しお睡《やす》みになっていてはいかがですか？」

「いや」

味岡はポケットの煙草《たばこ》をとり出した。大石は現場状況の説明をとうに諦《あきら》めたとみえ、膝の上にあった図面もノートも消えていた。

下り坂の正面に森にかこまれた町が見えた。空はここから晴れてきて、町の屋根にうす日が射していた。

「どこ？」

「日高町の手前です。この町の入口に近い国道に観光道路をつなぐ計画なんです」

ふりかえると金鈴湖の北端にあたる山が、窓には入りきれぬ高さで聳《そび》えていた。橋を渡った。

金鈴湖から流れた川の支流だが、川幅はかなりあった。河床は白い礫石《れきせき》と砂利で埋り、そのまん中を少ない水が細紐《ほそひも》のように流れていた。川上は両側から山が逼《せま》っている。

「このぶんじゃ、まだまだ砂利は取れそうだね？　見た眼にはだけど」

味岡は軽口を云《い》った。今夜の宿のことを考え、なるべく不愉快な連想は消すことにした。

「はあ、そうですね。しかし、砂利もあと全国で六億トンそこそこと云いますからね。心細いかぎりですし、価格が高騰《こうとう》するはずです」

「残りがまだ六億トンあるのか？　五、六年前も六億何千万トンだといっていた。思ったより減らないものだね」

「しかし骨材がこう値上りしてはかないません。中小の土建業者の倒産がふえるはずですよ、専務」

大手のわが社は安泰だ、それは経営陣がしっかりしているからだと大石道路建設部長は味岡専務を言外に賞讃《しょうさん》した。

橋を渡ると坂道となった。丘陵地帯に入ったのである。村落と農耕地は丘陵の下に沈み、旧街道がその間を這《は》っていた。空はいよいよ晴れて、眩《まぶ》しい陽が一面に降りそそいでいた。気温もずっと上昇して、暑がりの味岡は上衣《うわぎ》を脱いだ。

上り坂でタクシーがとまった。運転手はしきりとスイッチを入れたが前に動かなかった。横は斜面で、黒いくらいに緑の繁《しげ》った木立からはセミが啼《な》いていた。うしろのタクシーからも運転手が降りてきてボンネットの蓋《ふた》を開け二人で中をのぞきこんでいた。

「どうした？」

平山と小原とがそれに加わった。小原はシャツを腕まくりしてごそごそとやっていた。

味岡と大石とは車を降りて、道ばたの繁った枝の下に入った。車内の冷房がとまったのである。

「おや、あんなところに労務者小屋がありますね」

所在なさそうに肥えた身体《からだ》を石の上におろしている味岡に大石が云った。斜面のつづきだが、その上に二階建ての細長いプレハブ建築が二棟みえた。トタン壁を青く塗った宿舎の窓には二階も階下も男物ばかりのシャツなどの下着がいっぱい出ていた。

裏のほうで井戸水を汲《く》み上げる手押しポンプの音が聞えた。前には小型の古いクレーン車が一台、廃物のように置かれてあった。

「どこの工事をしてるんでしょうかね？」

大石は見まわしていたが、

「あ、あれですな。県道ですかね、バイパスのようなのがだいぶん出来上っています」

と横の丘陵の端を指さした。

低く下に沈んだ水田と畑と村落の中だったが、突堤のように盛土をした上に鉛色の道路が見え、その上をローラー車が動き、労務者の群がかたまっていた。眺めるともなく眺めているうちにジープの響きが坂下から聞え、土色の一台が現われた。ジープは動かなくなっているタクシーの横で停《とま》った。

運転台から濃いサングラスをかけたシャツに半ズボンの、背の高い男が出てきて、四人がのぞきこんでいるボンネットの傍に近づいた。髪の縮れた、細長い顔だった。

「どうしたんですかァ？」

男は四人のうしろから云った。

運転手の一人がふりむいて短く返事をした。

「なんだったら、手伝いましょうか？」

小原が上体をあげて、ちょっと頭をさげ、もう直ったようですから、と云った。運転手が席に戻ってスイッチを入れると、車体は音といっしょに身震いをはじめた。ジープに引返そうとした黒眼鏡の男がこちらを見た。これが大石と顔が合った。

「中橋君じゃないか？」

大石から声をかけると、黒眼鏡も日焦《ひや》けした顔に白い歯を出して笑い、頭をさげた。

「大石さんですか。こりゃァ、偶然にも、また、思いがけないところでお目にかかります」

大石のほうから彼へ近づいて行った。会話は味岡にもまるごと聞えた。

「いまは、こっちのほう？」

「はい。県道工事に来て、三カ月になります。今月末で引き揚げます」

「忙しいんだね、相変らず」

「いえ、われわれはご承知のとおり風来坊でして」

「いま、労務者をどのくらい連れてきているの？」

「ざっと百五十人くらいです。下の現場のほうに宿舎をもう三棟建てています。もっとも、そのうち三分の一は土地から募集した農家の臨時日雇いですが」

「この県道工事はどこの土建会社かね？」

「どこというほどでもありません。地元の業者です」

「ああ、そう」

「大石さんは、こんどはこちらになにか……？」

黒眼鏡の奥なのでよく分らなかったが、男の視線がタクシーの中に入った味岡のほうへ動いたようだった。

「いや、ちょっと、遊びに来た」

大石が曖昧《あいまい》に答え、また遇《あ》おう、元気に、と云った。男は、失礼しますとていねいに腰を折った。肩がもり上り、筋肉がひきしまって、箱のような身体つきであった。

ジープには戻らず、そこに立って、味岡と大石のタクシーを見送った。

「中橋泰夫《やすお》という手配師でしてね、じぶんで中橋組という土建会社をつくっていますが、むろん下請けの末端に近いですから、いつもどこかの下請けの下についています」

座席にならんで大石が味岡に説明した。

「君と顔見知りのようだが、ウチの系列下請けで仕事をしたことがあるのかね？」

「いえ。ウチの下請けの系列で仕事をさせたことはありません。三年前に九州の縦貫道路で請負いの仕事をしたことがありましたね？」

「ああ、あった」

「そのとき、六号工区がウチで、七号工区が西岡建設でした。下請けは杉川建設のまた下請けの加藤建設でしたが、そのときあの中橋組が労務者の供給で来ていました。ぼくが現場に一週間出張しているときに、隣の工区ですから、あの中橋と顔見知りになったんです」

「そうか」

「こんなところに来ているとは知りませんでした。じぶんでも風来坊と云ってましたが、特定の系列に入ってない手配師というのは、有利な条件次第で全国を渡り歩くようなもんですから、ほんとにそうでしょうね」

——建設業では、下請け関係が発達している。比較的大規模な土木工事を、比較的大きな建設会社が請負ったとき、この会社は設計と施工管理だけを直接担当し、工事のある部分をその下請けのA社に、他の部分をB社に発注し、このA社やB社はその工事の一部だけを自分の手で直接施工し、大部分をさらに小さな会社に請負わせる。

こうした段階を経て、末端には何の技術的能力も施工機械も持たず、ただ臨時雇いの労務者だけを持っている施工会社が存在する。建設業界は受註産業であり、地域性が強く、同一地点での施工は一回だけというのが原則なので、工事のつど、施工部隊は移動する。

　これらの現地施工部隊は定着性がなく、工事の受註のたびごとに編成されるか、個人的な親分子分的な関係として編成されていて、それが各地に移動して行く。これが「手配師」と呼ばれているものである。

「しかし、あの中橋という男は、ちっとも年齢《とし》をとりませんね。三年前と同じ顔つきをしていますね。あれで、四十の半ばをすぎているはずですが」

　大石が云った。

「こっちは、地元の建設会社の下請けで来ていると云ったね？」

　味岡が靴先《くつさき》の位置を替えて云った。

「そう云ってましたが、なんだかボカしたような云い方でした。実際はどこの会社についているのかわかりません。あんがい中央の建設会社の孫請けにくっついているのかもわかりません。あの中橋というのは一匹狼《いっぴきおおかみ》ですからね」

「一匹狼の手配師か」

「このごろのことで、労務者はどこでも咽喉《のど》から手が出るほど欲しいですから、それで充分に商売になります。頭のいい男ですよ。少しでも利益のある、有利な条件の下請け会社のほうへついて行くんです」

味岡には、その話が頭に残った。

四

刈野温泉は、R県のいわゆる「きたぐに温泉郷」の西側にある。扇状台地のもっともひろがった末に位置するので、山からは離れている。

ここから東南に入ると、稗津《ひえづ》・鹿山・那珂山《なかやま》の諸温泉が山峡の奥に分け入って、那珂川の渓流《けいりゅう》に沿う。

刈野温泉はその那珂川の中流だが、ひろい平坦地《へいたんち》になっているので、渓流の感じがしない。台地のやや高いところには、リンゴなどの果樹園があり、重なる山なみを背景にしている。温泉町は国鉄駅前の商店街や住宅街につづいている。

味岡らのタクシーは那珂川をはさんだ温泉旅館街に入った。川岸には柳の並木があり、川の上には朱塗り欄干の小橋がいくつも架かっている。派手な土産物屋がならび、その間にバアや食べもの屋、小さな劇場、ヌードスタジオ、パチンコ店などがならんでいるのはどこにもある温泉地風景であった。

「楓荘《かえでそう》」という見るからにこの温泉地では一流と思われる旅館のひろい門をタクシーが入って白砂を噛《か》み、前栽《せんざい》を回って大きな構えの玄関に横づけしたのは、六月の太陽がまだ西に白く燃えている午後四時半ごろであった。

うしろのタクシーから平山と小原が逸早くとび出して、出迎えの蝶《ちょう》ネクタイ姿の番頭や仲居たちに話しかけると、番頭らは降りてくる味岡と大石に深々と頭を下げた。

通されたのは三階で、味岡の部屋がいちばん奥だった。十二畳に六畳の控えの間、それに八畳の寝室がついていた。これは平山が先に上って下見を終えていた。

大石、平山、小原の三人が一階下の二階にならんで部屋をとったのは専務に遠慮したからである。

「食事は何時ごろにいたしましょうか？」

平山設計課長がいったん部屋に引きあげる前に味岡にきいた。

「そうだな。六時半ごろからではどうだね？」

日がまだ高いと味岡はそれほど食欲もおぼえなかった。

「わかりました。……それでは、あっちのほうもそういうことに」

平山はうしろに膝《ひざ》をついている仲居に眼配《めくば》せして云った。

「かしこまりました」

平山のあとの言葉や仲居のうなずきかたでだいたいを察した。金鈴湖畔の食堂で公衆電話をかけていた平山の後姿が眼に残っていた。

「ああ、それからね。夜の会食はこのぼくの部屋でやろう。広そうだから」

味岡は平山に云った。

「わかりました。それでは六時半までにこの部屋にみんなでうかがいます。それまでにわたしにご用がおありでしたら、どうかお電話をいただきとうございます」

平山はじぶんの部屋番号を云って部屋を出て行った。

「あの、お風呂《ふろ》は一階のジャングル浴場になさいますか、それともお部屋についている浴室になさいますか？」

四十前後の眼の細い、頸《くび》の長い仲居がきいた。

「部屋に付いているのに入るよ」

大浴場に入るのは気がすすまなかった。そこであまり人に顔を見られたくなかった。このような気持になったのもこんどが初めてだった。

仲居は乱れ函《ばこ》を持ち出してたたんだ浴衣《ゆかた》をとりあげてひろげていた。

「夕刊がきていたら、そのほうを先に見せてもらいたいな」

味岡は仲居にいった。

「夕刊は、このへんは遅うございます。六時半ごろでないと入りません」

「そうか」

「参りましたら、すぐにお持ちいたします」

気にかかることがあった。神邦ビルの殺人死体事件の続報がどうなっているかである。

だが、もしかするとこのへんの新聞には東京の事件続報などはあまり載ってないかもしれない、と思った。犯人が逮捕されたとか名前が割れたとかいうのだったら別だろうが、そうでなく、警察の捜査見込みといった程度では地方新聞もとりあげないだろう。

浴室を出たのが五時半だった。

会食まで一時間もあった。縁側のイスにかけて中庭ばかり見下ろしていてもしかたがなかった。外に出ると汗を掻《か》くとはわかっていても退屈をまぎらわしにエレベーターで降りた。一つには夕刊を見るまで落ちつかなかった。なにか「悪い」記事が出ているような予感がした。

玄関で旅館の杉下駄《すぎげた》をつっかけて味岡は外に出た。陽《ひ》はようやく山の稜線《りようせん》に沈みかけていたが、空は澄んだ水色をひろげて明るかった。

川ぶちの柳の並木に沿ってぶらぶらと歩いた。旅館の浴衣をきた散歩客は思ったより多かった。男ばかりのグループがだいぶんあった。会社の団体のようである。この時間でもヌードショウの看板をかけている小さな劇場《こや》へ呼び込みの声に乗ってぞろぞろと入っていた。ヌードスタジオにも笑いながら吸いこまれていた。関西弁が多かった。

刈野・稗津・鹿山・那珂山の「きたぐに温泉郷」がJ県と連合して観光道路を金鈴湖畔の山腹につくる意欲もこの関西の客を見ていると実感としてわかった。名古屋方面からの直線コースで、東京方面の客をもっと誘い寄せようという計画なのである。

日星建設が見積っている第一案による全工事費用は二百五十億円をかるく越していた。それだけかけても利益はあると温泉郷の旅館主たちは見こみをつけている。

味岡は、土産物屋の隣にある間口がせまく奥行の深い古道具屋に入った。「大野古美術店」とあるがそういう気のきいた骨董《こっとう》物はなかった。奥のうす暗いところにいる五十すぎのイガ栗頭《ぐりあたま》の主人は、ちらりと客のほうへ眼をむけただけで、あとは横をむいていた。

店にはろくなものはなかった。赤絵まがいの大皿、青磁まがいの壺《つぼ》といった焼物がならんでいる。矢立や刀剣の鍔《つば》、雛人形《ひなにんぎょう》、古時計、仏像、天秤棒《てんびんぼう》、羽子板、それに越《えち》前焼《ぜんやき》、信楽焼《しがらきやき》の徳利、水甕《みずがめ》。変ったものでは陸軍旗と海軍旗とを交差して「凱旋《がいせん》記念」と金色が褪《さ》めて茶色になった文字の盃《さかずき》が大小二つずつで三組ならんでいた。「凱旋」の上には「刺伯亜《シベリヤ》出兵」とあった。

隅《すみ》にゴルフ道具の古いのが立てかけてあった。明後日は琵琶《びわ》湖畔で「南苑会《なんえんかい》」のゴルフ会がある。明日は京都泊りであった。

骨董にさして趣味のない味岡がこのような店に入ったのも時間つぶしであった。彼は黙ってその店を出た。店主は最後まで横をむいていた。店を出てから味岡は気がついた。古美術商といえば神邦ビルの屋上で死体となって出た柳原孝助も「古美術商」であった。胸の中に冷い風が入りこんだような気になった。

また柳並木の下を歩き、朱塗りの橋を渡った。あたりはよほど昏《くら》くなって、旅館や土産物店の灯が強いかがやきになっていた。その光の中で旅館の浴衣姿の人間も前よりは多くなっていた。

「楓荘」にもどったのが六時十五分だった。エレベーターを降りたところの右が仲居の控え部屋らしく、その狭い入口に垂れたのれんの下から派手な模様の着物の裾《すそ》だけが見えた。イスにかけているようだった。

じぶんの部屋にもどると、十二畳の間には黒塗の大きな卓に料理の皿がにぎやかにならんでいた。座蒲団《ざぶとん》と脇息《きょうそく》がそれぞれの場に配置されていた。

平山が一人、隅のほうに坐《すわ》っていたが味岡の姿を見ると膝を直した。

「お散歩でしたか？」

「ああ、そのへんをぶらっとまわってきた」

「お歩きになって暑かったでしょう。お汗が出ております」

「ちょっと汗だけ流す」

平山は浴衣の袖《そで》をめくって腕時計を見た。

「専務。それでは、ぼつぼつ大石部長と小原君とを下から呼んでまいりましょうか。それに、女性のほうも来ておりますから」

味岡は、膝から下だけが見えていた座敷着に眼をもどした。湖畔の食堂から電話をこの旅館にかけたりしてその準備に立ちまわっていたのはこの平山だった。

「平山君。それに、夕刊が来ていたら、持ってくるように云っといてくれんか」

「わかりました」

浴室にいるとき、十二畳に足音が入って大石の声が聞えた。

風呂から上って出ると、三人が卓の前に揃《そろ》っていた。

味岡が床柱の前に坐るとほとんど同時に芸者がぞろぞろと入って襖《ふすま》ぎわにならんでおじぎをし、こんばんはと挨拶《あいさつ》した。五人だった。

味岡の横には新聞が置いてあった。芸者がすぐ両側にきて坐り、一人が銚子《ちょうし》をさし出したので、夕刊をとりあげる間がなかった。

「では、お疲れさま」

味岡は盃をあげた。

「お疲れさまでございました」

三人は専務へ視線を集めて声を揃えた。

そのあとは芸者たちの声が入りこんでにぎやかになった。五人のうち、一人が四十すぎの年増《としま》で、あとの四人は二十代後半だった。さすがに平山が準備連絡に懸命になっただけはあると思った。いくら温泉地でも、この年ごろの「若手」を四人揃えるのは容易ではなかろう。それともこの刈野温泉は若い芸妓《げいぎ》が多いのだろうか。頸の長い係仲居とほかにもう一人の仲居がお運びに働いていた。

味岡のすぐ前、大石の左横に坐っている芸者の着物の模様に見おぼえがあった。エレベーターの横の小部屋に裾だけをのぞかせていた女だった。

細面《ほそおもて》で、鼻筋の徹《とお》り、唇《くちびる》の端が少しきついくらいに締って、眼の上のわずかなくぼみも翳《かげ》りがあって、なかなか整った顔をしていた。笑うとえくぼが出た。

「みなさん、自己紹介をしてください」

平山が云ったとき、その女は「照葉」とこたえて、帯の間から黒もじの小さな袋を出した。紅色を斜めの地色にした下にはその名が刷りこんであった。

春若、花江、梅丸。それぞれが名乗ったが、照葉の顔がずばぬけていた。味岡は心の中で今夜の女を彼女にきめた。四人の芸者をそろえているのはその意味だろう。肥えている彼は、細い身体《からだ》の女が好きだった。

ころあいをみて味岡はさっきから気になっている卓の横にたたんでおいてある新聞をとりあげた。ほかの面に用はなかった。すぐに社会面をひらいた。

《死体発見の日に不審な男――東京　ビル屋上の殺人事件》

味岡は、一瞬に座敷のあかりも芸者たちの声も遠のくのをおぼえた。

《去る十日午後五時ごろ、東京丸ノ内神邦ビル屋上の機械室で死体となって発見された岐阜市の古美術商柳原孝助さん(五九)殺害事件の犯人も、またその死体がどこから同ビル屋上に運ばれてきたかもいまだに捜査線上に浮ばないでいるが、このほど同ビルの七階にある東亜電器工業の事務所につとめる笠井《かさい》すぎ子さん(二六)が同日午後四時十五分ごろに一階からエレベーターでいっしょになり、七階で降りた中年の男がいたことをあかした。笠井さんの話によると、その男は廊下を笠井さんとは反対に東側にぶらぶらと歩いて行ったという。笠井さんは事務所に入ったので、その後の男の行動を見ていないが、廊下の東側には屋上に通じる階段があり、捜査当局は笠井さんの目撃証言を重視している。なお、その日の同時刻ごろ七階の各社事務所について調べたところ、それに該当する訪問客がなかったことがたしかめられた。いまのところその不審な男が事件と関連があるかどうか不明。

一方、捜査当局では前日の九日に柳原さんの死体を同ビルに運搬してきたライトバン所有者の割り出しと、工務店員に化けた若い男三人について捜査中》

——予感にあった最悪の事態になった、と味岡は身体から力が脱《ぬ》け、崩れそうになった。

この夕刊に出ている記事のとおりのことを昨日、名古屋から府中町にくる途中の車のなかで思ったばかりではないか。

ときどき経験することだが、ある場所にきて、ある人間と会っているとき、おや、これとまったく同じことを、ずっと以前の夢で見たことがあるぞ、場所もそっくりだ、会っている人間も夢と変らない、と妙に神秘的な気持に襲われることがある。神は自己の将来を夢で垣間《かいま》見《み》せてくれるのだろうか。旧制高等学校で教科書として習った

「枕草子《まくらのそうし》」だか「徒然草《つれづれぐさ》」だかにも同じ経験のことが書いてあった。

昨日の車の中では、そんな想像をいろいろとめぐらして憂鬱《ゆううつ》になったものだ。いっしょにいる大石が心配して、

――ご気分でもお悪いのですか？

と云ってくれたくらいだった。

「ご気分でもお悪いんじゃありません？」

耳のすぐそばで女の声が聞えたので、味岡は心臓に針を刺されたようになった。

「あら、そんなにびっくりした顔をなさって。……ごめんなさい、急にわたしが声をおかけしたのがいけなかったのねえ」

いつのまにか、照葉が横にきて味岡の顔をさしのぞくようにしてほほ笑んでいた。

夕刊が彼の指から落ちた。


酒がすすむにつれて座もようやく賑《にぎや》かになった。床の間を背にした味岡は、どうしても三人の部下と芸者たちに話しかけられる。かたちだけでも陽気にしていなければならなかった。

仲居が肥えている彼のために厚い座蒲団を二枚重ね、上の一枚は二つに折って腰に

当てて、クッション代りにしてくれていた。そのため彼の姿勢は一段と高く見えた。

味岡の傍に照葉、彼と大石の間に春若、前の平山と小原の横には花江と梅丸という妓《こ》らがついた。ただ、彼女らの位置は話の間にときどき交替した。三味線をもった金《きん》弥《や》という年増芸者だけは下座《しもざ》の小原の横から変らなかった。

お客さまがたは、こちらには何度目ですか、いや、初めてだよ、といったとおりいっぺんのとぼけたやりとりからはじまって、客と温泉町の芸者とのありきたりな酒席の会話がすすんだ。

味岡はまだ夕刊の記事が心にへばりついていた。

《……捜査当局は笠井さんの目撃証言を重視している》

これを切りはなして風船玉のように空中に飛揚させ影も形も見えないようにさせたいのだが、なかなかそうはならず、鉛のように重く心の地面を這《は》いまわっていた。

あの女事務員は笠井すぎ子という名で、二十六にもなっていたのか。こっちはなるべく眼《め》が合わないように、せまいエレベーターのなかでも顔を横にむけていたのだが、それでも視線の端にはあのときの女の顔がはっきりと見えたものだ。髪は縮れ毛で、眉《まゆ》はうすく、眼蓋《まぶた》は腫《は》れぼったくて眼は切れ長で細く、瞳《ひとみ》は小さかった。鼻は低く、唇は厚かった。要するに不美人で、可愛《かわい》げのない容貌《ようぼう》である。

こっちは、ちらりと眼の端に収めただけでそのくらい観察したのだから、あの女事務員は、それとなくこっちをじろじろと見ていたから、もっと見おぼえているにちがいないのだ。

ところが新聞記事には、

《その男が中年だった》としか書かれていない。

味岡は、この記事は警察がわざとそう発表したものではないかと思った。こっちを安心させておいて、笠井すぎ子という女事務員に再度の目撃のさいに発見しやすいようにさせる方法だ。いわば警察の謀略ではないかと疑った。

そうなると、街頭もうっかりと歩けなくなるばかりか、今後は神邦ビルの中に足を踏み入れることもできなくなる。あのビルの中で笠井すぎ子にばったりと顔を合わせる可能性は九〇パーセントに近いのだ。

これは困ったことになった。巨勢《こせ》堂明《どうめい》の「南苑会」の事務所には寄りつけなくなる。こっちから事務所を訪問するよりも向うから呼びつけられたときが困る。断れば、もちろん巨勢の機嫌《きげん》を損じて仕事がもらえなくなる。大東組建設の成瀬や共栄建設の中原や、そのほか数社の幹部とあのガード下の喫茶店で落ち合っていっしょに行くことが多いので、じぶん一人だけが脱けるというわけにはゆかない。

こうなったら口髭《くちひげ》でも生やして少しでも人相を変える方法しかなかった。濃い口髭に濃いサングラスでもかけたら、あの女事務員も気がつかないのではなかろうか。

が、味岡にふと別な考えが浮んだ。笠井すぎ子という女が、相当にひどい近視眼ではないか、という推測である。あの腫れぼったい眼蓋と細い眼と小さな瞳とは、近視眼の特徴である。

考えてみると、警察が発表にあたってそんな謀略をつかうはずはない。むしろ、人相特徴が判明していればそれを公表して一般の目撃者の注意に訴えるのが捜査上の利益になるではないか。

(そうだ、あれは発表どおりだ。あの女は近眼だったにちがいない。鋭いくらいに切れ長な眼、無理に瞳の焦点を合わせようとして顰《しか》めているような眼つき。まさしく近眼だ。……)

「え、何かおっしゃいました？」

横から女が真白な、まるい顔を寄せた。花江という妓で、交替した照葉は前の平山と小原の間に坐って黒い眼を味岡にむけていた。

「いや、なにも云《い》ってないつもりだが。何か云ったかね？」

「聞き違いでしたかしら？　金弥とおっしゃったように聞えましたが」

近眼と呟《つぶや》いたのかもしれない。

「金弥姐《ねえ》さんなら、あちらですよ」

花江は、笑っている年増芸者をさした。

「われわれがどういう種類の人間か、いまこのひとたちに当てさせるところですがね」

平山が味岡に云った。考えている間に皆でそういう話になったらしい。

「そうか。……どんな仕事をしている人間に見えるかね？」

味岡は芸者たちを見まわした。彼も少しは気分が明るくなっていた。心にへばりついていた鉛のようなものもようやく底を離れた思いであった。

女たちは、会社の人というのが多かったが、梅丸という背の低いのが、

「お役人さん？」

と、まるい眼をみせて云った。

「役人ねえ……」

大石が気をもたせるようににやにやして、

「役人にもいろいろある。どこの役所と思うかね？」

ときいた。

自治省、農水省、建設省という答えが多かった。地方に出張してくる官庁の役人といえばそういうところであろう。

「建設省か。建設省とはいい線だね。……建設省の役人は、こっちへよく来るかね？」

平山が興味を顔にうかべてきいた。

「はい。でも、そう多いというほどじゃありません。たまにです」

春若という顎《あご》のしゃくれた、「若手」四人のなかでいちばん年かさな女が答えた。

やはり客商売の心得だった。

「建設省のどういう方面かね？」

「さあ。詳しいことはわかりませんが」

「うむ。それとも本省じゃなくて、こっちの管区局のほうかね？」

建設省は地域ごとに数県をブロックにした地方管区局をつくっている。これは建設省にかぎらずたとえば農水省、通産省、警察庁などでも同じ地方管区を持っている。

「さあ。どうでしょうか」

春若が困った顔をした。照葉は眼を伏せて卓の上を見ていた。そこには極彩色の鉢《はち》があった。

「しかし、客には眼の肥えた君たちだ。先方が何も云わなくても、およその見当はつくんじゃないかね？」

「わたしたちはみんな眼が瘠《や》せていますから、さっぱり見当がつきません」

年増の金弥がはなれたところから笑いながら云った。

「お、姐さん」

平山が隣の小原の前から金弥に盃《さかずき》を出した。

「ありがとうございます」

金弥は顔の小皺《こじわ》を動かし、長い経験からくる上手な嬌態《しな》をつくって盃をうけ、若い梅丸に酌《しゃく》をしてもらった。

「眼が瘠せているとはご謙遜《けんそん》だね。そいじゃ、なにかね、役人がわからなかったら、バッジの先生方はわかるだろうな？」

平山は上衣《うわぎ》の襟《えり》に指をあてた。

「それもわかりませんよ。たとえ先生がたがおいでになっても、バッジなんかつけてらっしゃいませんから」

金弥は盃をのみほし、懐《ふところ》から紙を出してそのふちを拭《ふ》きながら云った。

「あ、そうか。おしのびだろうからな。けど、代議士先生でなくても、県会議員の先生がた、市会議員の先生がた、町村会議員の先生がたはどうだね？　そういう先生がたはとかくバッジをご自慢にお見せになっている。べつにかくれ遊びだけじゃなくても、こういう温泉旅館では内密な寄り合いもあるだろうからね？」

聞いた金弥はつと立って平山の傍に行ってにこにこしながら坐った。

「ありがとうございました」

盃を返して、平山の肩に片手をかけながら銚子《ちょうし》を傾けた。身体を折るようにしたその姿態は馴《な》れたものだった。やせてはいるが、舞台役者の「型」にも共通した色気がにじみ出ていた。相手の肩にしなだれかかるようにして、さしさわりのある質問を封じさせようとする術《すべ》はさすがで、未熟な若い妓が足もとにもおよばなかった。

じっと見ていた味岡は、

「われわれは役人でもなんでもない。デパートの店員だよ」

と強く云った。

「え、デパートの店員さん？」

予想外の身分明かしに一斉《いっせい》に味岡を見た。照葉も顔をあげていた。ここから斜め前で見ると、その中高な、整った顔は電灯の光ぐあいで淡い陰影ができ、開いた花弁を見るようだった。

「どこのデパートさんですか？」

花江が横からきいた。みんな半信半疑のようだった。

「それは云えない。まだ、秘密だからね」

「わかったわ」

梅丸が手をうって叫ぶように云った。

「N市のまんなかにデパートの支店ができるんでしょ？　だから、きっと大阪か東京の大きなデパートの方よ。その土地の下検分にいらしたにちがいないわ」

N市はこの県のいちばん大きな都市で、この温泉から北へ二十キロばかりのところにあった。

「ほう。どうして、そんなことがわかる？」

「だって、三年あとにはJ県の府中町とこっちを結んで金鈴湖の山を通る観光道路ができるんでしょ。そしたら、こっちの温泉ばかりじゃなくて、N市だって東京方面のお客がどっと押しかけてくるわ。東京や大阪のデパートがこっちに進出なさるわけだわ」

「これは見やぶられたかな」

味岡は膝《ひざ》を叩《たた》くついでに照葉の顔へ眼を走らせた。

ね？」

「……しかし、その観光道路ができるのが、そんなにこっちで評判になっているのか
「そりゃ、もう、たいへん」

芸者たちは口々に云った。

「こっちの温泉地の旅館主が一生懸命になっているんですもの。いまからもう湧《わ》きかえるようです」

唄《うた》も尽し酔いもまわって、男四人が四階のホールに芸者たちと上ったのは十時すぎだった。

ホールは広く、キャバレーもどきに天井から回転する七色の照明がうす暗いところに群れる男女に虹色《にじいろ》の閃光《せんこう》をあてていた。男たちはこの旅館の泊り客だが、女は芸者姿もあり、よそからきたバアのホステスらもあった。一段高いところにバンドがならび、その音楽に乗って速いテンポでダンスしている群もあれば、三方の壁ぎわの長イスにならんでいる男女もあった。それがダンスを見物しているような、しないような様子で、肩をよせ合いささやき合っていた。そうして一組が足音も立てないようにして、すうっと出て行く。

ひろい壁には、ヌードを描いた大きな画《え》がかかっている。その下に、ほかの客や女

づれとならんで味岡と花江が腰かけていた。大石の傍には春若がいた。小原の横には梅丸が坐《すわ》っていた。平山だけが立ったり坐ったりして落ちつかないふうだった。その横には年増の金弥がいた。

味岡もようやくこの場の空気がのみこめた。ここは男客と芸者たちの「恋愛の成立」場であった。うまいしくみである。宴会や会食の席では女に相談をもちかけられないので、旅館がここをその場所に提供しているのである。うす暗くもあるし、音楽も奏でられ、眼の前には一群の乱舞もあることだし、イスにならんでかけ一対一で話合いをするのには最適であった。

味岡は照葉があとからこのホールに入ってくるのを心ひそかに期待していた。座敷での芸者のとりあわせは、平山が金鈴湖畔のドライブ・インから電話などして早くから連絡したアレンジなので、そのなかでいちばんきれいな照葉が自分の相手だと味岡も思いこんでいた。

新聞記事のほうは、女事務員の証言が人相特徴をよくおぼえていなかったというのに、味岡もだんだん安心していた。あの女は近視眼であろう。それにちがいないと信じこむようになった。もっとも、まだ一抹《いちまつ》の不安はあったけれど、今夜はこれ以上、なにも想《おも》いわずらわずに、女の肌《はだ》に溺《おぼ》れようと思った。少し酔っていたのと、このホールの雰囲気《ふんいき》に気分も浮いていた。

年増芸者の金弥と何かひそひそと話していた平山が、弱りきったかっこうで味岡の横にいる花江をイスからのかせ、自分がそこに坐った。

「専務。あの照葉という妓《こ》ですが、あれはどうも駄目《だめ》なようです」

と、ささやいた。

「……」

「金弥が云うには、照葉だけは、いけないそうです」

「やかましいスポンサーがついているのか?」

「どうもそうらしいです。そうならそうと早く云ってくれたらよかったんです。なまじ座敷に出てくるもんですから」

大石が春若を連れてホールから出て行き、小原が背の低い梅丸ともつれるように肩を組んで出て行った。

「これから、金弥は何とか若い妓を都合すると云っていますが。……そこにいる花江ではお気に入らないでしょうから」

もし花江で不満でなかったら、平山は花江を譲り、じぶんは金弥が世話するあとの女をとってもよいという口吻《こうふん》だった。

「いや、おれは、金弥にするよ」

味岡は、思いついたように云った。

「え？　金弥をですか？」

平山は眼をまるくした。

「おれも、もういい年だからな。金弥くらいでちょうどいい。わがままな若い妓のご機嫌をとるよりも、あのくらいの年増に親切にしてもらいたいよ」


部屋に付いた浴室で湯を使う音が聞えていた。静かな音だが、十一時をすぎて宿が森閑としているので、寝床に腹匍《はらば》って煙草《たばこ》を喫《す》っている味岡の耳にはよく聞えた。

八畳の寝室は十二畳の部屋の奥につづいていた。そこに夏蒲団《ぶとん》が二つ揃《そろ》えて敷かれている。うすい水色の地に、淡紅色の斑のある朝顔の散らしだった。枕《まくら》もとの行灯形《あんどんがた》のスタンドがほの暗く照らしていた。冷房の音が小さく鳴っていた。

浴室は廊下の右側だった。浴槽《よくそう》の湯音のかわりに蛇口《じゃぐち》の水音と手槽《ておけ》をつかう音がした。それも熄《や》んだ。女は身体《からだ》を拭いている。

脱衣場との間は磨《す》りガラスの戸で仕切られていた。湯どのの天井の濡《ぬ》れた照明が磨りガラスに女の橙色《だいだいいろ》の影をぼんやりと映し出している。身体を拭き、タオルを絞る女の、霧に滲《にじ》んだ輪廓《りんかく》が動いている。――味岡の眼が寝室から想像していた。金弥は瘠せてはいるが、骨ばってはいない。座敷着の袖先《そでさき》から出た手首でそれはしかめてある。腰まわりは案外に張っていた。四十二歳といえば、身体に脂肪はまだ乗っていよう。味岡自身が肥えているので、細い女を好んだ。

引戸が開いて閉る音がし、廊下に素足の音がひたひたと歩いてくる。味岡の首の前にある床懸けの軸はうす暗い中に沈み、青磁の香炉だけが匂《にお》っていた。

襖《ふすま》が開いたが次の間である。金属性の音がかすかにふれ合うのは女が寝化粧にとりかかっているからだ。長い。味岡は腹匍った身体を動かした。

「ごめんなさい。いま、そちらにまいります」

襖ごしに金弥が声をかけた。

ほどなく畳を踏む足音がして襖が半分開いた。そこから身を入れてきた女が襖を閉めると、蒲団の裾《すそ》をまわって味岡の枕もとから離れた隅《すみ》のほうにきちんと坐った。旅館の浴衣《ゆかた》の前衿《まええり》をかき合せて、

「ああ、いい匂い」

と、香《こう》をほめた。

暗いスタンドの光に金弥の面長《おもなが》な顔がほの白く浮んでいた。姿はよかった。

「きれいだな。よく見せてくれ」

味岡はスタンドに下った紐《ひも》にわざと手を伸ばした。

「いやですよ。後生だからあかるくしないでください。顔の皺がまる見えですから」

「そんなことはないだろう？」

云ったが、手は引っこめた。

「それでもまだあかるすぎるくらいです」

「これを消すと、真暗でなにも見えない」

「それでいいんです、ほんとうは」

「そう謙遜することもないよ。ぼくは若いひとより君のような年ごろのひとが好きでね」

「年増《としま》好みなんですね？」

「まあね」

「年増でも、もう少し若かったらよかったんですが」

「いや、色気はある。あんたのことだ」

「ありがとう。おじょうずね」

「嘘《うそ》は云わない。ほかの客からもそう云われないかね？」

「ええ。……ときどき」

「それみなさい。男の見る眼《め》はおんなじだ」

実感で云った。

「割引きして聞いてます」

「まあいい。入ったら？」

味岡は横の蒲団に太い顎をしゃくった。桃色の枕があった。

「ええ」

なま返事をして、

「……お肩でも揉《も》みましょうか？」

と顔をのぞくようにして云った。

「うむ」

味岡もすぐには手を出しかねて、

「そうしてもらおうか」

と、気を変えた。若くないという反省もあったし、愉《たの》しみごとはあとまわしである。

床の上に起き上ろうとすると、

「あら、そのままお寝《やす》みになっていていいんですよ」

と金弥が云った。

「いや、坐ってたほうが楽だ」

妙に淡泊をみせる気になった。

「そうですか」

うしろに寄った女の身体から湯上りと化粧の匂いが漂ってきた。両肩に手が動いたが、思ったより力があった。

「肥えてらっしゃるから、わたしの力ではこたえないでしょう？」

「いや。けっこうだよ。上手だ。馴れてるね？」

「いいえ。うちに年寄りがいるから揉んでいるだけです」

その年寄りは、と味岡は問いかけたがやめた。旦那《だんな》もちだったら、こう簡単にはここにやってこないだろう。すると寝たきりの亭主がいるのかもしれない。けれども、それだったら明朝までここに居るという約束はしないはずだった。では、やはりただの温泉芸者なのか。

三味線の腕はかなりなものだった。どんな唄でも弾きこなして、それが確かなのである。ふつう芸のある女は宴席がすむとさっさと帰ってしまい、枕席は芸の未熟な若い妓《こ》がつとめるというのが温泉町の共通性だと聞いている。すると、金弥は主人に死なれたあと親や子をかかえて一人で働いているのだろうか。年増といってもまだ若いほうだし、色気もある。面倒をみてやりたいという男も一人や二人ではないはずだが。

――

「あなたは、照葉ちゃんが好きだったのに、お気の毒でしたわね」

右肩から腕のあたりを揉みながらうしろから金弥が云ったので味岡は想像をうち切った。

「いや。そういう気にもならないではなかったがね。けど、そうがっかりもしていないよ。しかし、照葉はどうして駄目なのかね？」

「あのコはいけません」

金弥はきっぱりとした口調で云った。

「だから、どうしていけないのかときいているんだよ」

「いろいろと事情があります」

「そりゃ察している。さっき、上のホールでぼくの連れに、照葉には、やかましいスポンサーがついていると君は云ったそうだからね」

「あのかたが、そう訊《き》かれたからそうですと云っただけですわ」

「そうか。すると平山のひとり合点《がてん》だったのか？」

「それが普通の想像ですからね」

「妙に気をもたせる云いかたをするね？　ほんとのところはどうだね？」

「ダメですよ、そんなふうにうまく引き出そうとしても。芸者の事情もプライバシーだから人には云えません。それがわたしたちの仁義です」

「それなら聞くまい」

「済みません」

「あやまらんでもいいよ。それほど強い興味を照葉に持ってないんだから」

「ふ、ふふ。あなたも意地張りね。ちゃんと照葉ちゃんが好きなのはわかってるんですから。でも、それは無理もありません。ここの芸者の七十人のなかではいちばんきれいですからね」

「七十人も居るのか？　よその土地は芸者が減ってゆくというのに繁昌《はんじょう》でけっこうだ。若いひとも多そうじゃないか。今夜の四人を見てもそうだよ」

その三人は、二階のそれぞれの部屋に寝ている。

「春若ちゃん、花江ちゃんが二十七、八で、梅丸ちゃんが二十六です。梅丸ちゃんぐらいの若い妓は二十人以上おりますよ」

「そんなにここは若いのが多いのか？　じゃァ、芸者の志望者が多いんだね。よそはあとが育たなくて困っているというのに」

「この土地だけだとそれは同じですが、よそから移ってくるんです」

「この刈野温泉の景気がよいからか？」

「さあ、どうでしょうか」

「それで、その妓たちはよそにも行かないし、やめもしないのかね？」

「そうですね、ずっとこの温泉の検番から動かないようですね」

「よっぽど、ここが居心地がいいとみえるね」

「居心地がいいかどうか……。それはわかりませんよ」

「だって、そうじゃないか。居心地がよくないとそんなに長く辛抱はしないだろう？」

その居心地のよさというのは、ここの稼《かせ》ぎがいいとか、自由があっていいとか……」

「それほど稼ぎがいいわけじゃありません」

「じゃ、わがままができる？」

「も、それほどじゃありませんね」

「すると、どこがいいのかな？」

金弥が味岡のうしろ頸《くび》のところで笑って、

「照葉ちゃんが、あなたのお世話を朝までできないのとおなじくらいに謎《なぞ》ですね」

といった。

味岡は、朝までお世話できないという云いかたにへんに感心した。もっとも、そういう表現がこの世界では普通かもしれないが、これまで聞いたことがなかった。が、それは照葉が不可能になったので、しかたなしに自分をとったのだろうという金弥の皮肉にもとれたので、

「肩はそれくらいでいいから、腰を揉んでもらおうか」

と云い、唾《つば》をのんだ。

「それじゃァ、横になってください」

味岡は、よいしょ、と低く云って重い身体を蒲団によこたえ、向うむきになった。金弥の膝《ひざ》のさきが背中に軽くあたって、左肩を揉む指といっしょに浴衣の袖がさらさらと左首にふれた。

味岡は急に仰向けになり、そのためにマッサージができなくなって手をひっこめた女の二の腕をつかんだ。

「ちょっと、待ってください」

金弥は彼の手をおもむろにはずして立ち上り、うしろむきになって細い伊達巻《だてまき》を、きゅっきゅっと鳴らして解きはじめた。

味岡がうす眼をあけて見ていると、伊達巻がばらりと畳に落ちた。金弥はしゃがんでそれを折ってたたむ。白い浴衣の前裾から湯文字《ゆもじ》がはみ出ていた。

金弥は中腰になると、腰紐だけの浴衣の前を片手でおさえ、

「ごめんなさい」

といって彼の傍に身体を横たえた。

味岡は身体を半分起して彼女の肩を抱きよせた。枕もとのスタンド行灯が女の顔を映したが、眼を閉じ、唇《くちびる》をかたく結んで、静かだが速い呼吸《いき》をしていた。それがなにか初夜の女の感じで味岡の心をたかぶらせた。

彼が女の浴衣のふところをひろげると、意外にふくれた胸乳があらわれた。うれしくなって指先でそこを揉みはじめると、女は身を振って、

「はずかしいから、スタンドを消してちょうだい」

と云った。

「いいじゃないか？」

「いやよ。……スタンドを消してもあそこの明りがあるわ」

瞳《ひとみ》で上をさした。欄間の障子に隣室の灯が映っていた。スタンドを消したが、そこから漉《こ》してくる灯明りが部屋いっぱいをおぼろに浮き出させていた。

夜中の一時でも二時でも湯が溢《あふ》れ出ているのが温泉のありがたさだった。

身体を合わせたあとは、金弥も味岡といっしょに湯ぶねにつかっていた。

「疲れたわ」

女はタオルを前に当て、頭を湯ぶねのふちにもたせ、膝だけを合わせた片脚を斜めに前につき出して、半眼に閉じていた。着物姿で見たよりも、肉づきがよく、身体がひきしまっていた。彼が座敷で着物の上から観察した以上の結果だった。

「あなたの身体って、若いのね」

女は、睡《ねむ》たげな眼を開けて彼を見た。

「そう年寄りあつかいにするな。これでもまだ停年には間がある」

「それでも若いわ。まるで四十前の身体ね」

「それはありがたいが、それも君との相性《あいしょう》がよかったからだよ」

「ううん、わたしのほうが負けたわ」

——あのあいだ、女はその眼をびっくりしたように見開くかと思うと、それを苦しそうに閉じて眉《まゆ》を寄せた。鼻翼《こばな》がぴくぴくと動き、唇を開けてせわしない息を吐《は》きつづけた。口を歪《ゆが》めて抑えきれぬ低い絶叫を絶えずあげた。浴衣も湯文字も剝ぎとって、それをどこにほうり出したかわからぬくらいだった。彼の攻めに女の激動と陶酔がかわるがわるあらわれ、その脚はひきつった。

風呂《ふろ》の誘いに肩をゆすっても女は床から起き上れずに、しばらくはうつ伏せにうずくまっていた。色の雲が眼の前に出てきて、それに乗って空中を浮游《ふゆう》しているみたいに、頭を上げるとふらふらすると、うっとりとした声で云った。

「これで、わかるわ、若い妓の気持」

ようやく風呂に入っても金弥は、まだ間のびした、語尾のもつれたようなものの云いかただった。

「若い妓が、どうかしたのかね？」

「みんな、組の若い衆の身体《からだ》から離れられないのね」

「組の？　じゃ、これか？」

味岡は指さきで自分の頰《ほお》を斜めに切った。

「そう」

金弥はゆっくりとうなずいて、

「連中、よく別荘に行くでしょ？」

「別荘？　ああ、刑務所か？」

「別荘で暮すと、することがないから、あのひとたち、自分のモノに細工をするの」

「……」

「どこからか手に入れた安全カミソリの刃で歯ブラシの柄《え》をていねいにていねいに小さく削っていくつもの珠《たま》をつくるの。一年も二年もそこにいるから、日にちをその手工に充分すぎるほどかけられるわ。のんびりとね。その小さな珠を自分のモノのまわりに埋めこむのよ」

「埋めこむといっても、そいじゃあそこが痛くてしようがないだろう。血が出るだろうしな」

「そりゃ、入墨をするつもりだったら、辛抱できるわ」

味岡は、滑稽《こっけい》よりも心が寒くなり、顔に湯をかけた。

「それに、それがあのひとたちの商売の資本《もとで》だもの。少し痛いぐらいのことや、辛気くさい手工ぐらいしんぼうするわよ」

「モトデ?」

「若い妓のヒモ」

「あ、そうか。それでこの温泉場から若い妓が廃《や》めたり、よそに行ったりしないのか?」

「金をせびり取られたり、殴られたり叩《たた》かれたりしても、ヒモから逃げようとはしないの。ヒモの身体が忘れられないのよ」

「……」

「若い妓らは、稼ぎのために客を取るけど、どんなにテクニックのうまい客でも、ヒモの身体の味にくらべるとバカみたいなもんだと云ってるわ。だから身体を張って稼いだお金をどのコもよろこんでみんなヒモにみついでるわね」

芸者のプライバシーは云えないといっていた金弥は、酔ったようにそんなことを洩《も》らした。味岡の身体に気がゆるんだのか、それとも照葉だけは別で、年下の若い妓はかまわないとでも思っているのか、そのへんのところはわからなかった。

「ヒモの若い者はその金を親分に吸いとられるのか？」

「そう。親分からは小遣い銭だけをもらってね。その親分はもっと上の組織に上納金をおさめているわ」

「ここの組は、どうせ大きな組織の傘下《さんか》だろうが、それはどこの組織かな？」

「そんなこと、うっかり云えやしないわ。……長湯をしたから上るわ、さ、そこを少しどいてちょうだい」

金弥は湯の中に立ち上り、湯ぶねのふちをまたいだ。

湯から上った金弥は、部屋に備えつけの冷蔵庫からビールを出して味岡にすすめ、自分でもコップを息もつがずに飲み干して、

「ああ、おいしい、おいしい」

と、顔を仰向けて眼《め》をつむり、吐息をついた。

味岡が注《つ》いでやると、それも咽喉《のど》を動かして飲み干した。二人はせまい縁側の籐《とう》イスにむかい合って坐《すわ》ったが、開けた障子からは座敷の乱れた二つの蒲団《ふとん》がまる見えだった。

はねのけた掛け蒲団は裏返しになって交差し、敷布は皺《しわ》が波打って横ざまとなり、金弥の脱いだ湯文字は揉《も》みくちゃになって隅《すみ》のほうにほうり出されていた。それを、点《つ》けた上の明るい電灯が無残に照らした。

味岡がコップ一ぱいを飲んでいるあいだに金弥は二はいは空け、籐のテーブルの上にビール瓶《びん》が三本ならんだ。

「もうあんまり飲むなよ」

「大丈夫。このくらい平気。わたしは強いのよ」

「朝が起きられないぞ」

「だったら、昼まで寝てるわ」

「無茶を云《い》うな。八時には朝飯を云ってある。おれは午前中の列車に乗るんだ」

「薄情ね」

「仕事だよ」

金弥は眼を据《す》えて彼を眺《なが》めた。

「ほかの三人のひとはあなたの部下ね。あのひとたちの様子からみて、あなた東京のデパートの重役さん？」

「そういう人たちが、ときどき、こっちにくるのか？」

「N市に東京のデパートが進出してくるという噂《うわさ》ですわ」

「発展するんだな」

「名古屋からこっちへ直線の観光道路も三年後にはできるというから、発展するんでしょう」

新設の観光道路はずいぶん期待される噂になっているようだった。それも当然で、もともとこの刈野をふくめた四つの温泉郷が発起したことだった。

「本当は不動産会社でしょう？」

「ああ、おれのことか」

不動産屋とは似た当てかたをすると思った。

「不動産屋もよそからだいぶん入りこんでいるのか？」

「この前まではね。この温泉にもよく来ましたよ。わたしたちを夕方の六時から呼んでいても、一時間くらいはお人払いで招待客たちとひそひそと談合していたわね」

「そういうときに招待客となってくるのは先生がたか？」

「どこの学校の？」

「学校の先生じゃない。バッジ、バッジ……」

味岡は洋服の上衣《うわぎ》に見立てて浴衣《ゆかた》の左前衿《まええり》を指で敲《たた》いた。

「ああ、そっちの口ね」

金弥は立ち上り、四本目のビールを取り出しに冷蔵庫の前に行った。うす紅色の腰《こし》紐《ひも》一つで、着崩れた浴衣も皺だらけだった。冷蔵庫を開ける中腰の後姿には妙に頽廃《たいはい》的な色気があった。

イスに戻って栓《せん》を抜き、泡立《あわだ》つ瓶を宙に持って、味岡に眼をむけた。

「どう？」

「いや、おれはもういい」

「そう」

白い泡と黄色い液体とを自分のコップに注いだが、手もとが狂ってテーブルの上に噴きこぼれた。

「少し酔ったかしら」

急いでコップを口にもってゆき、半分ほど飲んだ。その顔はようやく赧《あか》くなっていた。

金弥はタオルで口の端を拭《ぬぐ》い、細い眼で味岡の視線をうけとめた。

「そりゃ、くるわよ」

答えが出た。

「県会議員、市会議員、町会議員、村会議員の先生がたが……」

「そんなにぞろぞろとくるのか？」

「いっぺんじゃないわよ。ちらほらと」

「ふうん。なるほど」

「そのほか、どういうのが業者に招《よ》ばれてくるかを聞きたいんでしょ？」

「できればね」

「銀行屋さんもくるわよ」

「そうか。銀行屋とはありそうなことだな。それは大手銀行のこの辺の支店かね？」

「さあ、どうですかね」

「相互銀行の連中も招待されてくるだろう？」

味岡が口に出したのは、静岡市の中南相互銀行の名がふいと頭に浮んだからだった。

「そういう人も居るかもしれないけど、わたしにはわからないわ」

金弥の口ぶりは半分とぼけ、半分はほんとうに知らないふうだった。

「あんたはほんとうに不動産屋さん？」

金弥はあらためて味岡にきいた。

「いや、違うよ。ほんとうは機械販売の商事会社だ。こんどこの地方のある工場に売った機械の据え付けに来た。あっちの部屋に居る三人はエンジニアだ、技師だよ」

味岡が云うと、

「そういえば技術者のタイプね」

と、金弥も客商売だけに人間の様子は見ぬいていた。それで安心した顔になった。

「銀行屋が招待されるなら、お役人がたも招ばれておいでになるだろう？」

味岡も金弥の警戒心がとけたとみてそろそろ訊《き》きはじめた。

「東京のお役人もときたまおいでになるわね」

「それは、どういう官庁？」

「建設省かしら？　お座敷ではみなさんがいっさい口にしないからよくわからないわ」

「ときたまに来る本省の役人はよくわからなくても、県庁なんかのお役人の顔はよく知っているだろうね？」

「そりゃ、よくわかってるわ。始終、ここへくるんだもの」

「やっぱり何かね、建設関係や農林関係の役人かね？」

「それは云えないわ。お座敷のお客のことは口外できないオキテになってるの」

「いいじゃないか。おれたちは官庁仕事なんかには関係ない商売だからね。ただ、後日の参考のために知っておきたいのさ。それに、おれはおまえが好きになったんでね。こうなったのも何かの縁だ。内輪だと思って聞かせてくれよ」

「うまいことを云って」

　と、金弥はその手をやんわりと振りほどいた。

「いや、ほんとだよ」

「はじめは照葉ちゃんに眼をつけていたくせに」

「だからさ、おまえのほうがよくなったと云っている。あの照葉なんか佳《い》い女かもしれないが、じぶんの容貌《きりよう》に自信があって、つんと澄ましている。それに、強力な後援者がついているというからそれも鼻にかけている様子がありありと見えたよ」

「ふ、ふふ。ままにならない女には憎まれ口をきくのね」

「でもないけどな。おれのような年にはおまえくらいのがいい。あんまり若い女は合わないね」

「そうでもないわよ。お身体《からだ》はずんと若いわよ」

金弥は細い眼のなかにうっとりとした微笑《わらい》を見せた。

「そうか。そう云ってくれるならありがたい。いよいよ惚《ほ》れた」

「ダメよ。口さきだけじゃなくて、もっと実《じつ》をみせてもらわなくちゃ」

「というと、どうすればいい？」

「ウラをかえしにおいでよ」

「東京と此処《ここ》ではすぐというわけにはゆかないが、そのうちに来るよ」

「そのうちに、というのはあてにならないわ。ウラをかえしにくるというのはすぐにまた来るということよ」

「なんとかしよう」

「ほんとう？　顔には嘘《うそ》と書いてあるわ」

「東京とここだからな、一週間のうちにというわけにもゆかないしね」

「じゃ、半月のうちに？」

「二週間か？」

「あら、よその土地からここに来て、つい、このあいだまで三週間も居た人があったわ」

「よっぽどヒマのある男だろうな」

「でもないわ。始終忙しがってほうぼうをとびまわっていた人よ。なんでもある政治家の最高顧問だと云ってたけど」

「日本の政治家にも最高顧問がいるのか。まるで、外国の大統領のようだな」

「すこし、ハッタリのある人だったけど、金づかいはきれいだったわよ。いまは東京に行ってるそうだけど」

味岡は、どきんと心臓が一つ搏《う》った。

「その人の名は何というのかね？」

「山下さんというのよ。名前までは知らないけど」

「山下？……」

偽名もありうる、と味岡は思った。山下とか田中とか渡辺とかいうのは最もありふれた姓である。

「その山下さんの年齢はどれくらい？」

「六十前後ね」

「ふうん」

「知ってるの？」

「いや、知らん」

　味岡は首を振った。

「……知らんが、うらやましい人がいるものだと思ってね。その山下さんはどこに住んでいる人かね？」

「大阪だと聞いたけど」

　大阪が住所だといえば東京に住居があるというくらいに特徴性はない。

「おまえはその山下さんに会ったことがあるのか？」

「ええ、お座敷ではなんども」

「どんな人だね？」

「どんな人って、そうね、身体は小さいけど、話術のうまい人ね」

「その最高顧問をしている政治家もいっしょにここに来たことがあるかね？」

「それは、ないわ」

「その政治家の名前は？」

「云わなかったわ。ただ、その名を出したらびっくりするような大物だとは云ってたわね」

「そんなに大物政治家か？」

「もっとも、あの人は、いまいったようにハッタリを云うくせがあるから、そのとおりかどうかわからないけど……」

　ハッタリを云う癖も、味岡の心に浮んでいる人物のイメージと一致していた。

「山下さんは、どういう人といっしょに座敷にくるのかね？」

「どういう人って……」

　金弥は急に口ごもった。

「さしさわりがあったら、名前を云わなくても、どういう方面の人というだけでいいよ」

「それがねえ、やっぱり云えないの」

　金弥はビールをコップに傾けた。

「よっぽど云いにくいんだな」

「そうね。かんにんしてちょうだい」

「わかった。それじゃ聞くまい。で、忙しい山下さんがここにずっと居たというのは、よっぽど好きな妓《こ》でもいたんだな？」

「いいえ。特定なコはいなかったわ。まあ、つまみぐいの浮気ていどね」

「それじゃ、女に実《じつ》も何もあったものじゃない。ほかの用事でここに長く居たというだけじゃないか？」

「浮気でもここに長くいたんだから、実があれば、あんたもすぐにこっちに来られると云いたいんですよ」

「それとこれとは違うよ。どうも、理屈がヘンになったな？」

ビール四本のうち三本をひとりで飲んで金弥も酔っていた。

「ヘンじゃないわよ。おんなじよ。……わたしもあんたが好きになったらしいわよ」

金弥はイスからよろよろと立ち上った。

「おい、どこへ行く？」

「汗が出てきたからもういちど湯に入るわ」

「あんまりビールを飲むからだ。そんなに酔って湯に入っちゃ身体に悪いよ」

「ひっくりかえるかしら？」

「わからんぞ」

「じゃ、あなたがわたしを抱えて、赤ン坊を風呂《ふろ》に入れるように湯に入れて」

朝食は別の部屋で四人がいっしょにとることになっていた。八時の集合だったが、味岡は三十分おくれて入った。

「お早うございます」

大石から云い、平山も小原も声をそろえて床の間を背にすわる味岡にかしこまって頭をさげた。三人ともなんとなくテレ臭そうな顔をしていた。

味岡の部屋に持ってくるのを遠慮した仲居が朝刊をここに運んできていた。味岡はすぐに眼鏡をとり出して、社会面に眼を走らせた。神邦ビルの殺人死体事件は載っていなかった。

こっちの新聞には事件の最初の報道はあっても被害者の顔写真は載っていなかったとみえる。出ていれば金弥《きんや》も「山下」に気がつかないはずはない。

新聞の沈黙は味岡に気味悪かった。捜査がひそかに進行しているのか。それとも進展がないのか。あるいは、東京の新聞には続報が載っているのかもしれなかった。

思案しながら箸《はし》を動かしている味岡の沈黙が三人の臆測《おくそく》をよんだようだった。専務は腫《は》れぼったい眼をして、疲れた顔をしている。今朝もいちばん遅れて起きてきた。

三人とも笑いを噛《か》み殺して不機嫌《ふきげん》な顔をしていた。昨夜の女の話はもとより口の端《は》にも出なかった。味噌汁《みそしる》を吸う音と、茶碗《ちゃわん》を卓の上に置く音と、給仕の仲居が畳の上を動く音だけであった。

味岡は琵琶《びわ》湖畔でのゴルフ会の帰りに、この温泉にもう一度寄るつもりにしていた。予定の変更とその理由を本社と大石にどう云ったものかと考えていた。

五

味岡正弘が乗ったのは大阪行特急のグリーン車だった。眼《め》の前の座席の背に付いた網のポケットに、入れ違いに降りた客の残したものが入っていた。地方紙五、六枚が乱暴にたたんで突込んであったが、そのかげにかくれたようにうすい観光パンフレットが一冊落ちこんでいる。隣の席は空いていた。冷房は軽く利《き》いていた。

あとの列車で東京に引返す大石、平山、小原の見送りをうけて乗った駅から京都まではほぼ二時間かかる。上の網棚《あみだな》には平山と小原とが乗せてくれたゴルフバッグとスーツケースとがあった。

はじめは昨夜の金弥のことや彼女の話などを思い出したりしていた。考えもしなかったことだが、南苑会《なんえんかい》のゴルフが済んだあと、もういちど刈野温泉に行く約束を金弥としてしまった。気にかかるのは彼女の話した「山下」という自称「政治家の最高顧問」という男のことである。気のせいか、どうやらこれが神邦ビルの屋上で六月十日に他殺死体となって発見された柳原孝助らしく思える。

新聞に出ていた警察の調べだと、「参議院議員　高尾雄爾《ゆうじ》後援会岐阜高尾会幹事長　柳原光麿《みつまろ》」の名刺を持った柳原孝助は、京橋の内外精密機械製作所本社に経理部長を訪ね、某外資系の団体に二百億円の遊び金があるがと融資話をもちかけ、先方に断られて出て行ったまでは分ったが、その後の足どりが消えている。彼が他殺死体となって発見された一カ月前の五月十一日のことである。

そのほぼ一カ月のあいだ柳原孝助は金弥の云《い》う「山下」の変名で刈野温泉に潜伏していたのではなかろうか。潜伏というのは、柳原は三月十六日に日本橋の安原商事株式会社から架空の不動産売買（ゴルフ場造成用の土地）の手附金と仲介手数料と合わせて九百万円を受けとり、詐欺罪《さぎざい》で被害者側から告訴されているからである。

が、一方ではまた東京に出て行き、日本橋とは目と鼻の先にある京橋の内外精密機械にこれまた架空の金融話をもちかけるところが詐欺漢の習性であろう。

金弥は「山下」には刈野温泉で馴染《なじみ》の芸者が居ないと云ったが、どうもそうではないようだ。その女の名前を金弥が容易に云わないだけだ。「山下」は刈野温泉ではどこに滞在していたのかわからない。これもふしぎなことで、滞在するなら温泉地の一流旅館だろうが、それくらいは金弥も云ってよさそうなものである。もし「山下」が柳原孝助だとすると、彼はこの三月十六日に日本橋の安原商事から九百万円もの詐欺をしているので、その全部を持ってはいないにしても、金は充分に懐《ふところ》にしているはずだ。

味岡が「山下」の正体を知りたいのは、むしろ彼についている人物のことであった。「山下」が柳原孝助なら、彼と参議院議員高尾雄爾とはなんらかのつながりがある。高尾の秘書は柳原が高尾の岐阜後援会幹事長の名刺をふりまわしているのを表面では迷惑がっているが、裏面の関係は深いと思われる。

高尾は与党の政務審査会の路線部会に所属している。もしや大蔵省に奇妙な顔がきく巨勢《こせ》堂明《どうめい》と高尾参議院議員とはどこかで線の一致するところがあるのではなかろうか。

もちろん、「山下」の柳原孝助といっしょに刈野温泉の旅館座敷にあらわれたのは高尾でもなければ巨勢でもない。そのどっちかの下にいる人物、またはその人物の代理人といった者ではなかろうか。それが知りたい。

味岡は、金弥と口約束をしたように、琵琶湖畔でのゴルフ会が終り、ほかの用事も済み次第、刈野温泉にいる彼女のもとにウラを返しに行く気持がだんだんにかたまってきた。一つには、金弥の身体《からだ》にもういちど会いたかった。

そう決心したためか、味岡は気持が落ちついてきて眠りに落ちた。昨夜の寝不足が出てきたのである。

眼が開いたとき、窓に山も道路もなく青い水田がひろがっていた。遠い丘陵のかたちで滋賀県に入っていることがわかった。が、まだ三十分くらいは座席に拘束されていなければならなかった。

退屈した彼は、眼の前の網ポケットに突込んであるうすい観光パンフレットをとり出した。前の客が置いて行ったものである。

写真と記事を眺《なが》めていった。北陸の風景、陶器、祭り、食べものといった紹介である。食べもののなかに、「うまいもの」として「アマエビ」が挙げられてあった。

この小さなえびは、煮ないでも紅色をしている。生《なま》のまま出して甘い味である。それなら昨夜、「楓荘《かえでそう》」の皿にもあって、芸者たちもそう云っていた。

しかし、耳でその名を聞くのと活字で見るとでは違っていた。すくなくとも味岡には違いがあった。というのは、「アマエビ」という活字をどこかで見たからである。観光パンフレットとか旅行ガイドブックとか、そういうものではなく、もっと粗悪な紙にぎっしりと詰った活字の中で。

味岡は、思わず口の中で叫びをあげた。新聞だった。

《解剖の結果、被害者の胃に食物が半分消化されていて、絞殺（凶器は麻紐《あさひも》のようなもの。発見現場に遺留せず）される約二時間前に食事をとったことが推定された。その食べものの中にアマエビが検出された》

味岡は、自分で不安を覚えるくらい胸に高い動悸《どうき》が鳴った。肥えている彼は医者に心臓が脂肪で大きくなっていることを注意されていた。

いままで、どうしてこの新聞記事を思い出さなかったのだろうか。それがふしぎなほどだった。柳原孝助のことではほかの大きな事実関係ばかりに気をとられて、この小さいが重大な一行がその蔭《かげ》にかくれていたのか。

柳原孝助の絞殺死体は解剖時に死後三日と推定されたという。六月十日午後五時十分に神邦ビル屋上の機械室で発見されて、その四時間後には解剖が終ったと記事にあったから、柳原孝助は六月七日に殺害された。その日、彼は殺される約二時間前にアマエビを食べていた。——

アマエビは北陸から山陰地方にかけて日本海からとれる。柳原孝助の場合、これはもう刈野温泉で食べたことはほぼ間違いはない。

柳原孝助は東京で殺されたのではない。刈野温泉かその付近だ。食事にアマエビを食べて二時間後に死亡したというのだから、そうなる。

あるいは彼がそれを食べてすぐに飛行機に乗って東京に行ったとしようか。刈野温泉はK空港まで車でも一時間半かかる。旅客機がすぐに出たとして飛行時間は約一時間である。彼が刈野温泉でアマエビを食べて二時間後に東京で殺された可能性はまったくない。

すると、柳原孝助は殺害されたのちに死体で東京に運搬されたことになる。神邦ビルに冷房用の資材と称して工務店の運搬員になりすました三人が、警備員をだましてライトバンに積んだ麻袋の「荷物」を屋上機械室に入れたのは死体発見前日の六月九日午後八時十分であった。殺害が七日だから、二日間あれば刈野温泉付近から東京まで車での死体輸送は充分にできる。

①殺害＝六月七日（解剖による推定）。
②神邦ビルに死体搬入＝九日午後八時十分ごろ。
③死体発見＝十日午後五時十分ごろ。

この場合、刈野温泉付近から東京までの死体輸送は、神邦ビルに現われたライトバンによる「工務店の運搬員」の作業服ではなく、まったく別な車と別な服装の人間だったろう。つまり、そのようにして死体を刈野温泉付近から東京都内またはその周辺の場所まで運んできて、あとのビル搬入工作にひきつがれた。――

味岡は自分でも顔色が白くなってゆくのをおぼえた。さっきまで軽度だった冷房がにわかに強くなった気がし、急いで窓際《まどぎわ》に吊《つ》りさげた上衣《うわぎ》を着た。それでもあたたかくはならなかった。

刈野温泉にゴルフ会の帰りに行くのはやめることにした。金弥の話をこまかに聞くのが怕《こわ》くなった。刈野温泉には危険がいっぱいある。そんなところに好んでわざわざ立ち戻ることはない。はじめは知らなかったが、気づいた以上は二度と足を踏み入れる土地ではなかった。

このうす気味悪さは、味岡が京都に着いて、東山ぎわにあるホテルの玄関に車をつけるまでつづいた。

味岡がフロントで記入すると、そのサインをカウンター越しにさかさまに見ていた係員が、キイといっしょに小さな封筒をさし出した。

「ご伝言をお預りしております」

「あ、そう」

車のトランクからとり出したゴルフバッグを肩にし片手にスーツケースを持ったポーターが、エレベーターの前でケージの降りるのを客といっしょに待っている。

味岡はフロントから渡された小さな封筒の文章よりも末尾についた名前に先に眼を遣《や》っておどろいた。そこには「金弥」とあった。まさか今朝別れた金弥から伝言が先《さき》廻《まわ》りしているとは思わなかった。第一、金弥には自分の名前も会社名も教えてはいなかったのだ。

《そちらからのお帰りには、ぜひ、約束どおり刈野温泉にお寄りください。お話ししたいことがあります。あなたさまのお名前は楓荘さんのお帳場で聞き、そちらのホテルにお泊りのことは小原さんから教えてもらいました。小原さんをおこらないでください。金弥》

エレベーターの扉《とびら》が眼の前で開いたので、味岡は荷物を持ったポーターに促されて、メッセージをポケットにおしこみ、ふらふらと中に入った。ほかに外人をまじえた客が七、八人詰めこんだのでポケットからとり出して読み直すこともできなかった。

名前や社名が金弥に知られた理由はわかった。旅館の帳場も一夜を添い寝した芸者に云われると、宿帳についた客の素姓もうちあけないわけにはゆかなかったのだろう。

それから駅の見送りから楓荘にいったんもどった小原を金弥がつかまえて責め、このKホテルの名まで聞き出したのだろう。小原を叱《しか》るなとあるのがそのへんのいきさつを伝えている。おっちょこちょいの小原に眼をつけた金弥はさすがだが、ことがことだけに、小原を正面から叱責《しっせき》もできなかった。これもまた一種の弱味といえば弱味だった。

九階で降りて長い廊下を歩く。前を行くポーターの肩でゴルフバッグが揺れていた。角を曲ったいくつか目のドアにキイをまわしたポーターが、客を先に入らせて内部を見せた。部屋の半分はテーブルを中心に革のクッションとイスが配置され、半分はトゥイン・ベッドで占められている。肥えた味岡は狭い部屋だと息が詰りそうなのでいつもトゥインの部屋を予約する。片方のベッドはカバーがかけられたままで、メイドがメークしたひとり寝のベッドの上にはたたんだ寝巻が一枚だけ置いてあった。

ポーターはゴルフバッグとスーツケースとを適当な場所に置いて、手洗い所とバスルームのドアをいちいち開けて点検するしぐさをしたうえ、そのあり場所を味岡に言葉で教えた。

そこにぼんやりと突立っている味岡は、うんうんとうなずき、チップを渡したが、ポーターが出て行くと、まだ腰をおろす気にもなれず、さっそくポケットからもういちどメッセージをとり出し、改めてそれに眼をさらした。文字はもちろんフロントの者が書いたので、三時五分と記入してあるのがその電話を受けた時間であった。

三時五分といえば、大石、平山、小原の三人が東京へ出発したあとである。金弥はあるいは三人を駅に見送ってからこの電話をかけたのかもしれなかった。

——ぜひ、約束どおり刈野温泉にお寄りください。お話ししたいことがあります。危険な場所ではあるが、金弥のお話ししたいことがあるというのにひかれる。「山下」こと柳原孝助の人間関係でも教えようというのか。それにしても、金弥はなぜそれを自分に「話す」気になったのだろうか。どの程度の内容かわからないにしても、とにかく何かを話す気にはなったようだ。

昨夜の金弥との記憶が蘇《よみがえ》ってくる。これは頭の中ではなく身体に残っている感覚であった。まきついて締めつけてきた女の腕と脚の痕《あと》が、彼のうしろ頸《くび》や腰に遺《のこ》っている感じだった。女は彼のからだを讃歎《さんたん》し、忘れがたいと云った。

ぜひ、来てくださいと金弥が云うのはその再会を願うからではないか。彼女は絶えてなかった満喫をもう一度求めているようである。そう考えると味岡の心も動く。それに、男のからだを愛した女は男に気に入られようと何でもしゃべるのではないか。柳原孝助の「山下」が、刈野温泉の何処《どこ》で、何時《いつ》、誰と、アマエビを食べたかという事実まで知ることができるのではなかろうか。

　刈野温泉には危険がいっぱいある、そんなところに好んでわざわざ立ち戻ることはない、と、このメッセージを見ぬ前までの決意がぐらついてくるのを味岡は知った。たしかにうす気味悪い温泉地ではある。しかし、危険の存在をあまりに意識しすぎているのではあるまいか。少々神経過敏になりすぎたようだ。たいしたことはなかろう。金弥に会おう。かりにそこに気に喰《く》わぬ雰囲気《ふんいき》があったとしても、彼女が味方になってくれる。惚《ほ》れてくれた女である。温泉芸者だから土地の事情にも詳しいし、いろいろとコネも持っていよう。

　しかし、大丈夫かな、もういちどよく考える必要があるぞ、と心をいましめる一方、どのように熟慮しても、そこへ再び行く気持が思案の石積みの下から湧《わ》き水《みず》のように流れているのを味岡は覚えた。

　何も今晩じゅうにそれを決めることはない。明日《あした》も明後日《あさって》もある。その間によく考えてみよう。それが彼のせめてもの自制であった。

　味岡はやっと気持が落ちついて革イスに腰をすえ、テーブルの上に載ったジャーをとりあげ、傍の急須《きゅうす》に湯を注いだ。底には糸のついた茶袋がある。急須をよく振って湯呑《ゆの》みに茶を入れた。冷房がききすぎて部屋の中は寒いくらいだった。

夕食時間であったが食事をこのホテルでとるか、それとも木屋町の知った小料理店まで出かけるか、それも面倒な気もした。巨勢堂明《こせどうめい》は今夜どこに泊っているのだろう。琵琶湖畔のゴルフ会は明朝九時からはじまる。八時半までにクラブハウスに集合のことというのが主催者南苑会からの通知状だった。だから巨勢はすでに京都入りをしているはずだった。

このホテルだろうか、と味岡は思った。ホテル内のレストランで顔を合わせるまでもなく、部屋が分っていたら、ちょっとでも挨拶《あいさつ》に顔を出したほうがいいと味岡は気づいた。

電話でフロントを呼んだ。

「少々お待ちください」

フロントでは宿泊名簿を調べて、

「巨勢さまはお泊りになっておりません。ご予約も承っておりません」

といった。

「ああそう。それじゃ……」

急に思いついたのは南苑会のメンバーの名前だった。役人のことではない。役人たちもこのホテルに入っているかもしれないが、その名前におよその見当はついていても彼らにはいまは用はなかった。明日のゴルフ会をさしおいてその前に役人らと会うのは法度《はっと》で、それは巨勢堂明が極端に嫌《きら》うところだった。そうではなくて業者のほうだが、それも大東組建設の成瀬敬一が泊っているかもしれないと思うと、気持が変り、

「いや、もうけっこう」

と味岡はフロントに告げて受話器を置いた。なんとなくそれを機会《しお》にトイレに立った。

明朝クラブハウスでは仕方がないとしても、今夜は成瀬と顔を合わせたくなかった。成瀬が神邦ビルの四階にある巨勢の事務所から出た直後に自分がだれもいないそこに――沢田美代子も席を空けているその部屋に結果的には忍びこむかっこうになったのを成瀬はもとより知るまい。彼が知らなくても味岡はなるべく避けたかった。屋上で柳原孝助の絞殺死体が発見される四十分くらい前のことだっただけにこれが大きな気《き》怯《おく》れとなっている。

成瀬は困るが、共栄建設の中原武夫がここに泊っているなら会ってみたい、あの男は成瀬ほどこそこそとは動かずにおっとりとしている、それほど警戒も要らないからいっしょに飲むにも気が楽だ、あの男こそこのホテルにいるかどうかフロントにもういちど聞いてみよう。――味岡がそんなことを思いながら用をたしていると、ふと視

線がすぐ前の白い陶器の上に載った一輪挿《ざ》しに当り、いきなり眼《め》に石をぶっつけられたようになった。

一輪挿しの花はガーベラだった。

それがよくできた造花とわかっても味岡の動揺はすぐにはしずまらなかった。戻ってクッションに腰をかけたが、思わずズボンの裾《すそ》に眼を遣《や》ったくらいだった。もちろん倒しもしない造花の花弁《はなびら》が折返しのところに付着するはずはなかった。

複雑な気持だが、だんだんに不快感のほうが増してきた。よりによって、といいたいが、トイレに置く造花にガーベラがあるのは、バラとかチューリップとか三色菫《すみれ》などとともにありきたりなものである。そう思っても、不愉快が昂《こう》じて、いまいましくなった。

このホテルに明朝まで居るかぎり、そしてトイレに入るかぎりあの不愉快な造花といやでも眼前で対決しなければならなかった。たったの二晩だ、我慢しようと思ったが、いったん気にするとそれが意識の上に強くのぼってきて、どうにも消しようがなかった。

それならこの部屋のトイレは使用しないで、廊下に出て共同のそれを使うことだと思った。が、そう考えると、その廊下のトイレにどんな造花が飾りつけてあるか、それがまた気になった。

味岡はそれを確認しないでは落ちつけなくなって、わざわざ部屋から廊下に出た。そのトイレをさがして歩いたが、それがたいそう遠いところにあった。こんなに距離があっては夜中に尿意をもよおしたときが厄介《やっかい》だとは思ったが、自室の不快なものを見るよりはましだと思った。

味岡はシルクハットのあるドアを半分開けて中をそっとのぞいた。三つならんだ白い陶器の上には三つのガーベラが上からの照明を受けて整然と輝いていた。

なんというホテルだ。味岡は逃げるように部屋に戻った。彼は煙草《たばこ》を喫《す》い、気分を抑えようとした。だが、奇妙なことに、それを意識するあまりか、尿意が起ってきた。三十分と経《た》ってないうちに。

こんなことではどうなるのだろう。今夜から朝までのことが思いやられた。気にすればするほど、そこに通うのが頻繁《ひんぱん》になるかもしれない。彼はかすかな恐怖さえおぼえてきた。

味岡は、思い切って、という言葉があたるようにイスからすっくと立つと、出入口の傍まで歩き、横のバスルームに隣り合ったドアを思い切り開いた。ガーベラは微動だもせずに白い陶器の上から敵意をもって彼を見返していた。

味岡はそれと近々と三分間は対《むか》い合っていた。そのうちに彼の手は伸びて細長い小さな花瓶《かびん》からガーベラを抜き取り、指先に力をこめて折ろうとした。が、芯《しん》が針金でできている茎は折れないでぐにゃりと曲ってしまった。花も葉も合成樹脂でできているので硬かったが、茎からむしり取るのは容易だった。彼の掌の中は三つ折りに曲った茎と、ばらばらになった十数の花弁と三つの葉とでいっぱいとなった。

陶器の上が花瓶だけになったのを見て味岡はようやく安心した。それでもう強迫観念に襲われることはないのだ。気になるものは何もなくなった。つまらないことに神経を使わなくても済む。

するとこんどは掌に握りこんだ造花の残骸《ざんがい》の処置に困った。部屋の反古籠《ほごかご》の中に抛《ほう》りこむわけにはゆかない。明日の朝、自分がでかけたあと、掃除婦がこれを発見するだろう。ホテルの備えつけのものを破壊した客があるというので掃除婦がフロントにとどけるにちがいない。たかがトイレ飾りの小さな造花ぐらいとフロントでは不問に付すかもしれないし、度の過ぎた悪戯《いたずら》として評判をひろげるかもしれない。日星建設の専務ともあろう紳士がいくら酔ったからといって。——それもトイレにあったものを取って壊すとはだいぶん変っている。

造りつけの洋服ダンスの隅《すみ》に押しこもうがベッドの下に匿《かく》そうが無駄《むだ》だった。彼は結局じぶんのスーツケースを開けて替りの衣類が詰っている底に、ばらばらになった造花をホテルの封筒に入れておしこんだ。明日、外に出て適当なところに捨てることにした。

掃除婦はこの部屋のトイレからだけ造花が消えているのを見つけるだろうが、残骸がないので首をかしげるだけだろう。破壊した証拠品が残っているのとそうでないのとでは大きな違いだ。まさか大手の建設会社の専務がトイレのけちな造花を盗んで行ったとは思うまい。造花がなくなっているのは何かちょっとした手違いがあったのだと呟《つぶや》き、すぐに代りの造花を備品倉庫から出して補充するだけであろう。あれはホテルにとって消耗品なのだ。

味岡がそんなことを考えているとき、電話が鳴った。

「味岡さんですな？」

取った受話器から声が彼に呼びかけた。特徴で共栄建設の中原武夫常務とわかった。

「やあ、今晩は」

味岡は思わず明るい調子で応じた。会いたいと思っていた男から声がかかってきた。

「いま、どちら？」

味岡が訊《き》いたのは京都市内の意味だったが、

「五二一号室。五階ですよ」

　と中原はこのホテルの部屋を答えた。

「そりゃァ知らなかった。いつ、入りましたか？」

「一時間前」

「じゃ、ぼくとそれほど違わない。ほかの人は？」

　ときいたのは明日のゴルフ会に行く南苑会の会員のことだった。

「さあ。そのへんはよくわかりませんが」

　中原は多少曖昧《あいまい》な調子で云《い》って、

「ちょっと、あなたに話があるんですがね。お邪魔でなかったらそちらに十分間ほどうかがってもいいですかね？　あなたの部屋番号は電話でフロントに聞きました。たぶんこのホテルだろうと思ってね」

　と、都合をきいた。

「どうぞ。十分でも三十分でも。それよりも夕食でもどうですか？」

「いや、食事は生憎《あいにく》といま済ませたところです。あなたがまだでしたら悪かったですな。実は、あなたがこのホテルに入っているんじゃないかと思いついたのは、飯を食ったあとでしたからな」

「おやそうですか。では、どうぞおいでください」

「すぐに引き取りますから」

中原はだいぶんこっちに遠慮の様子だった。

味岡はあまり気にもしないで待った。中原の話というのは、明日のゴルフ場にくる役人の顔ぶれがわかったというような情報かもしれない。ゴルフ場に行くまで役人の顔も所属官庁の地位も分らないというのが巨勢堂明のこれまでのやりかただった。だが、もし、それが事前に察知できたら、対応の仕方にも用意ができるというものである。

こんどのゴルフ会がJ・R県の新設有料道路工事に関係していることはわかっていた。入札は共同請負いになっているので、大手建設会社側としてはとにかく基本的に歩調を整える必要があった。

ゴルフ場では、役人と顔を合わせても一切仕事の話はしないし、そういう態度はおくびにも出さないことになっているが、すべてが巨勢堂明を中心に肚芸《はらげい》的なものだけに、出席する役人が誰かということが前もって分っているのに越したことはなかった。

巨勢堂明はすでに京都入りをしているだろうし、大東組建設の成瀬敬一も来ているはずである。朝の早いゴルフ会だった。あの二人がどこに泊っているかが味岡には気がかりだった。中原が知っていればそれも聞いてみたかった。

ノックの音に味岡は立ってドアを開けた。楕円形《だえんけい》の顔にある太い鼻が両側に皺《しわ》を湛《たた》えて現われた。中原は四十四、五だが、おだやかな様子が老成した感じを与え、年齢を上に見せた。言葉づかいもゆったりとしていた。

「どうも、ご苦労さまです」

中原は味岡の出張の労に敬意を表して静かに請じられたイスに坐《すわ》った。

「ほう。広くて、いい部屋ですな」

中原は見まわして云った。その言い方で、彼がシングルの部屋に入っているように思えたので、

「ぼくはこのとおり肥えているので、二人部屋でないと窮屈で落ちつけないのですよ」

と、味岡はつい弁解調子で云った。中原が、この部屋に「女」の存在をかんぐっているのではないかとこっちのほうがよけいな気のまわしかたにもなった。どこかに金弥のメッセージが影響していた。

「味岡さんはぼくとあんまり違わん時間にここへ入られたそうですが、そうすると新幹線も一列車くらいの違いですかな？」

中原はまだ挨拶につづく雑談の調子だった。

「いや、ぼくは東京から直行じゃなくて、昨日からよそをまわって来たのです。支店に用事があったものだから」

あんまり嘘《うそ》もつけないと思って云ったのはあとで辻褄《つじつま》の合わない事態になったときに備えてだが、ぼんやりと支店といっただけでそれがどことは明言しなかった。

「あ、そうですか。ぼくはまた東京からまっすぐに京都だとばかり思ってたもんですから。それは、お疲れでしょう」

「ありがとう」

味岡は小さく咳《せき》ばらいをし、前の冷くなった茶碗《ちゃわん》に手を出して気がついたように云った。

「この部屋ではこんなぐあいです。何もおかまいできないから、この中のコーヒーハウスへでも行きますかな」

「いや、ここでけっこうです。どうぞお気にかけないで。ああそうそう、あなたは夕食がまだだったそうですね？　すぐにおいとましますから」

「そう腹も空《す》いていないから食事はあとでしますよ。まあ、ゆっくりして行ってください」

中原には聞きたいこともあった。

「ありがとう。……いや、実はね、味岡さん。ちょっとうかがいたいことがあってきたんですが」

中原はようやくこの部屋を訪問した目的に入った。

「はあ。なんですか？」

「ぼくはさきほどダイニング・ルームで夕食をとっているときに末吉《すえよし》さんを見かけたんですが。ほら、甲東建設の末吉祐介《ゆうすけ》ですよ。あなたが末吉さんをここへ連れてこられたんですか？」

味岡は、弾《はじ》かれたように頭をあげた。

「えっ、末吉祐介がこのホテルに？」

彼は中原の顔をまじまじと見つめた。

「そうです。ずいぶん混《こ》んでいたうえに、席がずっと離れていたので末吉さんのほうはぼくが見えなかったようです。それにだれかと食事をしていたからわからなかったんです。ぼくはあの人の白髪頭《しらがあたま》ですぐに気がつきましたよ」

味岡の胸に押しよせてきたのは憤《いきどお》りであった。末吉祐介はこんなところまで自分を追ってきたのか。明日、南苑会のゴルフ会があるのを末吉は知っている。

「ぼくが末吉君を連れてきたなんてとんでもない。彼が勝手にやってきたんだ」

味岡はそこに末吉が立ってでもいるように、額まで赧《あか》くし、声に怒気を含ませた。

「そうですか……？」

中原は、その強い語勢に気を呑《の》まれた顔になった。

「当然じゃないですか。ぼくがそんなことをするわけはない。察するところ、明日のゴルフ会をかぎつけて、この京都までぼくを追っかけてきて、南苑会に入会できるように先生に世話しろというんでしょう。この前から末吉君は再三そんなことを云ってきてるんだが、ぼくが煮え切らないと思ってか、いよいよ膝詰《ひざづ》め談判にやってきたんでしょう。しつこい男だ」

実際、末吉の執拗《しつよう》さが味岡の上にのしかかってきた。脂《あぶら》ぎった彼の顔が逼《せま》ってくるのである。

「いつぞや、『DATE』であの人があなたを呼び出したのをぼくらは見ていましたからね。あのときも先生の事務所へ行く前でした」

中原は雨の日のことを云った。

「そういう男だ。ほんとにしつこい」

「そうですか。じゃ、あなたが彼をここに呼んだのじゃないのですか？」

中原は味岡の気色ばんだ顔をみてやっと疑いを解いたようだった。

「あたりまえじゃないですか」

「それなら安心ですが、前に『DATE』であなたをつけまわしたことといい、けっきょく、あなたが末吉さんの執拗な依頼を断りきれなくなって、先生に直接に紹介するために末吉さんを連れてきたのかと、ダイニング・ルームで彼を見かけたとき、すっかりそう思いこんだもんですからね。もし、そうだとすれば、これはあなたの真意を聞かなくてはと思ったんです。末吉さんのような人を強引に南苑会に入れたら、それこそわれわれの秩序が乱れかねないですからね。せっかく大手のランクで協調してきたのに、あんな人に割りこまれては、将来どんな横紙破りなことをされるかわかったもんじゃないですからな」

「わかっています。だから、ぼくは体よくあしらってきたんだが、これほどまで彼が図々《ずうずう》しいとは思ってなかった。京都に勝手に乗りこんでくるなんて、どういう神経かわからん。もし明日にでもぼくのところに来て、そんなことを厚かましく云おうものなら今度は断乎《だんこ》としてはねつけますよ。これまではぼくも彼に同情していた一面があったので、あんまり真正面から断るのも気の毒だと思っていたんだが、こっちの気持なんか全然わからん男ということが分りましたよ」

「いい仕事欲しさに南苑会に入れてもらいたいとあせる気持は分らないではないが、ちょっとデリカシイがなさすぎますな」

中原は懸念《けねん》が解けた安堵《あんど》を開いた眉《まゆ》に見せると同時に、気が弱いばかりにまつわられる味岡の立場に憐愍《れんびん》に似た同情を示した。

「ああいう太い神経の男に遇《あ》っちゃかなわんですなァ」

味岡は中原の手前もあって苦笑した。

中原はふいとイスから立った。

「済みませんが、ちょっとトイレを拝借します」

小さな声で中原は云った。緊張がとけたとたんにそんな状態になったのかと味岡は少しおかしくなったが、どうぞ、とドアの傍近くまで同行した。

もとのイスに戻った味岡は、いまにも末吉から電話がかかってくるか、ここへ訪ねてきそうな気がして、こんどは自分のほうが緊張した。中原ですら、自分がこのホテルに泊っているだろうと見当をつけてフロントに部屋番号を聞いたというのだ。南苑会の期日を知っている末吉のことだから、本社の秘書課にでも今夜の宿泊先を問い合せたにちがいない。それならフロントからとっくにルームナンバーを聞き出しているはずだ。いまに末吉祐介の嗄《しわが》れ声が受話器から聞えるか、白髪頭の汗ばんだ顔がドアからのぞくかしそうだった。

これではうっかりと廊下やロビーにも出られない気がした。神邦ビル一階の商店街で末吉につかまった記憶が戻って、それが背中に冷気のように這《は》い下りてゆく感じだった。


中原が手にしたハンカチをポケットに押しこみながら戻ってきた。

「こんな一流ホテルでも行き届かないこともあるんですな」

中原は呟いた。

「何がですか？」

「いや、なんでもない、ちょっとしたことですがね。ぼくの部屋はシングルで値段もわりと安いのです。こっちはトゥインの部屋で、だいぶん立派なのに、ぼくの部屋のトイレにあるような飾り花がここのトイレには無いですな。飾り花といっても詰らんガーベラの造花ですがね」

「……」

味岡はすぐには返事が出なかった。意識がすぐそこに置いてあるスーツケースの底に走った。

「たぶん従業員がここに置くのを忘れたんでしょうが、人手不足で従業員も忙しいのですな。けど、一流ホテルは完全《パーフェクト》と思っているだけに、そういうちょっとしたところが眼《め》につきますよ」

「そうかもしれませんな」

味岡はそんなものは気がつきもしないといった顔で、わざとうわのそらのように興味なげに云った。

中原はかたちだけいったんイスに腰をおろしたが、すぐにあらたまったように立ち上って脚を揃《そろ》えた。

「どうもお邪魔をいたしました」

「もう、お帰りですか?」

味岡は憂鬱《ゆううつ》を隠して笑顔で相手を見上げた。

「ほんの五分間のつもりが長くなりました。ぼくもこれから部屋でしなければならない仕事がありますので、これで失礼します」

「あいかわらずご勉強ですな」

「でもないですが、持ってきた少しばかりの仕事を今夜のうちにかたづけて明日はゴルフをゆっくりやろうと思っているだけです。……末吉さんを食堂で見かけたばかりに詰らないことをおたずねに上りました。味岡さん、どうかお気を悪くなさらないでください」

中原は頭をさげた。

「とんでもない。そんなこと、ちっとも気にしていません。末吉君のことは、そんなぐあいで、ここに来ているとすればあの人が勝手にやってきたんですから、ぼくが巨勢先生の前に連れて出るわけはありません。彼のしつこいのにいまさらのように呆《あき》れもし、腹を立ててもいるんですから」

「よくわかりました、味岡さん」

「巨勢先生は、どこのホテルに入っているんですか?」

「それがまだよくつかめないのです。このホテルに予約をとってないことだけはたしかですが。もしかすると、京都ではなく、大阪かもしれませんね」

「ははあ。で、大東組建設の成瀬君は?」

「これも、はっきりしませんな。とにかく、明朝の八時半にはクラブハウスで勢揃いということには間違いありませんが」

おやすみなさいを云って中原はひきあげた。

また、気に病むことが一つふえた、と味岡は思った。中原はこの部屋のトイレに造花が飾られてないことを「発見」した。

中原が憂鬱の種子を落して行ったことはたしかだった。この種子が先になって憂患にまで発展する懸念は絶対にないと思うが。――

これも南苑会に執着する末吉祐介が執拗にもこのホテルに自分を追ってきたからだ。末吉さえこなければ、そのことで中原がこの部屋にくることもないし、造花の不備を眼にすることもなかったのだ。

味岡は憤りがこみあげてきて、末吉をどなりつけてやろうと思った。何も彼がここに現われるまでびくびくして待つこともないのだ。こっちから先制攻撃をかけてやろうと腹立ちまぎれの急な決心になった。

「末吉祐介さまというお名前のお客さまはお泊りになってもいらっしゃいませんし、ご予約も承っておりません」

フロントの声は、リストに当ったあとで伝えた。

――そうすると、中原がダイニング・ルームで見かけたというのは人違いだったのか。いやいや、そんなはずはない。中原はそれを確認したからこそ抗議に来たのである。

では、末吉は変名で泊っているのだろうか。これも疑問だった。末吉がそのようにする理由がないからである。

末吉がこのホテルに泊ってないとすると、彼はほかに宿をとっていて食事だけをこの食堂にとりにきていたと解釈をするほかはなかった。末吉はだれか一人の男と食事を共にしていたというではないか。その男がこのホテルに泊っていて末吉を夕食に招待したのかもしれない。

だれだろう、その男というのは、と味岡は首を傾《かし》げたが、もとより末吉祐介の交際を彼が詳しく知るわけはなかった。

腹が空いてきた味岡は外に飯を食いに行く決心をした。

はじめはルームサービスで部屋に何か運ばせようと思ったが、たった一人でぼそぼそと食べるのもわびしかった。ダイニング・ルームに行くと末吉祐介に遇いそうな気がする。遇えば彼を怒鳴りつける機会なのだが、その顔を見ているうちに自分のほうが負けそうであった。あの脂の浮いた顔と大きな眼で見詰められ、懇願と哀願のへりくだった言葉の下から、じわじわと粘っこく攻めてこられると、こっちは面倒臭くなるというよりも先に搦《から》め捕られるような心理になる。たった二人きりで顔を合わせるのは避けたほうがよい。万一、末吉が明日の朝、琵琶《びわ》湖畔のクラブハウスに現われるならば、そのときは彼の執拗と無礼を一喝《いっかつ》して、あとはプレイに忙しいからといって突き放せばいい。ほかに居合せる会員も多いことだから、末吉も一対一のときのようには追ってこられないはずである。

そんな気持になっているのは末吉が苦手というよりも彼に怯《おび》えていることだった。ダイニング・ルームに上って行けないのもそのためである。共栄建設の中原武夫が末吉をそこで見かけてからよほど時間が経《た》っているので、末吉はもう居ないとは思うけれど、ひょっこりとテーブルの前に近づいて、専務さん、と白髪頭で呼びかけないともかぎらない。

食事を部屋でとるのもわびしく、ダイニング・ルームにも行けないとなれば、外で飯を食うほかはなかった。しかし、そのほうがずっといいのだ。今夜のようなときは少し賑《にぎや》かな場所に行って気分を晴らしたい。

それだけではなかった。外に出かけたときに、スーツケースの底にかくしておいた造花を処分できると思った。たいしたものではなくともホテルの備品だから早く身辺からはなしたい。夜だし、旅先の京都である。運転手もタクシーだ。裏通りに入ってどこかの家のゴミ箱の中にでも投げこむことができる。

それと、このままホテルに居るとそのうち末吉から電話がかかってきそうだった。

末吉は自分の部屋をフロントから聞いていると味岡は信じていた。共栄建設の中原がこのホテルの食堂で見かけたのが何よりの証拠で、たとえ末吉がほかのホテルをとっていても、わざわざこのホテルに来て食事をしていたのはこっちの所在を知っているからだ。

味岡は手帳を出して電話のダイヤルをまわした。

「はい。梅村でございます」

女の声が出た。

「日星建設の味岡だが」

「あら。……いつもおおきに」

「おかみさんは居るかね?」

一分経って少し渋い女の声が出た。

「あら、専務はん。ご機嫌《きげん》よろしゅう。いま、どっちゃからどすか?」

「Kホテルにきてるけど、いまから行くが何か食べさせてくれ」

「おおきに。何人さんどすか?」

「一人だ」

「お一人で?」

「ほなら、祇園《ぎおん》から誰ぞ呼びまほか？　芳江はんか竜子はんでもまにあいましたら？」

「それはこの次にしよう。今夜は飯だけにする。じつは腹が減っている」

「おやおや、お可哀想《かわいそう》に」

味岡は上衣《うわぎ》を洋服ダンスのハンガーからとって着ると、スーツケースの底から造花の入った封筒を取り出しポケットに入れたが、ポケットがふくれたうえに中でつかえたので、その上からあり合せの紙に包んで片手に持った。

部屋を出る前に東京にダイヤルした。

「わたしだがね」

「あら。京都からですか？」

「べつに変ったことはないか？」

「何もありません」

「留守にかかってきた電話は？」

「五つ六つあったけど、みんな、あなたが帰られてからまたおかけになるそうです」

神邦ビルのことが胸にあったのだが、妻の声はいつもの単調さである。変ったことはないようであった。

「さみしいもんさ」

「いつお帰りですか？」

「明後日《あさって》。……もしかすると、もう一日くらい延びるかもしれん」

こんどは頭の中に金弥の顔が出た。

「わたしは明日、鎌倉《かまくら》に行かせてもらいます。蓬水庵《ほうすいあん》で先生のお茶会がありますから」

「ああいいよ。行っておいで」

「それじゃ」

電話は妻のほうから切った。

味岡はフロントに寄ってキイを預けた。行ってらっしゃいまし、と係は頭を軽くさげた。そのひょうしに片手に持った紙包みに視線がちらりと当ったような気がして、味岡は思わずそれを握りしめた。

重い回転ドアを片手で押して外に出ると、ボーイが立っていた。

「タクシーでございますか？」

ボーイも味岡の左手に眼を走らせたが何も云《い》わなかった。が、これは客に荷物があれば車に運ぶつもりの職業的な視線であった。

行先を告げてタクシーが走り出してから、味岡はやっと安心した。盗人の心理はこういうものだろうか。それに、心配した白髪頭《しらがあたま》にも出遇わなかった。

ポケットから煙草《たばこ》をとり出してライターで火をつけ、煙を胸の奥まで吸いこんだ。ゆるやかな下り坂の途中から左に入った。長い石垣《いしがき》や塀《へい》の大きなお寺がつづくので灯の少ない暗い道である。こういうところならいくらでも造花は捨てられると安心した。が、いま、わざわざ車をとめて物を捨てに行くのも運転手に妙に思われそうだった。包は座席の膝《ひざ》の横に置いてあった。

——妻は明日鎌倉に行く。一日じゅうかかるだろう。茶会だといつもそうだった。味岡は、それで東京に帰る予定を一日延ばす気持の余裕ができた。女房が家でずっと待っているのは窮屈だが、一日でも自分の道楽で外出すると思うと、こっちは何をしてもいいような気やすさをおぼえる。

刈野温泉に行ったものかどうかという心の迷いが女房の電話の一言《ひとこと》で、ずっと片方に傾くのを彼はおぼえた。金弥は、たしかに情《じょう》のある女だ。一夜の閨《ねや》をいっしょにしただけだが、あんな燃える女とは知らなかった。

金弥にはもう一度会おう。もう一晩いっしょに居たい、そうして心ゆくまで愉《たの》しもう、という気持が味岡の身体《からだ》に次第に漲《みなぎ》ってきた。いまのノイローゼ気味も回復しそうである。

それに金弥が語りたがっていることも気になる。――

「お客はん。云わはった町に来ましたけど、どの辺で停《と》めたらよろしやろ？」

賑かな灯の街がそこにあった。味岡は、はっとして急に窓からあちこちを眺《なが》めた。

ようやく通りの特徴に見当がついて、

「済まん。この辺で降ろしてくれ」

と云った。

運転手は料金メーターをのぞき、金額を云った。味岡が財布を見ると五百円札はあるが千円札がなく、五千円札を出すと、中年の運転手は、

「こまかいお金、おまへんか？」

と顔をしかめた。

「持ってないんだけどな」

「難儀やなァ。どこぞで両替してもらっておくれやすや」

運転席から動かずに云った。

千円札なら剰銭《つりせん》は要らぬと云えるが、五千円札ではそれもできず、味岡は運転手が開けたドアから降りて、眼についた煙草屋の店さきに歩いて行った。

この煙草屋でも剰《つ》りを出すのに手間がかかった。クラクションの音にふり返ると、運転手が窓から首を出してこっちを見つめていた。が、運転手が気を揉《も》むのも道理で、後続車の列が渋滞していた。

ようやくもらった小銭から料金ぶんを数えて渡すと、運転手はものも云わずに受取り、ドアを音立てて閉めると車体を揺すって走り去った。

味岡が京都にくると寄る小料理店が通りから入った路地の奥にあった。大事な接客をするときは祇園のお茶屋を使う。そしていつも呼ぶ芸妓《げいぎ》をときにはその小料理屋につれて行く。電話でそこのおかみが云った芳江や竜子がその組だった。

路地に入って、小料理店の軒にならんだ赤い提灯《ちょうちん》を見たとき、味岡の脚は立ちすくんだ。

とっさの衝動から引返して表通りの上《かみ》のほうを見たが、無関係なヘッドライトの流れがつづくばかりであった。

呆然《ぼうぜん》と佇《たたず》んだが、動悸《どうき》は激しく搏《う》っていた。造花のガーベラはあのタクシーが持ち去った。

なんということだ。つい、金の両替などに気を取られて、あの造花を座席に置いたままにした。ホテルを出るときまではあれほど気にかけていたものを……。

普通の造花ではない。ホテルの備品なのだ。運転手が走ってから気がつくか、次に乗った客が座席からそれをとりあげて運転手に云うかしたら、どうなるだろうか。運転手はホテルの前から乗せた客が忘れたものだと分っている。ホテルのフロントに届けるかもしれない。あのタクシーはいつもホテルの前を仕事場にしているから、運転手としてもホテルに忠義顔するのが有利と心得ているにちがいない。

こういうときに平山や小原が横に居たら、と味岡は思った。気のきいた若い二人は早速にもタクシーのあとを追跡するなり探すなりして敏捷《びんしょう》に行動してくれるにちがいない。そう考えると彼は手足を失った上長の孤独とその悲哀が、こうして道ばたに立っているわが姿に重なってきた。

味岡はもう小料理店に入る気にもなれなかったので、公衆電話からその店へ電話した。都合で急に行けなくなったから、おかみさんにそう伝えてくれと出た女に云って切った。

表通りから横道へ入って歩いて行くうちに、間口の狭い中華料理店が眼《め》につき、そこへ入った。チャーハンと肉団子の唐揚げを食べているうちになんともいえず侘《わび》しい気持になった。

こんなことならホテルでルームサービスのものをとればよかった、外に出るのではなかったと後悔したが追付かなかった。

あのタクシーに次に乗った客は座席で拾ったものを運転手に教えるだろうか。いや、廃物の造花だから、こんなものをと舌打ちして窓から捨てるだろう。かりに運転手にそれを見せても運転手も同じことをするにちがいない。

そう思うと味岡もいくらか気が落ちついた。が、またすぐに先刻の最悪の場合に想像が逆戻りした。

ホテルのフロントに苦情を云われたとき何と答えようか。持ち出した場所が都合悪かった。トイレのものだ。前から壊れていたので目障りだから捨てたと云っても一応言訳は通りそうだが、それならどうして屑籠《くずかご》に入れなかったのか、わざわざ外に持ち出したのはおかしいではないか、ということになる。問題は造花ではなく、トイレの飾りものを外に持ち出したという常識外の行動にある。

味岡はタクシーでホテルに帰った。回転ドアを押して中に入るのに勇気を要した。十時をすぎて、ロビーは客の姿もまばらだった。照明も半分は消えていた。

カウンターの横に立っているボーイは戻ってきた味岡をちらりと見たが睡《ねむ》そうな表情に変化は出なかった。

「お帰んなさいまし」

フロントの係は微笑してうしろを振り返り、キイ・ボックスから彼のキイを出してカウンターの上に置いた。

「おやすみなさいまし」

味岡はエレベーターを降りて廊下を部屋にむかって歩いた。危機を脱したという気分にはなれなかった。タクシーの運転手があとになって廃物にされた造花をホテルへ届けにくるかもしれないからである。

味岡が思いついてしたのは、共用の男子用手洗所《ゼントルマン・ルーム》に入って、三つならんでいる造花の一つを部屋に持って帰ったことだった。これは、だれのしわざだかは分りはしない。

明日の朝になって部屋の電話が鳴り、フロントからタクシーの運転手の届けものについて問い合せがあっても、ぼくの部屋の手洗いの造花はあるよ、なんだったら見にきてくれたまえ、と強気に云うことができる。運転手の間違いじゃないか、という笑い声も添えられる。——

しかし、これで憂鬱《ゆううつ》がすっかり除《と》れたというのでもなかった。小さな造花一つの始末にもこんなにてこずったというのがいまいましく、気を重くした。

電話の音に味岡は眼をさました。

もう朝になったかと思ったのは、ホテルの交換台に六時半の朝起《モーニング・コール》しをたのんでおいたからである。

が、窓に引いた厚いカーテンの隙間《すきま》は黒かった。サイドテーブルに置いた腕時計をとりあげて見ると十一時半だった。トゥイン・ベッドの間を仕切ったサイドテーブルに置かれた電話機が鳴っているので音は耳のすぐ近くだった。

眠ったようでも時間は経っていなかった。味岡はベルの連続音を出すグレイの電話機をしばらくのあいだ見詰めていた。

だれが、この時間にかけているのか。最初に浮んだのはフロントであった。タクシーの運転手が造花のガーベラのことをホテルに届けにきたのかもしれない。だが、フロントがそんなことで夜中の十一時半に電話で問い合せてくるだろうか。そんな失礼なことはしないだろう。

次に思ったのは末吉祐介《すえよしゆうすけ》からである。末吉はこの部屋番号を知っているにちがいない。彼からいままでかかってこなかったのがふしぎなくらいである。末吉のことだ、これから部屋にお伺いしてもいいかという問い合せくらいは平気である。それだったら、時刻の遅いことを理由に断乎《だんこ》として拒絶しようと考えた。まず電話でそう断って、明朝、湖畔のゴルフ場に出発する前、ロビーに彼を呼び出して一喝しよう。そのほうが言いやすい。

が、それにしても、もっと早く電話をかけてくるはずの末吉がこの時間にかけてくるのも妙だ。南苑会に加入を頼むのは末吉が京都まで追ってきた目的ではないか。その第一の目的をあとまわしにしているのは解《げ》せない。共栄建設の中原武夫がダイニング・ルームで誰かといっしょに居る末吉祐介を見たというのが六時半ごろだったというから、もう五時間ほど経っている。これは末吉祐介の電話ではないかもしれない。

次に頭に浮んだのは会社の誰かが緊急な連絡をしてきたことだった。しかし、目下のところこんな時間に、こちらが寝ているのを推定のうえで叩《たた》き起すような、さしせまった仕事の連絡事項も思い当らなかった。

最後の想像は、家からだった。子供が急病になったとか交通事故に遇《あ》ったとか、あるいは親戚《しんせき》や親しい家の者が危篤《きとく》とか死んだということで妻が電話してきたのではなかろうか。妻は出張先に滅多に電話してくる女ではなかった。

味岡が、ミステリー映画の場面のように鳴りつづける電話機を凝視していたのは、せいぜい一分間ぐらいだった。が、頭の中は以上のように電話のかけ主にたいする推量が次々と回っていた。

味岡は受話器をとった。

「刈野からでございます。村上さまとおっしゃっています」

夜のことで、交換台は女ではなくフロントの男の声だった。

「刈野の村上？」

「おつなぎしてもよろしゅうございましょうか？」

「刈野とはR県の刈野ですか、刈野温泉のある……？」

「R県の刈野でございます」

フロントではそれで部屋の客が納得したと勘違いしたのか、
と、コードをさし入れる音をがちゃがちゃと聞かせた。うんもすんもなかった。

「おつなぎします」

「もしもし」

女の声が出た。

「味岡さんですか、専務さんですか……？」

あっと思った。金弥だった。はじめから言葉が間延びしているのは酔っていると分った。

「味岡です」

「わたし、金弥です」

「ああ」

「ああ、と云って、つれないのね。そこにだれか居るの？」

「いや。だれも居ない」

　味岡は仕方なしに云った。

「味岡さん。というのが本名ですってね。帳場で聞きましたよ。わたしに会社もごまかし、名前も偽名のままで通すなんて卑怯《ひきよう》よ」

「いや、そういうわけじゃないが……」

「本名をわたしに匿《かく》すようじゃ、そっちの帰りに刈野に寄るなんて云ってもアテにならないわね」

「名前を云うのを、ただ云いそびれただけだよ」

「ウソウソ。そんな見えすいたウソを云ってもわたしには通りませんからね。……ええと、わたしはちょっと酔ってますよ。お座敷でビールとお酒とチャンポンでだいぶん飲まされましたからね」

　間で甲高くなった声が急に気だるげになった。

「いま、どこからこの電話をかけてきてるのかね？」

「家からよ。梅乃屋《うめのや》さんからたったいま帰ってきたばかり。あ、そっちのホテルに伝言《ことづけ》を電話でたのんでおいたんだけど、届いた？」

「あ、もらったよ」

「伝言したり、夜にまた電話したりして、しつこい温泉芸者と思ってるんじゃない？」

「酔っているようだからね」

「酔ってますよ。酔ってるけど、本性は違《たが》いませんからね。あんたもこんなに女から云われてうれしくない？」

「ありがたいと思っている」

「ありがたい、と云ってるわ」

金弥は受話器に笑い声を響かせた。

「じゃ、こっちに寄ったら、もっとありがたがらせてあげることがあるわ」

両隣室は静まり返っていた。廊下にも音がなかった。味岡は、フロントの連中が交換台でこの電話を盗聴しているような気がした。

「もしもし、聞える？」

「うむ、聞えるから、もう少し小さな声で話しなさい」

「酔ってるのよ。しかたがないわ。あんたにとって悪くないことだから、それくらい辛抱しなさいよ。こっちへ寄ったら、ちょっとした内緒話を教えてあげる」

「どんなことだ？」

「そんなこと、電話で云《い》えやしないわ。まあ寝物語ね。ふ、ふふふ」

「それで誘惑しようというのか？」

「わたしはあんたが好きよ。昨夜の、たった一夜《ひとよ》の逢瀬《おうせ》だったけど、もう忘れられなくなったわ。こうして電話であんたの声を聞いているだけでも、身体の中がむずむずする。ヘンね」

「おい、いい加減にしなさい」

「そんなあんたに、とても面白いウワサ話、情報というの、それをあげるんだから……」

「あ、山下さんの話か？」

味岡は思わず膝《ひざ》を動かし、受話器を握りかえた。

それこそ「山下」の偽名で刈野温泉に潜伏していたらしい柳原孝助のことが聞けるかと思った。

「まあね、そのへんかもしれない。でも、この話をするのは怕《こわ》いからね」

声が怯《ひる》んだようだった。

「怕い？」

「そうよ、こわい、こわい。刈野温泉にはこわい人が居るからね」

味岡は刈野温泉に来ていた「山下」には保護者がいたらしいという金弥の昨夜の口《こう》吻《ふん》を思い出した。味岡には自分が感じている刈野温泉の気味悪さと金弥の云う「怕さ」とが一致しているように思えた。

「あ、そっちにアマエビがあるかね？」

「アマエビ？　急に話を変えてヘンなことを聞くのね。アマエビはこっちの名物じゃないの。いっぱいあるわ。で、いつ、こっちにいらっしゃるのよ？」

「明後日《あさって》だ」

味岡は覚悟を定《き》めて云った。

「あさっての、何時ごろ？」

「そっちに着くのは夕方だろうね。そうだ、楓荘《かえでそう》は昨夜泊ったから、あそこは拙《まず》い。どこか、目立たない小さな旅館はないかね？」

「そうね」

声がちょっと途切れて、すぐに戻った。

「そんなら海潮苑《かいちょうえん》というのがいいわ。あさってね、それ、確かでしょうね？」

「うむ」

「わたしが海潮苑さんに予約しといてあげる。そう、今度は偽名にするの」

金弥は自宅の電話番号を教えたのだから本気の様子であった。

六

京都から大津へ行く国道一号線はいつもだと車が相当な混《こ》みようだが、朝七時半の山科《やましな》付近はトラックなどが主である。が、京都市内に流入する下りの車輛《しゃりょう》のほうが多く、上りはそれほどでもなかった。

味岡の乗ったタクシーが浜大津につきあたって左に折れ、三井寺の下を通ったのが早くも八時であった。このまままっすぐに進めば坂本で、比叡山《ひえいざん》の中腹はまだ朝靄《あさもや》が霽《は》れずに白くぼやけていた。

が、天気は上々であった。味岡は左の窓を開けて琵琶《びわ》湖の風を誘い入れた。このあたりはちいさなホテルや旅館が多く、湖上にはもう白いボートが何艘《そう》も浮んでいた。

坂本の町に入る手前から車は左に折れた。角に「湖西カントリークラブ入口」の野立看板が出ている。クラブ専用の道は比叡山東麓《とうろく》の斜面についていて、じぐざぐに曲っていた。二車線の舗装道路は両側の黒っぽい杉木立や藪《やぶ》にはさまれて白かった。

味岡のタクシーの前を二台つづきの黒塗りのハイヤーが走っていた。これは浜大津のあたりから前方に見えてきたのだが、二百メートルくらいの距離があった。坂本方面に行く車の数はずっと少なくなるので、あるいは京都から走っていたのが間の車が減ってその姿が見えてきたのかもしれなかった。すでにそのときから、ゴルフ場に行く車だとは察していたが、道路を左に入ったので、いよいよ間違いはなかった。

時刻が時刻なので、南苑会《なんえんかい》のゴルフ会に参加する人間だろうとは思ったが、ハイヤーとの間が遠すぎて後窓に映る人の後姿もちらちらするだけでよく分らなかった。が、乗っているのはどうも一人のようである。二台のハイヤーに一人ずつ乗っているのは贅沢《ぜいたく》だが、もしかすると役人かもしれない。役人には巨勢《こせ》がハイヤーを一人に一台ずつ提供することになっていた。

上り坂の道はつづら折りになっているので、すぐ前のハイヤーは曲り角で姿を消す。タクシーがその角を出ると、二台つづくハイヤーはまた見えてくるが、たちまち樹《き》の間にかくれるように消えた。

カントリークラブまでどのくらいあるか知れないが、まるで登山道路であった。両側の杉林はますます濃密になって下草も生い繁《しげ》っている。朝の太陽の位置もあったが、日光は梢《こずえ》の上にばかり当って、下は黄昏《たそがれ》のようだった。ところどころには小さな渓《けい》流《りゅう》もあって橋がかかっていた。歩行者は一人も見えなかった。こんな藪の中に入ったら、一人では迷って出られそうにないように思われた。

「運転手さん。ゴルフ場はまだかね？」

味岡はきいた。

「もうすぐどす。あと三分くらいどっしゃろか」

最後の角を曲ると正面の高いところにカントリークラブの白い建物が現われた。まわりの杉林を伐《き》って整地してあるので展望がひらけ、カントリークラブの風景はチョコレート函《ばこ》のデザインのように瀟洒《しょうしゃ》であった。前の二台のハイヤーが入口の前に到着しつつあった。

「おや、うしろからも車がきとりまっせ」

運転手がバックミラーを見て云った。

味岡がふり返ると、これもハイヤーであった。運転手が見えるだけで、客の姿はわからなかった。

味岡は時計を見た。八時二十分だった。南苑会の会員がゴルフ会に続々と集合しつつあるといった風景であった。

クラブハウスの受付へ味岡が行こうとすると、その窓口の手前で白布をかぶせた机三つぶんくらいの受付があった。ホテルのパーティ入口などでよく見かけるもので、三十くらいの男一人と二十二、三の女が二人立っていた。白布の上には「南苑会受付」と札が出ていた。

「お早うございます」

髪をきれいに分けた色の白い男が頭をさげながら額ごしに味岡の人相をじろりと見た。その眼《め》は鋭かった。

味岡はポケットから招待状を出した。机の上にはその招待状が函の中にかなり積まれていた。男は手もとにひろげた名簿の一覧表を見わたし、味岡の名前の上に赤鉛筆で印を入れた。すぐに若い女が脚の付いた紅バラの徽章《きしよう》をさし出した。この受付にいる男も女も味岡の知らない顔であった。

「ロッカーのほうへご案内いたします」

白いツーピースの短いスカートの女は机をはなれて味岡の先に立った。

クラブハウスの中は広いがうす暗い。はなれた窓からさしこむ光がかえって逆光になって、前をよぎる人の姿が影になっている。その窓には空と林の緑とが半々に入っていた。

「巨勢先生は、もうお見えになっていますか？」

味岡は前を行く女の背中に訊《き》いた。

「はい。お見えになってらっしゃいます」

主催者だけに巨勢堂明《どうめい》はさすがに早く来ている。スタートは九時であった。巨勢は食堂か事務所の応接室かに居るのかもしれなかった。

「参会者はだいぶん揃《そろ》いましたか？」

「はい、あと少々」

言葉はていねいだが、あまり愛嬌《あいきょう》はなかった。沢田美代子はどうしたのだろう。南苑会の事務を一手に引きうけているような女だから、当然ここに来ているはずだ。巨勢の秘書役でもあるから、彼とどこかに居るのだろう。そうは思ったが、味岡はやはり気になった。沢田美代子に遇《あ》えば、来ている業者側の顔ぶれもだいたい教えてくれる。

「あの、沢田さんはどこに居ますか？」

「は？　沢田さん？」

女は味岡を見返って怪訝《けげん》そうに眉《まゆ》をしかめた。

「南苑会の沢田美代子さんです」

「わたしは存じませんけど」

「ははあ」

じゃ、あなたは、と味岡は質問しかけたが声を呑《の》みこんだ。巨勢堂明のような不可知領域に住んでいる男はどんな組織を持っているかわからない。若い女でもうっかりしたことは聞けなかった。

ビジター用ロッカーのキイを渡すところまできた女は、係の者に招待者の手つづきをした上で、

「皆さんは、ロビーと食堂のほうでお待ちでございますから」

と云って引返した。

味岡はスーツケースからスポーツシャツ、ズボン、靴《くつ》、帽子などをとり出して着替え、着ていた洋服などをロッカーに入れた。肥えているので動作が鈍い。このとき、どやどやと四、五人の男が手提げバッグを持って入ってきて、キイの番号を見てはロッカーをさがしていた。いずれも四十から五十くらいの年配で、肥えたのもいれば瘠《や》せたのもいる。額が禿《は》げ上ったのや白髪《しらが》まじりのもいたが、三十代くらいの豊かな黒

い髪のもいた。互いが知った仲でないのか、言葉も交わさないで、自分勝手に着替えにかかっていた。どこか冷く構えたその様子に味岡は彼らが役人だと直感したが、本省なのか自治体の所属なのか判断がつかなかった。いずれゴルフがはじまれば巨勢からさりげない紹介があるはずである。味岡はとにかくだれにともなく目礼してロッカー室を出た。

キイの受付の前を通ってロビーに向っていると、廊下の低い階段のところで正面からくる背の高い男と出遇った。横顔に当った窓の光は彫りの深い成瀬敬一の顔を浮き上らせていた。

「やあ、味岡さん。早いですな」

大東組建設専務のほうから声をかけてきた。

正面だから味岡も避けようはなかった。どうせプレイとなると顔を合わせるのだから、苦手はむしろここで、今日最初の言葉を交わしたほうがいいと思った。

「お早う。相変らず元気だね」

味岡は立ちどまった。

「あれ以来ですな」

成瀬はうす暗い場所でかえって目立つ白い歯を出して笑っていた。上背のある相手に、ずんぐりした身体《からだ》の自分は見下ろされる格好になって、彼と間近に話すのは味岡にとっていい気持ではなかった。

　それに成瀬が、あれ以来といったのは雨の日に共栄建設の中原武夫と首を揃えて神邦ビルの巨勢の事務所に行った日のことであった。そこで成瀬がしたことや、そのあとの自分自身の行動やらが屋上の他殺死体の発見とからんで味岡の心にいつまでも深い憂鬱《ゆううつ》を刻みつけている。成瀬が、あれといったのは単純にあの日以来という挨拶《あいさつ》なのか、それとも特別な意味を含んでいるのか、味岡はとっさに判じかねた。が、成瀬のいつもの鋭い眼つきにはべつに思わせぶりなものは浮んでいなかった。

「ほんとですね」

　味岡もさらりと受けて、

「……ときに、あんたも昨夜から京都ですか？」

　と、軽く聞いた。

「いや、大阪でした。ここにくるには京都泊りが便利だとは分っていたんですが、大阪にどうしても用事があったもので」

　成瀬は答え、あなたは京都でしょうね、とこれも挨拶の調子で問い返した。

　味岡は、巨勢も昨夜は大阪だったかと訊こうとしたがそれはやめて、

「巨勢先生はもう見えているそうだが、あんた遇われましたか？」

と、別な問いになった。

「いや、まだです。いま、ここに入ったばかりだから」

「あ、そう。じゃ、後ほど」

味岡が脚を動かしかけると、成瀬が彼の肘《ひじ》をついて止めた。

「味岡さん。巨勢先生は見なかったけれど、末吉《すえよし》さんは見ましたよ、ほら、甲東建設の末吉祐介《ゆうすけ》さんですよ」

「えっ、どこで？」

「受付のあたりに立っていましたよ。ぼくの顔を見て目礼してくれましたが、末吉さんはあなたがここに呼んだのじゃないですか？」

成瀬は眼もとを微笑《わら》わせていたが、その瞳《ひとみ》は味岡をじっと見つめていた。

「末吉君はここまで押しかけて来ているのか？」

味岡は思わず口走り、

「とんでもない。ぼくが彼をこんなところに呼ぶわけはないじゃないですか」

と、ここからは見えぬ受付のほうへ眼を遣《や》った。

「違うんですか？」

「違うとも」

「ほほう。ぼくはまた末吉さんがあなたに南苑会入会の肝煎《きもいり》をいろいろとお願いしているようなので、てっきりあなたが末吉さんを呼ばれたのだとばかり思いましたよ」

入札資格者を一人ふやせば一人だけ競争者が増加する。とくに末吉は横紙破りとして地方土建業界にのしてきた男で、一部では警戒されていた。

昨夜、Kホテルの食堂で末吉を見たという共栄建設の中原の報告で、頭の隅《すみ》に一抹《いちまつ》の危惧《きぐ》はあったが、案の定、末吉祐介はこのクラブハウスに現われている。その執拗《しつよう》さ、執着の深さに味岡はこんどは不気味さよりも憤《いきどお》りが先に立った。

昨夜の中原の抗議といい、いまの成瀬といい、すべては味岡が末吉を呼びよせたという誤解に立っているのだが、そんなふうに疑われるのも末吉のはた迷惑とも思わない勝手な行動からである。一面からすると、ずいぶん人を莫迦《ばか》にした振舞いで、こんどこそはっきりと拒絶するだけでなく、彼を面罵《めんば》してやろうと味岡は、まず受付のほうへ歩いて行った。脚の運びが自然と速くなっていたのも感情が激しているからである。また、こういう状態でなければ末吉を面とむかって罵《ののし》れるものではなかった。

受付のあたりに居ないのでロビーへ行った。そこではソファに四、五人の男女が凭《よ》りかかって話をしたり備えつけのテレビを見たりしていた。南苑会の参加者だと、受付でもらった紅バラの徽章を胸に付けているのだが、その徽章の者は一人もいなかった。もっとも、プレイが九時のスタートで、あと三十分しかないからロビーにのんびりしているはずもない。末吉の姿はなかった。

味岡は食堂へ向った。ここではコーヒーや冷いものを飲ませるので、プレイがはじまるまでの待ち場所にもなっている。

食堂に入ると三十ばかりのテーブルがほとんど満員だった。一つのテーブルを五人で囲ったり三人で囲ったりしている。そのうち紅バラを帽子のリボンに挿《さ》したりシャツのポケットからのぞかせている者がずいぶん多かった。

味岡は、そのへんに坐《すわ》りもせず、入口近くに突立って広い室内を見渡した。食堂は片側がフェアウェイに面していて、その大きな窓には緑の芝生と、ゆるやかに波打つ丘と、盆栽のように枝ぶりのよい松の配列と、縁《ふち》に群がる森とがあり、その一部には琵琶湖の水面が低いところから光っていた。フェアウェイには人が豆粒のように歩いていた。

味岡はそんな窓外の景色には眼もくれず、テーブルの人の顔を順々に見て行った。むろん食堂だから関係のない者でもテーブルに坐ることはできる。

味岡がそこで人の顔を眺《なが》め回しているものだから、彼を知っている同業者が笑いかけたり手をあげたりうなずいたりしていた。彼もつくり愛想でそれに応《こた》えていたが、その忙しく動く視線の先に白髪頭があった。うしろ向きだが、その頭の格好といい背中の姿といい、まぎれもなく末吉祐介であった。

味岡はつかつかと末吉の坐っている背後に近づいた。

このとき、味岡の脚が凍りついたのは、その末吉がしきりと話を交わしている隣の男の背中が巨勢堂明のものだと気づいたからだった。

味岡が石を呑んだようになって棒立ちになっていると、うしろの気配に気づいたのか、白髪頭がふいと振り返った。

「おや、味岡さん」

末吉がイスを引いて立ち上りもせずに坐ったままで身体を斜めにした。その白いスポーツシャツの胸ポケットには紅バラが咲いていた。

味岡が言葉も出し得ないでいると、末吉が隣の巨勢にささやいた。

「先生。日星建設の味岡さんです」

巨勢堂明がゆっくりと首をまわした。

「味岡君か。まあ、どこぞそのへんに坐っとれや」

（どうしてこんなことになったのだろう？）

プレイしているあいだじゅう、味岡の心をほとんど空っぽにするくらい捉《とら》えているのがこの疑問と、それにまつわる屈辱感であった。

勘違いはだれにでもある。が、こんな大きな錯覚がまたとあろうか。

いま目撃した場面は、末吉祐介が巨勢堂明に直接に結びついていることを教えた。末吉はまるで巨勢の腰巾着《こしぎんちゃく》のような振舞をしている。味岡はしばらく自分の眼が信じられなかった。顔が真赤になったのは、中原や成瀬敬一の手前恥をかいたという気持からだった。末吉を南苑会に入れるための紹介者は味岡だと中原も成瀬も見ていて、中原などは昨夜抗議にきたくらいだった。

さっき遇ったとき末吉祐介は味岡にニヤニヤしていた。お世話になりました、とも云わない。いや、世話したおぼえはないから、その挨拶がないのはよいとしても、これまで執拗に入会のことを頼んでいるのに、実はこういう次第で、という説明も弁解もなかった。それどころか、あんたなんかのお世話にならなくてもちゃんと自力で南苑会には入れるんだ、という自慢が表情にあらわれていた。末吉の脂《あぶら》ぎった顔はさらに輝きを増し、鼻がふくらんで見えた。

巨勢堂明は大事な招待客を迎えたり、挨拶を交わしたりするあいだにも、末吉に何かと話しかけられてうなずいたり短く返事をしたりしていた。これも昨日や今日の知り合いの仲とはとうてい思えなかった。

巨勢が招待した客には、文字どおりの賓客とそうでない南苑会の会員とがいる。いうまでもなく賓客は役人で、これが五人来ていた。そのうち三人の名前もポストも味岡は知っている。南苑会のゴルフ会には常連でくる大蔵省の高級官僚だった。五十前後の年配だ。あとの二人は初めて見る顔だった。南苑会の会員は、業者ばかりである。

巨勢堂明の流儀で、招待客との初顔合せでもすぐには会員にひきあわせがなかった。公式の紹介といったものは一切省かれていた。もとより名刺の交換もない。会員は巨勢から個々に、それもきわめてさりげなく口頭で紹介してもらい、安心するのだった。この「安心」の意味は深かった。

巨勢堂明は招待客に慇懃《いんぎん》だが、招待客のほうが巨勢にもっと丁重であった。南苑会の会員の一人がこの様子を見て、招待客の態度は巨勢に対して「まるで慈父に接するようだ」という感想を洩《も》らしたことがある。たしかに、高級官僚と巨勢の間には、礼儀正しい振舞のなかにも親しさが——もう三十年以上にもわたりそうな親交といったものが滲《にじ》み出ていた。

ところで味岡は、末吉祐介がいかにも信用を得ているように巨勢堂明の傍からはなれないでいるのに衝撃を喰《くら》ったあと、コンペの組合せでもショックをうけた。巨勢が最も大事にしている、ということは重要な招待客なのだが、その三人の高級役人を自身の組に入れているのはいつものことで当然だとしても、あとの二人の招待客はほかの組の中に配られていて、その組のなかに末吉祐介が入っていることだった。はじめて南苑会に入会した末吉が——その入会はもう確定的だったが、ただちに役人の組になったのを見て頭の中が熱くなった。もっとも、この役人は初めて見る顔で、味岡にもそのポストがよくわからなかったが。あとで巨勢から「個人的な」紹介があるにちがいないにしても、年齢は四十三、四で、色のあさ黒い、眉《まゆ》の太い、がっちりとした体格の男であった。いずれにしても新入会員の末吉祐介がいきなり役人と組合せになったのはこの会としては異例であった。

それにひきかえ味岡は業者ばかり三人と組合せになった。そのなかに大手業者の中原がいたが、招待の役人賓客を入れた組が重視されていることに変りはない。ハンディは皆がたいてい似たり寄ったりだから、組合せは主催者の気持でどうにでもなる。これが巨勢の意志から出ているような気がし、そう思うと味岡はいっそう屈辱感に浸った。

(しかし、いったい、どうしてこんなことになったのか？　あの慎重な巨勢が……)

味岡のハンディは12だった。ふだんはハーフ40〜44でまわる。調子がよければ30台、悪くても45以上叩《たた》くことはめったになかった。

が、彼は1番ホールのティーグラウンドからいきなり大きなハンディを背負ってしまった。1番は五二六ヤード、パー5なのである。ティーショットを曲げさえしなければ、彼にとってそうむずかしいホールではなかった。事実、彼は過去にボギー以上叩いたことはなかった。

これは、と自分でも思ったことだった。やはり、気持が動揺しているのだ。落ちつかねば、と思った。うろたえたところを見せてはいけない。が、パートナーの中原武夫がじっと自分を見ていた。帽子のひさしの影に眼から上が黒く、その大きな鼻だけがきわだっていた。

中原は先刻から、末吉のことでもの言いたげにしていた。彼もあきらかに衝撃をうけていた。が、他の二人があまり親しくない同業者なので口をつぐんでいた。が、言葉には出さなくても眼は始終問いかけていた。おれにだって分らんよ、と味岡は中原だけに通じるように首を振ってみせた。中原は、末吉の入会を味岡の世話だとまだ疑っているようだった。

芝生の青さが強い陽《ひ》をうけて味岡の眼にしみた。太い首筋からはもう汗が出ていた。

1番ホールでは先発の四人がプレイをはじめた。これは二番目の組で、味岡たちは三番目だった。巨勢と高級役人三人とは四番目であとから来ている。

前にいる二番目の組から末吉が出た。振りあげたクラブに陽の光が走った。小さな白い球が、底抜けに広い蒼《あお》い空の下を飛んだ。キャディが球の落ち先をのぞきこんでいる。

「ほう」

こっちの待機組では二人が歎声《たんせい》を出した。末吉はティーショットを確実に二三〇ヤード付近のフェアウェイに運んでいた。その組の体のがっちりした男が、かなわないというように首を振っていた。その中に背の高い成瀬敬一が入っていた。実際、ほかの三人のどの球も末吉の飛距離にはおよばなかった。

末吉祐介の元気ぶりを眼《ま》のあたりに見て味岡に焦燥が起った。前の組がフェアウェイをゆっくりと歩いてゆく。末吉は体格のいい役人と談笑していた。

ジャンケンでオナーとなった味岡は大きく深呼吸してからアドレスに入った。が、動揺が残っていて、スウィングはいつものリズムを完全に失っていた。テークバックからフォローまでの流れに自信のある彼のフォームは崩れ、トップした球はゴロとなり、情なく一〇〇ヤードほど先のラフにつかまってしまった。ここ数年間はやったこともないミスに、彼の血は逆流し、顔から汗がふき出した。アイアンで確実にラフからの脱出をはかればいい第二打を、距離をかせごうと3番ウッドを抜いて持ち出した。これが失敗で、辛うじてフェアウェイへ出ただけだった。「ヘッドアップですな」という小さな声がパートナーの口から洩れた。これが耳に聞えて味岡はまたあせった。実際、三人の第一打よりはずっと後に球がとまっていた。

三打目はようやくまずまずだったが、やはり一、二打の失敗がひびいてグリーンまではまだ一五〇ヤードを残していた。これが5オン2パット、ダブルボギーを叩いてしまった。

味岡たちは斜面を降りた。前を二人の同業者が歩いて行き、間隔ができたところで中原が味岡の傍に寄ってきた。肥えている味岡はどうしても皆から遅れがちになった。ヘルメットの下に、日焼《ひや》け防止の手拭《てぬぐ》いに顔を包んだキャディが小径《こみち》の上にクラブを満載した車をてきぱきと押していた。

「味岡さん。末吉さんはいったいどうしたというんですか？」

中原は低い声できいた。

「ぼくのせいじゃないよ。ぼくは何も知らん」

味岡は首を激しく振り、急いで答えた。

「と、云うと？」

「先生だよ。ありゃァ、末吉君の直接交渉だ。いや、直訴による歎願ですよ。それしか考えられない」

「けど、それじゃ、末吉君はわれわれの秩序を乱すが……」

「しかし、先生が決めたことだからね。こりゃァ、絶対だ。われわれには口出しはできません」

中原は不満そうにあとを黙った。ティーグラウンドに近づいて前の二人が立っているところに来たためか、巨勢の絶対の計らいだと聞かされて言葉を失ったのか、そのどちらにもとれた。

次のティーグラウンドに出ると斜面の下の2番ホールでは末吉らの組がプレイしていた。ここは一六〇ヤード、パー3である。1番をパーで上ってオナーをとった末吉が彼にとって会心にちがいないショットを放って1オンに成功し、しかも赤い旗が立っているピンまでの距離は三メートルくらいしかなかった。大きな体格の役人も、背の高い成瀬も、残る一人も、みんなグリーンを外して2オンだった。

2番ホール以下の味岡の成績は、ハーフのプレイが終ったあと、思い出しても自分を突きとばしたいくらいの惨敗《ざんぱい》であった。

彼はボールを見るよりも、前の組の末吉が眼《め》に入って仕方がなかった。2番ホールではチョロ、谷越えのホールだったので谷に落ちてOB。打ち直しの三打目で何とか谷は越したが、自分の腕でOBなどは考えられないことだった。キャリーで一〇〇ヤード飛べば楽に谷は越せるはずなのだ。このホールも4オン2パットのトリプルボギーというあわれさであった。

3番、4番となんとかボギーで上ったものの、日ごろ得意にするショートゲームもいっこうにまとまらなかった。距離の出ない彼にとっては決定的な打撃であった。

5番ホール、四二〇ヤード、パー4。ここではまた大きなミスをした。二打目をグリーン手前のバンカーに入れ、その第三打目もボールの二十センチうしろを叩いてしまい、ボールはわずかに前進しただけでバンカーからは出なかった。ふだんだとバンカーからのサンドウェッジは楽々としたものだったが、いまはボールが彼の手に負えないものになっていた。六打目でようやくのことでバンカーから脱《ぬ》け出すことができたが、末吉の存在が気になって、スウィングのリズムが乱れた。スコアを崩して、投げやりな気持がだんだんに強くなってきた。味岡はこのハーフを56という大叩きをしてしまった。

味岡の心理的なもう一つの圧迫は、次の第四番目の組が絶えず「待ち」の状態でうしろから迫っていることだった。巨勢と高級役人三人の組である。味岡がヘマをやるので時間がかかり、そのぶんうしろの組に追いつかれた。丘の上から現われた次の組はこっちが済むのを待ちながら見物していた。

あの下手な人は、たしか前に会ったことのある日星建設の味岡さんでしたな、と役人たちが巨勢に云っているようだし、さよう、味岡ですが、今日はどないしたんでっしゃろか、あんなミスばかりやりおって、と巨勢が答えながら手をかざして見ているようである。

ハーフを終って、クラブハウスに上ったのが十一時半であった。前に出た二つの組はすでにその顔が食堂にあったが、巨勢の組と最後の組とはまだフェアウェイから上ってきていなかった。

二十名ぶんの会食が食堂で用意されているが、これは全員が揃《そろ》ってからで十二時からになりそうだった。実はこのときに巨勢から招待賓客を会員にひきあわせる「個人的な」紹介が行なわれる慣例になっている。

先方がどのようなポストにいようと、商売上の話は一切厳禁であった。いわば偶然の邂逅《かいこう》という体裁をとっている。会員たちにとってはそれでいいので、役人たちとはこの「偶然の親睦会《しんぼくかい》」に意義があった。巨勢堂明がパイプとなっていることがこれで証明されるのである。ということは、高すぎる会費が確実に役人のもとに——たぶん現金でなく、どういう形かわからないにしても巨勢から適当な時期に付け届けがあることがこの親睦会の雰囲気《ふんいき》で了解されるのだった。

談話室には、巨勢と役人の組の到着を待って十人ほどいた。イスに腰を下ろしている者もあれば、そのへんを歩いている者もいた。ここではさりげない会話で互いに商売にからんだ景気の偵察《ていさつ》が行なわれていた。

味岡はここに来てから気になっているのだが、末吉の姿が見えなかった。彼は二組だから少くとも十分前にはここに上ってきているはずだった。げんに、あの体格のいい役人、まだ名前も所属の役所やポストも紹介してもらってない中年の役人の顔があった。その横に成瀬がいて笑いながらうなずいていた。これはゴルフの話らしかった。

その成瀬は離れたところから味岡と眼が合うと、失礼、といったように役人におじぎをして、このゴルフクラブの創始者の威厳ある銅像をまわって歩いてきた。そこから成瀬の大きな眼が合図を送ったので、味岡もイスを立ち、彼とならんで森林越しに琵琶《びわ》湖の水面が展望できるテラスのほうへ肩をならべて歩いた。

「末吉君の出席は奇妙な話だな」

成瀬はつぶやいて眼を遠い琵琶湖へ投げていた。まったくだ、と味岡が相槌《あいづち》をうちかけたとき、その「奇妙さ」はほかにも関連していることに気付いた。

「沢田美代子が来てないね。いつもこういう会には先生の秘書役として来ていたのに」

南苑会のゴルフ会というと、これまできまって沢田美代子が来て招待客のあしらいと巨勢堂明の世話とをてきぱきとしていたものだった。味岡はさりげないふうに成瀬にさぐりを入れた。

「彼女が来てないのは、東京からはなれられないよほど大事な用事があるんだろうね。なにしろ彼女は先生の信任を得て、たいていのことは任されているようだから」

成瀬はそれに答えなかった。彼の瘠《や》せて彫りの深い横顔は何か気張ったように見え、手をうしろに組み、ちょっと運動するように靴《くつ》の踵《かかと》を上げ、それを再び床につけると同時に吸いこんだ息を、まるで遠い湖上に吹きかけるように吐いた。

「味岡さん。あなたも新聞で読まれてご存知だろうが、われわれ三人が神邦ビルの先生の事務所に行った六月十日に、同じビルの屋上にある機械室に他殺死体が出てきましたね」

味岡の重い身体《からだ》は瞬間だが平衡感覚を喪失しかけた。しばらく忘れかけていた「事件」が成瀬の何か気魄《きはく》に満ちた言葉に刺されたように蘇《よみがえ》ってきた。

「ああ、新聞で読みました。同じ日にえらいことがおこったものです。世間には、いつ、どこで、どんなことが起っているか分らないものだと思いましたよ。しかし、あの他殺死体があのビルの屋上で見つかったのは、われわれがあの事務所から帰ったあとでしたね」

味岡は努力を平静な口調つくりに向けた。

「いや、それには違いないのですがね。だが、それにつけても……」

成瀬は云いかけて、途中で気を変えたように、調子もちょっと異った言葉につないだ。

「それにつけてもですな、あの殺された人というのも変った人物だったですね。夢のような金融話を持ちまわって、しかも何百万円かの詐欺《さぎ》を働いて逃げまわっていた、そして詐欺罪の前科《まえ》を二つ背負いこんでいて、参議院議員の後援会幹事長とか……」

「その男を知ってたんですか、あんた？」

「いやいや、新聞で読んだだけですがね。被害者が変った経歴なのでね。われわれがあのビルを訪ねた日の事件だし、殺されてた人がそうなんだから、印象に深いんですよ」

このとき、クラブハウスの出入口から四人の男が現われたので、味岡も成瀬もいっしょにそのほうを見た。が、これはまったく別人であった。

巨勢たちが上ってくるのがおそい。何をしているのか。あるいは最後の五組のプレイを見ていて、いっしょに食堂へ来るつもりかもしれなかった。

成瀬はひと息ついた顔をした。そうしてまた、

「それにつけても……」

と、云《い》いだした。この、それにつけても、が実はさっきの、それにつけても、に戻ってほんとうはそれが云いたいことであるのが分った。

「ね、味岡さん。妙なことがあるんですよ。あの他殺死体が見つかった現場にね」

「妙なことって、なんですか？」

味岡は事情が分らないうちにも心臓が一つ波打った。

「あなたは、新聞のその後の報道を読まれましたか？」

成瀬は云う前に問い返した。

「いや、こっちにきてるもんですから、ここ四日間ばかり東京の新聞を見てないのです。こっちの新聞にはそれが出てないしね」

思わず四日間出ていると云って味岡ははっとした。が、成瀬はそれに気がつかないらしく、こっちへ来る前の三日間をどこに出張していたかとはたずねなかった。

「で、何か変ったことが新聞に出ているんですか？」

味岡は急いで訊《き》いた。

「一昨日《おととい》の夕刊でしたがね。あの他殺死体が発見された神邦ビルの屋上機械室にね、つまり死体発見現場だが、そこに花が落ちてたというんですよ。もちろん最初、警察が死体検視のときにはその花はなかった。その翌日、現場検証に行ったときに花があったというんです」

「花？　花って、なんの花ですか？」

「ガーベラです」

成瀬の答えは、味岡の怖《おそ》れた予想を的中させた。

「……」

「花がついたままのガーベラの茎が半分から上を折って現場にあるのが二度目の検証のときに見つかったんです。もっとも、最初からそこに落ちていて、死体の検視のときには見落していたという見方もあるが、警察では否定してそのときはなかったと云っている。だから、検視のすんだあとからあくる日の現場検証をはじめる前までの間に、だれかがそこに置くか、投げこむかしたのだろうというのが新聞に出た警察の言葉で、なんのために現場に置いたのかわからない、よくつかめないと警察では云っていると記事にありました」

「……」

「味岡さん。ガーベラといえば、ほら、あの日にわれわれが先生の事務所に行ったとき、沢田美代子の机の上にガーベラが置いてありましたね。ぼくも見ているんだから、あなたも見たでしょう？」

「ああ、そういえば見たような気がする」

味岡は唾《つば》を呑《の》みこんで云った。


一同の昼食がはじまろうとした。ようやく巨勢《こせ》堂明《どうめい》や役人たちの四組と五組とがフェアウェイから上ってきて南苑会《なんえんかい》の数が揃った。末吉祐介《すえよしゆうすけ》もいつのまにか姿を見せて、巨勢たちのテーブルの隣の卓に坐《すわ》っていた。

食事といってもゴルフクラブの食堂なので特別な料理は出さず、普通の定食であった。それでも巨勢堂明の主催で本省の役人たちが臨席していると思うと、業者らには荘重な昼食会に思えた。

末吉祐介の白い頭は明るい窓にいよいよ艶《つや》やかで、赭《あか》ら顔はますますかがやいて見えた。頰《ほお》にひかえめな笑みを湛《たた》えているが、味岡の眼には図々《ずうずう》しく映った。

（末吉君。君はどうして入会できたのか？）

味岡は傍に寄って詰問《きつもん》したかった。

（入会できたのだったら、どうしてぼくにそう報《しら》せないのだ？　あれほど頼んでおきながら黙っている法はなかろう？）

そうしてこうも云いたかった。

（おかげで、君を入会させたのはぼくじゃないかといって共栄建設の中原君にも大東組建設の成瀬君にもひどく疑われたぜ）

しかし、いまは彼に近づけなかった。このお揃いの昼食が済んだあと、一度は面詰《あい》しなければ気が済まないと思い、末吉の白髪頭《しらがあたま》を睨《にら》んでいると、その回答の半分を挨拶《さつ》に立った巨勢堂明が代りに言ったものである。

巨勢は一同に、今日のゴルフ会に参加していただいた謝辞を簡単に述べたあと、次のテーブルにいる末吉祐介を起《た》たせた。

「……それから、本会の新入会員をご紹介させていただきます。東京に本社をもつ甲東建設株式会社社長末吉祐介君です。入会の紹介者はわたしでございます。今後よろしくご交誼《こうぎ》のほどをねがいます」

拍手のうちに末吉が低頭し、

「ご紹介にあずかりました甲東建設の末吉祐介でございます。先生のご好意にそむかぬよう、また名誉ある南苑会員として今日から皆さまの驥尾《きび》に付して参りますので、よろしくお引立てのほどを願います」

と、型どおりの言葉を謹厳な面持《おもも》ちで云った。とくに巨勢とならぶ役人には丁重に頭をさげて席についた。

これで末吉の紹介者が巨勢堂明自身であることが明瞭《めいりよう》となった。南苑会の入会は、会員の紹介があって、会長格の巨勢が承認する。そこが普通の親睦団体の組織とは違う。会員一同に諮《はか》るという手続きを要しない。巨勢の独裁であった。

というのは、会の目的は業者間の親睦にあるのではなく、公共事業の受註に官庁の便宜を計ってもらうべく、巨勢を媒介にした役人への接触機関であるからだ。が、それはこの業者団体と役人たちとの直接接触を意味せず、あくまでも巨勢を媒体としての間接接触であった。業者―巨勢―役人の形態をとっていた。

個々の業者は自分の出した金が、どの役人にどれだけの額で付け届けとして行っているのかまったく分らない。複雑で巧妙な方法によって贈賄《ぞうわい》に問われることがないようにしてある。業者と役人とは個人的に全然つき合いのない間柄《あいだがら》であり、知らぬ仲だった。ただ、どこかのゴルフ場で顔を合わせ、ひと言ふた言、挨拶を交わす程度である。——

それにしても秘密を要することの多い南苑会であった。こんなカラクリは会の中に入ればだれでも見ぬいてしまう。南苑会に容易に入会できないのはその秘密保持のためだった。もっとも、一つには会員がふえればそれだけ仕事の分配量が減るからでもある。

じぶんでさえ末吉の入会の口ききをためらったのに、よく巨勢がじかに末吉を入会させたものだと味岡は思う。いくら巨勢に直接愬《うった》えて哀訴歎願したところで、それで動くような巨勢ではなかった。

味岡の疑問が半分解けたというのは巨勢のいまの挨拶で末吉の入会が巨勢自身の手によると分ったからだが、そこにいたるまでの経緯がまだわからないでいるので、半分はまだ疑問のままに残っている。

食事がはじまったが、味岡にはまったく食慾《しょくよく》がなかった。午前中、ハーフを歩いてきて運動も相当にしている。今朝、ホテルで食べたのもトーストだけであった。それなのに胸がつかえたように食事が咽喉《のど》を通らなかった。

ハーフの成績が悪かったので元気がないのはわかっている。それも末吉祐介の意外な出現で衝撃をうけたからだ。そのうえ、いま、もう一つ憂鬱《ゆううつ》な荷を背負いこんだ。

成瀬がさっき談話室で伝えた言葉である。一昨日の東京の新聞に出ていたという神邦ビル屋上の他殺死体発見現場に茎の折れたガーベラが置いてあったことである。その花は沢田美代子の机の上にあった花瓶《かびん》の花と同じである。

自分があの東明経済研究所の部屋に入ったときはガーベラは無事にあった。それは六月十日の午後四時半ごろであった。柳原孝助の絞殺死体はすでに九日の夜に屋上機械室に偽《にせ》の作業員によって搬入されている。だから、その時点では目前にあったガーベラと事件とは関係がない。たとえそのときの花弁が自分のズボンの折返しに付いていようとなんら疑われるところはない。しかし、その新聞記事が出たとすれば事情は違ったものになってくる。

その現場のガーベラが、あの部屋のものでなければよいが、と味岡は祈りたい気持だった。

だれもいないあの部屋に入っていたのだ。むろん忍びこんだわけではないが、結果的にはそうなった。そのことはだれにも話していない。話していないことが疑惑をよびそうである。ことに奇体な男の声の電話を聞いた。悪いことに、

(もしもし。こちらには、どなたもおられません。留守です)

と、うっかりと自分の声を先方に聞かせている。

あの電話は巨勢堂明の関係者だと思った。逃げ出したのは、先方が怪しんで駆けつけてきそうだったからである。だから、だれにもあの部屋の「侵入」のことは云っていない。いまからではもう打ちあけられないのだ。

しかし、ズボンに花弁がついていたのを見た者が居る。末吉祐介だ。あのビルの地下の喫茶店で彼に指摘されたときは、あの部屋の「侵入」を看破されたようにぎょっとなったものだ。

それからは末吉がズボンの折返しに花びらの一片が付いていたという些事《さじ》を忘れてくれるのを心ひそかに願ったものだ。

が、もし末吉祐介がその新聞記事を見たらどう思うだろうか。

(味岡専務のズボンにガーベラの花びらがついていた。折返しのところにひっかかっているのを自分は見た。六月十日の午後五時ごろだった)

末吉がそう思うだけならまだよい。それを巨勢堂明に告げ口したらどうなるか。そして警察に知れたときだ。警察では現場で見つけた花を重要視している。

急に、耳もとに息といっしょに人の声がしたので味岡は身震いが起ったくらいびっくりした。

このクラブハウスのボーイであった。

「味岡さまでございますか？」

「う、うむ。そ、そうだが……」

「お電話でございます」

「電話？」

とっさに本社からだ、と思った。

味岡はナフキンをテーブルの上に置き、傍の者に目礼して立ち上った。ほとんどの者が食事を終っていた。

ボーイのうしろについて食堂を出た。低い階段を下りて談話室の横を通りながら、

「電話はどこ？」

とボーイの背中にきくと、

「すんまへん。事務所におます」

と急に京都弁の返事だった。

このとき、談話室から琵琶湖を眺《なが》めて立っていた初老の男が、食堂から出てきてボーイといっしょに通る味岡を見返って、そのまま視線を送っていた。味岡はだれかがこっちを見ているとは眼《め》の隅《すみ》で知っていたが、まさか自分にむいているとは思わなかった。

玄関に近い事務所には四、五人の係がいた。電話機は内部との境になっているカウンターの上に置かれていた。

味岡は外された受話器を耳にあてた。

「もしもし、味岡です」

「あ、味岡さん？」

女の声だが、社の交換台ではなかった。心臓がどきんと動いた。

「刈野温泉の金弥《きんや》です。もしもし、わかりますか？」

「……はあ。わかります」

高い女の声が洩《も》れて事務所の人たちに聞えはせぬかと彼は受話器を耳に強く密着させた。

「ゴルフ場まで電話をかけて済みません」

金弥は云った。

「いえ。……」

実際、金弥がこんなところまで電話を刈野からかけてくるとは味岡も思わなかった。

「あした、ほんとにあなたは刈野温泉にお寄りになるつもりですか？」

「さあ。そのつもりにはしていますが……」

「つもりというのはなんですか？　だから、口先の約束はアテにならないのね。わたし、これからすぐそっちへ行きますよ」

「えっ」

味岡は手から受話器を放しそうなくらいおどろいた。

「京都のホテルにはあなたお一人で泊っておられるんでしょう？」

金弥はたかぶった声できいた。

「はあ、そりゃ、まあ、そうですが」

「女性づれではないでしょうね？」

「そうではありません」

「じゃ、わたしが行ってもご迷惑じゃないはずね？」

味岡は帳簿を記入したり伝票を書いたりしている事務員たちが聞き耳をたてるのではないかと思って、はらはらした。

「それは、そうですが」

「もしもし、そこにだれか居るの？」

「はあ、ちょっと。ここは事務所ですから」

「ああそう」

金弥はいくらか低い声になった。

「味岡さん。あなたがこっちへ寄ってくれるかどうかアテにならないから、わたしのほうから京都に行くのよ。東京へ行って遇《あ》うよりはマシでしょう？」

「それは、まあ、そうですが。しかし……」

「いいえ。あなたが刈野にくる必要はないわ。どうしても早くあなたに遇って話したいことがあるの。あなたが訊《き》いていた山下さんのことよ」

「山下」は、刈野温泉にひそんでいたころの柳原孝助だった。この見当に間違いはない。

味岡は折が折なので、それはぜひ聞きたかった。

「だいぶん、山下さんのことがわかったわ」

「そうですか」

味岡の声に力が出た。

「それに、わたし、あんたに遇いたいの。ふ、ふふふ」

金弥は受話器に含み笑いを聞かせた。

「ね、だから、そっちへ行っていいでしょう？」

柳原孝助の話も聞きたいし、金弥の身体《からだ》の記憶も疼《うず》きをともなって這《は》い上ってきた。

この声を聞いて今夜の独り寝が急に寂しくなってきた。

「じゃ、まあ、そうしましょう」

「まあ、うれしい」

金弥が両手でも挙げそうに叫んだ。

「しかし、ぼくのいるホテルにくるんですか？」

「心配しないで。あんたに体裁の悪い思いはさせません。よそのホテルか旅館に行きましょうよ」

「……」

「それはわたしが京都に着いてからKホテルのあんたの部屋に電話するわ。行先はそのときに決めましょうよ」

「わかりました」

「京都駅には六時頃《ごろ》に着けると思うわ。そのときはもうゴルフ場からKホテルに帰っているでしょう？」

「一応、帰っています」

「じゃ、そのときにね。きっとよ」

「はいはい」

「ヘンね。よそゆきの言葉ばかりで。まわりに人が居るんだったらしかたがないけれど」

　金弥は息をはずませて電話を切った。

　事務員は味岡の大きな背中に冷笑をふくんだ視線を送った。

　が、彼の肥《ふと》った身体には送る視線だけでなく迎える視線もあった。談話室を通るとき、横から近づいてきた人に、

「しつれいします」

　と声をかけられた。

　背の高い、がっちりとした体軀《たいく》の、日焦《ひや》けした顔の紳士が、大きな眼玉を味岡にむけたまま微笑をたたえ、両の指を胸の前で組み合せ、慇懃《いんぎん》な様子で立っていた。

　味岡は脚をとめた。

　白髪をきれいに七三に分け、広い額の下にはいくらかうすい眉《まゆ》と腫《は》れぼったい眼とがあった。徹《とお》った鼻梁《びりよう》の両脇《りようわき》には深い皺《しわ》があり、厚味のある唇《くちびる》も両端でほどよく締まっていた。味岡の知らない人間だが、先刻、ここを通るときにたしかに見詰められていたのを視野の隅に感じていたものだった。

「ちょっと、おたずねしてもよいでしょうか？」

男はその腫れぼったい眼の尻《しり》に皺を集め、まのびした言葉で云った。

「はあ」

味岡もていねいにこたえた。相手が日本人でないことがうすうすわかった。

「わたしは、シンガポールにビジネス・ハウスをもっている中国人で、リーと云う者ですが」

味岡はうなずいた。日本語は間延びしているが、Singapore や business-house は英語の自然な発音だった。やはり「華僑《かきょう》」であった。

「わかりました。どういうご質問でしょうか？」

リーは漢字なら李と書くのであろう、その李氏は感謝の意を軽い低頭で表した。日本人なら、ぶしつけですが、とか、つかぬことをおうかがいするようですが、とか云うところだろうが、彼にはそこまでの表現力はないらしく、しつれいですが、と再び云ったうえで、

「あなたのゴルフの仲間《コンパニオン》をさきほど見たのですが、その一人はコセさんではありませんか？」

と、小腰をかがめるようにしてきいた。

「巨勢《こせ》さんです」

答えるや否《いな》や李氏は上体を上げて、胸を反らし、

「おお、やはりコセさんでしたか」

と、そのうすい眉を挙げた。

「ご存知だったのですか？」

「三十数年前に」

「三十数年前？　すると戦時中に？」

「そうです。戦争中です。……年をとられたが、顔は変りませんね」

談話室からは食堂が見えないが、李氏は目撃した巨勢堂明《どうめい》の顔がまだそこにあるように懐《なつ》かしげに云った。

「戦争中、あなたは巨勢さんといっしょだったのですか？」

「はい。マレーで」

「なに、マレーで？」

味岡は一瞬、あっけにとられておうむ返しに問い返した。が、すぐに巨勢が戦時中、日本軍占領地にいたことを思い出した。

「コセさんは、マレーのシビル・アドミニストレイターをしていました。わたしはクアラ・ルンプールの日本軍政部にチョウヨウでとられ、シビル・アドミニストレイタ

ーの車の運転手《ドライバー》をしていました」

「へええ」

味岡は、あらためて李氏のおっとりとした初老の顔をまじまじと眺めた。

巨勢堂明がマレーの司政官をしていたことをはじめて知ったが、目の前にいる華僑《チャイニーズ・アブロード》がその地の徴用で司政官専用車の運転手だったのにも息を呑《の》んだ。

「それじゃ、なつかしいでしょう？　巨勢さんもあなたがなつかしいはずです。巨勢さんはすぐそこの食堂におられますから、会いに行かれたらどうですか？」

おどろきが消えないままに味岡はすすめた。

「いいえ。それはやめます」

李氏は気がすすまないという身ぶりをした。

「なぜですか？」

「わたしはコセさんがシビル・アドミニストレイターをしているときだけの運転手ではなく、はじめのシビル・アドミニストレイターのときからの運転手でした」

巨勢は二代目か三代目のマレー司政官だったようである。

「……それに、ドライバーはわたしだけではなかったのです。わたしはコセさんの顔をよく知っていましたが、コセさんはわたしをレコグナイズしていなかったでしょうから」

　つまり、巨勢にはそれほど親しい運転手でなかったから、いま、名乗って会うほどでもない、ただ、あの人が三十数年前のコセかどうかをゴルフ仲間にたしかめたいだけだった、というのが李氏の気持のようだった。

　彼が日本語に達者なのは、日本軍に徴用されて軍政部の運転手となり、日本人のなかで仕事をしてきたからであろう。もっとも、シンガポールの年配の華僑の半数以上は日本語を話す。

「おいそがしいところをすみません。もうひとつふたつ、おたずねしてもいいでしょうか？」

　李氏は遠慮深そうに訊いた。

「どうぞ」

　午後のハーフの出発時間が迫っていると味岡の気持は急《せ》いていたが、この場を切り捨てて去ることができなかった。

「コセさんのゴルフのコンパニオンにわたしのおぼえている人がおります。ひとりはノミヤマさんで、もうひとりはカシオさんではありませんか？」

　味岡は、はっとした。

「そうです。そのとおりです」

野見山正夫は大蔵省の××局長、柏尾《かしお》豊次郎は同省の××部長であった。野見山とか柏尾とかはそうザラにある姓ではなかった。その二人を同時に李氏は指摘したから、もう間違いはないと味岡は思った。

「あなたは、どこで野見山さんと柏尾さんに会われましたか？」

味岡の質問に、李氏は両手を擦《こす》った。自分の記憶の正確だったことがいかにもうれしそうであった。

「やはりクアラ・ルンプールの軍政部です。ノミヤマさんもカシオさんも若い陸軍《セコンド・》少尉《レーテナント》として、駐留部隊から休日にはコセさんの官舎《ハウス》に遊びにきたり、コセさんが日本料理店や中国料理店やフランス料理店に招待したりしていました。わたしが運転する車で行ったからよくおぼえています」

マレーの司政官といえば中佐か少佐待遇であろう。巨勢が内務省の何かの課長をしているとき、占領地に行ったことがあるとは味岡もかねて噂《うわさ》では聞いていた。正確には司政官だったのだ。それはそうにちがいない。当時、巨勢は三十歳そこそこだったはずだから、将官待遇の司政長官になれるわけはなかった。

「ノミヤマさんとカシオさんとはガクトドウインの士官だったそうですね」

李氏はまた云《い》った。野見山局長と柏尾部長とが学徒動員かどうかは知らないが、年齢からしてありそうなことだった。軍政部の運転手は日本軍人や在留日本人からいろいろなことを聞かされていたようである。味岡は、現在の巨勢堂明と野見山・柏尾の間柄《あいだがら》が李氏の話で解けたと思った。

「ノミヤマさんとカシオさんとはトウキョウ・ユニバーシティの卒業生ですね？」

もちろん東京帝国大学のことである。両人は同大学の法科卒であった。

「そうです」

「そのほか、ヨシザワさん、アツミさん、クラタさん、オオタニさん、ええと、それからカワベさん、ナカニシさんという若い陸軍士官もコセさんの官舎や料理店で歓迎をうけていました」

味岡はまた眼をみはった。

吉沢と大谷と中西は局長をつとめたことのある大蔵省のOBだと見当がついた。大谷と中西は国会議員をしている。河辺は建設省の局長だった河辺良造にちがいない。渥美《あつみ》と倉田というのは知らなかったが、やはりどこかの省の高級官僚だったかもわからない。

「……この人たちもみんなトウキョウ・ユニバーシティからのガクトドウインでし

た」

「なるほど」

「コセさんは、ガクトドウインの若い士官のなかでもトウキョウダイガクの学生だけを歓迎していました。ほかの都市にある官立大学や私立大学の学生はその歓迎を受けませんでした」

歓迎という言葉を普通に云うなら、巨勢は学徒動員の若い将校のなかでも東京帝国大学の出身者ばかりを「可愛《かわい》がっていた」ということである。

味岡は心の中で唸《うな》った。あまりの感動にすぐには声も出なかった。

このとき、食堂のほうから共栄建設の中原が急いで歩いてきた。プレイの開始が迫ったので味岡を探しに出てきたらしかったが、彼が立話をしているのでそこに佇《たたず》んだ。

李氏は目ざとくそれを見て、

「どうも、おいそがしいところをおひきとめしてすみませんでした」

と、ていねいに詫《わ》びた。

「いえ、たいへん興味のあるお話をうかがってありがとうございました。……あなたは、まだ日本にご滞在ですか？」

滞在なら宿泊先を聞きたいくらいであった。

「いえ、二日あとに日本をたちます。きょうは京都の友人にさそわれて、かれが会員になっているこのゴルフ場でハーフのプレイをすませたところです。おひるから、また、京都にもどります。しつれいしました。ごきげんよう」

李氏はおっとりと手をさし伸べた。

「失礼しました。さよなら」

フェアウェイへの出口へ中原と肩をならべて急ぐとき、中原がいまのひとはどういう人かと訊いたので味岡は答えた。

「シンガポールの実業家だそうです。シンガポールにまた新しいホテルを建てたいと云ってね、建築費の予算など訊かれたので、つい、立話が長くなった。遅れて、失敬した」

味岡はインの10番ホールに立った。四四〇ヤード、パー4。彼は緑に浮き上っている小さな白い球にうつむいた。

(巨勢が大蔵省などの官庁に強い理由が解けたぞ。さすがは巨勢堂明！)

力いっぱい振った。

「ナイスショット」

パートナーから声がかかった。今日はじめての讃辞《さんじ》だった。

飛んだとき強い陽《ひ》の光に眼がかすんで球が分らなかったが、落ちたところはまっすぐにフェアウェイの中央二二〇ヤードの位置だった。

(マレーの司政官の時代に、学徒動員で来ている若い士官のなかから東大出身ばかりを択《えら》んで可愛がった。みごとな先物買い。東大出身なら彼らが官界に入ったとき、間違いのない成長株と見た)

残り二二〇ヤード。彼は4番アイアンをとり出した。

(そうか。そのときに、うんと彼らを可愛がって顔をつないだり、恩を売っていたのか。いま、うしろから巨勢《こせ》といっしょに歩いてきている野見山局長も柏尾部長もそうなら、かれらの先輩にあたる大谷や中西、吉沢も河辺もそうだったのか!)

球は大きく右へ飛び出して林の中へ入った。彼は葉の茂る暗い蔭《かげ》の中に足を運んだ。

(運転手をしていた中国人でもそのくらい知っていた。ほかにも巨勢司政官が目をかけていた東大生の学徒動員で、いま高級官僚かそのOBになっている者がいるはずだ。それも大蔵省関係だ。だれだろう?)

首をかしげた。これが中原などのパートナーには慎重と映った。寄せに成功した。4オン1パットのボギー。

よかったですな、とボギーでもパートナーの同業者が声をかけてくれた。午前中の惨憺《さんたん》たる成績を気の毒がってくれていたのだった。

11番。一三五ヤード、パー3。7番アイアンでティーショットが成功して、今日はじめての1オン。確実に2パットで決めてパー。12番のミドルホールもボギーで上り、なんとか立ち直ったと巨勢の過去を考える一方で思った。

13番ホールに歩く下り坂の小径《こみち》で中原が寄ってきてささやいた。

「前の組の背の高い役人ね、末吉君のパートナーとなっている人、素姓が分りましたよ。あなたが席をはずしていたときに先生から紹介があった。大橋といってJ県の副知事で、建設関係の担当だそうです」

「ああ、そういうことでしたか」

こんどの観光道路の建設では一方の当事者県の最高責任者であった。

「巨勢先生はやりますね。ちゃんと押えるところは押えてらっしゃる」

中原は讃《ほ》めた。

(巨勢が押えているのは、そんなものばかりじゃない。もっと太い柱になっているものばかりだ。そして広い。各省にまたがっている。しかし、それも大蔵省を押えているからだ。予算獲得がともなうため各省の公共事業の計画が全部わかる。しかし、う

まいところに目をつけたものだ。こんな長期の目算を思いつくやつもいない。だれも知らない巨勢の現在にいたる理由が分った）

13番、五二〇ヤード、パー5。フェアウェイ一八〇ヤード付近の傾斜面下には水濠《クリーク》が横たわっていた。しかし、よほど距離の出ない者かミスでもしないかぎり、このクリークにつかまることはない。

（今晩は金弥《きんや》が京都にくる）

打った瞬間に手もとが狂って、球はゆっくりと空に高く舞い上って近くに落ちた。斜面を下りて見ると、白いボールは陽に温《ぬく》もった水の下に透けて見えた。

七

ゴルフ会が終ったのが午後三時半頃《ごろ》だった。味岡は、南苑会《なんえんかい》の事務員が手配したタクシーでクラブの前から京都に引返した。

今夜七時から巨勢堂明《どうめい》招待の宴会がある。ゴルフ会の打ちあげで、場所はまだどこだか分らない。六時半ごろ巨勢のほうから各自のホテルや旅館に迎えの車をさしむけるというのである。これは巨勢のいつもの流儀だった。

これまでの経験からいってたいてい開催した土地の料亭となっている。今夜は祇園《ぎおん》にちがいなかった。巨勢の招待とはいえ、会費はこちらが分担するようなもので、あとで会員一同が「お礼」として巨勢に献金することになっている。

役人はその打ちあげの宴会には絶対に出席しない。業者から「供応を受けた」という収賄《しゅうわい》の嫌疑《けんぎ》を避けるためである。だから、大蔵省の野見山局長も柏尾《かしお》部長も今夜の新幹線で東京に帰るはずである。J県の副知事も戻って行くにちがいない。

タクシーは大津から国道を西へむけて走っていた。山科《やましな》あたりから渋滞気味となった。

「この時間になると、このへんはいつも混《こ》みますなァ」

運転手が云った。

今日のゴルフほど不愉快なことはなかった、と味岡はのろのろ運転の車に身を任せながら思った。末吉祐介《すえよしゆうすけ》の意外な出現のためにすっかり攪乱《かくらん》されてしまった。あの衝撃が日ごろの調子を崩した。

いつのまにか巨勢に近づいていた末吉がわがもの顔に振舞っていたのも業腹《ごうはら》だったが、その末吉が優勝して巨勢から恭《うやうや》しくカップを頂戴《ちょうだい》していたのも腹が立った。自分のぶざまな成績がいまさらのように情なかった。

あれでシンガポールの華僑《かきよう》紳士に遇《あ》わなかったら、もっと惨憺たる成績になっていたろう。巨勢堂明と高級官僚との結合の由来を知ったのが後半のプレイにどれだけかは勇気づけになった。外部で知ったのはおそらく自分だけであろう。

巨勢がマレーの司政官時代に、学徒兵のなかから東京帝国大学の学生だけをえらんで可愛がったというのが現在の高級官僚との関係になっているとは夢にも思わなかった。いかにも巨勢らしい着想であった。が、その根本は巨勢もまた内務官僚だったところにある。ふつうの者にはそのように遠大で、気長な布石はとうてい考えられない。

東京帝大生だから官界に入る率は多い。入ればかならず有資格者というエリートコースだ。とくべつな失策でもないかぎりたいていは局長クラスまでは行く。優秀な者は次官になる。途中から政界に転じる者も出る。

なるほどなア、といまさらのように思ったことである。巨勢と高級官僚との結びつきが、人脈からでもなし、政党派閥方面でもなし、出身地関係でもなし、もちろん閨《けい》閥《ばつ》でもなく、だれにも理解できず、これまで謎《なぞ》とされていることにいま合点《がてん》がいった。以上のどの系列を考えても巨勢の顔の利《き》く領分があまりにひろすぎて原因に見当もつかなかったのだ。

学徒兵は何期にもわかれて占領地に送りこまれた。その中から東京帝大生を撰択《せんたく》して特別に眼《め》をかけたのだから、官界に入った者が各省に分れ、年齢層にしたがって序列も多岐にわたっている。戦後三十年以上経《た》っているが、戦争末期の学徒兵ならまだまだ官界に居残っているはずだ。柏尾部長などはおそらくその組にちがいない。

とくに巨勢は大蔵省を重点としている。大蔵省の役人をにぎっていれば、各省管轄《かんかつ》の公共事業計画はたいてい事前に察知できる。事業計画の予算によって規模がわかってくる。巨勢堂明の「神通力」の秘密がここにあった。

（東京に帰ったら、さっそく大蔵省をはじめ各省の局部長クラスとＯＢの経歴を調べてみよう）

味岡は思った。

（そのなかから東京帝国大学の学徒兵で、マレーに行ったことのある者。この条件に合致する者だったら、まず巨勢堂明との縁故があるとみていいのではないか）

調べたからといってすぐにどうなるものでもないが、調査しておくというのは大事なことである。あとで、いつどんなときにそれが役に立たないでもない。ことに、これをほかのだれもが気づいていないという独占性では。——

「お客はん。決まったお時間があってお急ぎどすか？」

運転手がきいた。

「いや。……べつにいまは急がないが、早く着くのに越したことはないね」

味岡は声によび醒《さ》まされて答えた。タクシーはさらに速度を落していた。

「こう車が混んどるのやから、かないまへんなァ。それに前にトラックやらミキサー車やらが場所とって居るさかい、よけいつかえまっさ」

片側二車線だが、二列の車が詰めかけての渋滞であった。前にいる大型トラックが乗用車の屋根の群の上にそびえている。間をおいてこれも大型のミキサー車が黄色い円筒形を高いところで回転させていた。

（この様子だとホテルに入るのが五時半ごろになるかもしれない。間もなく金弥が電話をホテルにかけてくる時間だ）

少しずつ進むタクシーの中で味岡は考えた。

（七時からは巨勢の招待宴がある。金弥が電話してきたら、十時ごろには終るからといって待たせておこう。それから落ち合う場所もよく打ち合せなければ）

前の黄色いミキサー車も少しずつ進んでいた。冷房もあまりきかず、ふとった首筋に汗が流れた。

ホテルの出入口の回転ドアを押したのが五時十分であった。

味岡がキイを取りにフロントに行くと、細長い面の、眼のまるい係が彼をじろりと見てうしろの巣箱のような棚《たな》からキイをカウンターの上にのせ、もう一度味岡の顔を真剣な表情でのぞいた。

部屋に戻ると、すぐにシャワーで不愉快なゴルフ場からの汗を流した。その水音の中で電話が鳴った。電話機は浴室の壁にもとりつけてあった。

渋い男の声だった。

「こちらは客室主任でございますが、ただいま、ちょっとお伺いしてもよろしいでしょうか？」

「いま、シャワーを浴びてるところだがね。なんの用事か知らないが、あと十分後にしてもらいたいね」

「かしこまりました」

客室主任がどういう用でくるのかと思った。お愛想にサービスの感想でも聞くのかもしれない。

ノックがあったので味岡がドアを開けると、三十二、三の顔の四角い、蝶《ちょう》ネクタイの男が佇《たたず》んでいた。

味岡は窓ぎわのイスにかけたが、客室主任は突立ったままでいた。手に小さな紙袋を持っていた。すすめても相手がイスにかけないのはホテルの人間として当然としても、この四角い顔は微笑もあまりなく、むしろ表情が硬直していて何だか変だった。

「じつは、ちょっと申し上げにくいことがございまして」

彼の声にも緊張があった。

「ほう?」

「実は、これでございますが」

見上げた味岡の眼が下りて、客室主任が袋からとり出したものに移ったとき、思わず口に低い叫びが出た。ぐにゃぐにゃに曲ったガーベラの造花であった。

客室主任の手に握られたプラスチックの紅《あか》い花弁と緑の葉が硬質な光沢をにぶく光らせていた。

「今日の午前中に、ホテルの前でいつも客待ちをしているタクシーの運転手がこれを届けに参りました。ちょうどお客さまがご外出中でございましたが」

主任は標準語を京都弁の抑揚で云った。

味岡の視線は造花に貼《は》りついたままだったが、胸のうちは沸騰《ふっとう》するフラスコの中のように騒ぎ立っていた。

昨夜のあのとき、予感がしないでもなかったが、あの運転手が今朝になってやっぱりホテルに届け出たのか。客席に落ちていた造花を忠義顔にフロントへ持って行ったのだ。このホテルの前で商売しているタクシーの運転手は、そうすることがホテルの気受けをよくするというものだ。

なんのためにこんなことをなさるんです、ホテルの備品など黙って持ち出して壊したりして困るじゃありませんか、と客室主任の眼は、客商売でもあるし対手《あいて》の身分や素姓も分っているので遠慮はあるものの、その中でも詰問《きつもん》を見せていた。

「あ、それか」

味岡は軽く云おうとしたが、それでは済まぬと気がついてテレかくしの笑顔で頭をさげた。

「昨夜は、こっちへくるまで列車の中で飲んだウイスキーで酔ってね、それでトイレに入ったときに眼についたその造花を、つい……」

出来心というと盗みに通じそうなので、

「……つい、その、酔ったまぎれにポケットに突っこんだものらしい。済まなかったね」

と詫《わ》びた。

「はあ、たぶんそういうことだろうとは思いましたけれど。あの、昨夜お出かけのときはわたしもフロントにいましたが、それほどお酔いになっているようにはお見うけしませんでしたが」

「いや、ぼくはあまり顔に出ないほうでね」

味岡はあまり酒の飲めない自分に気がひけたが、この際は仕方がなかった。

「そうですか」

主任はすぐにはうちとけず、やはり渋面をつくっていた。曲った造花を指先でくるくると回して、

「ときどき酔って悪戯《わるさ》をなさるお客さまもございますが、トイレの造花を持ち出されたのは初めてだもんですから」

と、皮肉な口吻《こうふん》にもなった。

「いや、申しわけなかった。それはホテルの備品になっているんだろうね？」

「はい。消耗品扱いになっておりません。備品として員数が帳簿に載っておりますので」

味岡は洋服ダンスに歩いて、上着から財布をとり出した。

「弁償しましょう。いくらか知らないが、これで買ってくれるかね？」

千円札を二枚つまんで渡そうとすると、主任は手を引込めた。

「いえ、こんなものは安いものですから、弁償していただかなくてもけっこうです。こちらで都合をつけますから」

「そう？　じゃ、これは君に。迷惑をかけたから」

味岡は千円札をもう一枚足して三枚にして手渡そうとすると客室主任はそれもこばんだ。

「いえ、それは頂戴できません」

「そうかね」

あまりしつこくも押しつけられなかった。

「あの、ちょっとお伺いしますが、こちらの部屋のトイレに造花がありますが、あれはお客さまがこの階の共用トイレにあった造花をお移しになったのでございますね？」

主任は運転手の届出から留守中にホテルの鍵《かぎ》でこの部屋に入って調べたものらしかった。こう何もかも分ってしまっている以上は味岡も弁解の余地はなく、もう一度丁寧に頭をさげるほかはなかった。

が、最後に客室主任が云った言葉が味岡の胸を刺した。

「お客さまは、ガーベラの花がよほどお好きなんでございますね？」

拙《まず》い事態になった。

部屋に付いた造花を持ち出したことでは何とか切り抜けられたが、ガーベラの花をホテルの者に印象づけたのは悪かった。

昨日、東京から来た大東組建設の成瀬敬一の話だと、柳原孝助の他殺死体があった神邦ビル屋上機械室からは二度目の現場検証のさい、ガーベラの花があるのが見つかった、はたしてこれが殺人事件と関係があるかどうか、警察では花の出所を捜査中だと新聞に出ていたという。

ガーベラは、あの雨の日にたしかにあのビル四階の巨勢の事務所の中にあった。それは成瀬も見ているはずだ。新聞記事を知らせた成瀬自身にも心にひっかかることがあるからではなかろうか。その沢田美代子も今日の南苑会のゴルフ会には来ていなかった。——

電話が鳴った。

「南苑会の中村さんとおっしゃるかたからお電話がかかっておりますが」

ホテルの交換台であった。

「どうぞ」

中村という名は知らないが、今日ゴルフクラブの受付にいた男女のどちらかだろうと思った。受話器にコードをつなぐ軽い音がして、

「味岡さんでいらっしゃいましょうか？　こちらは巨勢先生の代理の者で、今日の南苑会の受付をしておりました中村でございますが」

と若い女の声であった。

「味岡です」

「巨勢先生からの伝言をおつたえします」

「はあ」

「今夜のご招待宴は、都合によって中止にいたします」

「えっ？」

「今夜のご招待宴は、都合によって中止にいたしますので、悪《あ》しからずということでございます。これからどうぞご自由にご行動くださるように、とのことでございます」

「もしもし、それは、あの、何かあったんですか？」

味岡は急いで訊《き》いた。

「そういうことではないと思います。先生のほうのご都合で中止になったのでござい

ます。ご伝言をそれだけお伝えしておきます」

「巨勢先生は、いま、どこに居られるんですか？」

あわてて問うたが、その声が終らないうちに電話は切れた。

どうして宴会がいまになって急に中止になったのか。

人を招待しておいて勝手に中止を通告するのも失礼な話だが、相手が巨勢堂明では
それも通じなかった。巨勢は南苑会に所属する業者に君臨しているのだ。これまでも
身勝手なことがたびたびあった。

が、ゴルフ会のあとの招宴を一方的に取消すのは初めてのことだった。何が原因な
のか。

受話器の傍にぼんやりと坐《すわ》っていると、その電話がまた鳴った。

「刈野温泉のキンヤさんというご婦人のかたからお電話でございますが」

交換台はこっちの返事も聞かないうちに金弥の声をつないだ。

「もしもし、味岡さん？……わたし」

「いま、どこに居る？」

味岡は耳に流れこむ金弥の声に問うた。

(味岡さんですか？　わたし金弥です)

と云うのが普通の言葉だが、

(味岡さん？……わたし)

というのは、いかにも馴々《なれなれ》しく、深間の仲といった口のききようだった。それで彼のほうもつい「自分の女」という気になった。

「いま京都駅前の喫茶店からかけているのよ」

うしろにレコード音楽が流れていて、ざわざわと人声がしていた。

「そうか。京都に着いたばかりなんだね？」

「そう。いまからそっちのホテルへ行っていいかしら？」

「このホテルは困る。人目がある」

人目というのは、一人で泊っていると記帳したフロントの手前もあったが、共栄建設の中原がやはりこのホテルに泊っているので、どんな機会に女と二人でいるところを見られるかわからない。そんな気ばかり使っていてはせっかく女といっしょにいてものんびりとできないと思った。

「違うわ。そのホテルに泊るんじゃないわ。よその旅館に行くの」

「ほう。行きつけの旅館があるのか？」

「まさか。京都にそんな家《うち》はないわ。刈野温泉に見えるお客さんから、静かな、いい旅館を紹介されたのでそこへ行こうと思うの。だから、そっちのホテルのロビーにわたしがこれからあなたを迎えに行くわ」

「ロビーに迎えに来ても困る」

それこそ女と二人づれで出て行くところをフロントの者やボーイに見られてしまう。今夜は戻ってこないのだ。それに、ロビーには中原がうろうろしているかわからなかった。

「じゃ、おれのほうから君のいる喫茶店に行くよ。京都駅前の何という名の店だね？」

「こっちへくるのは、そっちのホテルからだと逆方向になるわ。これから行く旅館の方向と。場所は貴船《きぶね》というところだから。鞍馬《くらま》の近くで、渓流《けいりゅう》にのぞんだとても閑静なところだって」

「鞍馬？　うむ。そりゃ遠いな」

味岡は十何年前に鞍馬寺に行ったことがある。車で行ったのだが、ケーブルに乗るところまで市中から北にむかって一時間半くらいかかったと記憶する。渓谷の細い一本道で、登り坂ばかりだった。ひなびた山村の家がそのへんにかたまっていて、風情《ふぜい》のあるところだと思ったものである。

あれから行ってないが、今は道路の幅もひろがり舗装もできているにちがいない。

あの風情ある山村にも、しゃれた旅館が出来たのであろう。いまは京都の遊び場所となっているはずだ。

　鞍馬のほうだとこのホテルからは北になるので、なるほど南の京都駅とは逆方向だ。

「遠いといっても車だとそう時間はかからないわ。あなたのホテルはこっちからは同じ方向になるので、ちょっと寄ってロビーで落ち合おうと思ったんだけど。でも、迷惑そうだから、それはやめるわ」

「じゃ、おれがここから一人で行ってその貴船の旅館で落ち合おうか？」

「だめよ」

「どうして？」

「どうしてって、あなたも薄情ね。貴船までは、いくら道がよくたってやっぱり相当時間がかかるわ。そのあいだ、タクシーにわたしがひとりでぽつんと乗っているの？」

「……」

「いやよ。あんたと一緒でないと」

　金弥の強い声は味岡の心に気持よく響いた。

「よし、わかった。じゃ、どうするかなァ？」

「出町柳《でまちやなぎ》という駅から貴船へ行く電車が出ているそうだから、その駅で待ってるわ」

「電車で行くのか？」

出町柳は京福電鉄鞍馬線の起点だった。

「電車じゃないけど、その駅のほうがわたしには分りやすそうなの。京都はよく知らないんだもの」

ここからだと、京阪の三条駅が近いが、あの駅前も初夏の宵《よい》だし、いい加減混雑している。学校などの団体客で雑踏しているときもある。それよりもあまり人のいない出町柳のほうが待合せには便利かもしれないと思った。

「じゃ、出町柳の駅に行く」

「わたしはここをすぐ出るわ。あなたはどれくらいしたらそこを出られるの？」

「何もすることはないからすぐ出る。あ、そうだ、ちょっと待ってくれ」

「なあに？」

「おい、その旅館に今晩も明日の晩もつづけて泊るんじゃないだろうな？　もしそうだと荷物をまとめてこのホテルをひきあげなきゃならんが」

「明日も泊って頂戴。でも、同じ旅館じゃ詰らないから明日はどこか違う土地に行って泊りたいわ。だから、今夜は身体《からだ》一つで来てよ。明日の行先を今晩相談して。そして、明日の朝、あなたはそのホテルに帰ってひきあげるといいわ。貴船からだと、どうせ京都に引返さないといけないんだから。今夜、荷物持ってこっちへくるの邪魔じゃない？」

「そりゃそうだ」

「そいじゃ、出町柳の駅で待ってるわ」

「わかった」

「もしもし。あんまり待たしちゃァ、いやよ」

「これから三十分以内だ」

「そお？　うれしいわ」

電話は切れた。

今日はゴルフ会といい、ホテルに戻ってから造花のことで客室主任の質問を受けたことといい不愉快の連続だった。金弥の電話はそれを慰めた。今夜は、その貴船の閑静な旅館で金弥と思い切り痴呆《ちほう》な愛欲に耽溺《たんでき》して一切の憂鬱《ゆううつ》を忘れようと思った。自分でも神経衰弱気味になっていると分っている。人間の原始的な本能行為は脳細胞の疲労困憊《こんぱい》を快く揉《も》み療治してくれるだろう。——

味岡が上衣《うわぎ》をつけ、ホテルのキイを手に握ったとき、電話がまた鳴った。受話器を置いて三分と経っていなかった。金弥が言い残したことをまた電話してきたのかと思い、受話器をとると、

「やあ、専務。お部屋においでになりましたか？　やれやれ、お出かけかと思いましたが」

濁《だ》み声《ごえ》は末吉祐介《すえよしゆうすけ》だった。

「……失礼しました。末吉です」

この野郎、と思ったが、味岡は電話をがちゃんと切るわけにもゆかず、

「ああ、末吉君か」

と、きわめて不愛想に答えた。

「はい。末吉です。いま、このホテルのロビーにきてお部屋に電話しているのです。実は、さっき二度ほどお電話して、二回ともお話し中でしたので」

通話相手が分るわけはないと思いながらも味岡は少しどきりとした。

「で、何だね？」

「ちょっと、お目にかかってご諒解《りようかい》を得たいことがありまして、これからお部屋に伺

わせていただきたいのですが」

ご諒解というのは彼が南苑会《なんえんかい》に事前の連絡もなしに入会したことだろう。あれほど熱心に、懇願歎願《たんがん》といった体《てい》たらくで入会の媒介を頼んでおきながら、一言の挨拶《あいさつ》もなく黙って入会したのを彼もやはりどこか気がさしたのであろう。今日のゴルフ会でも末吉はずいぶんとこれ見よがしの態度をとった。あれが彼のはったり的な誇示だとしても、人を舐《な》めたやりかただった。さすがの末吉も後味が悪くなって詫《わ》びにきたのであろう。

「せっかくだが、いまから外出しようと思っているところでね」

ほんとうだよ、とつけ加えたいところだった。

「外出？　はあ、それは弱りましたな。けど、ちょっとだけ、ほんの五分か十分だけお眼《め》にかかれませんでしょうか、専務さん？」

末吉の執拗《しつよう》な本領が出かかっていた。

「それは困る。いま、キイを持って部屋を出るところだから」

嘘《うそ》でないだけに痛快な気がした。

「あ、そうですか。それじゃ、このロビーでお待ちしましょう。エレベーターのすぐ近くでお待ちしていますから」

「……」

味岡は殴り返されたような思いになった。エレベーターで降りたところを待ち伏せされたのでは逃げようもなかった。

「どういう話かしらないが、ほんとに二、三分だよ。先方と時間を決めているのでね」

「お忙しいところを申訳ありません」

お忙しい、というのが偶然にもあの意味になったので、腹を立てながらも、味岡は思わず口の端が歪《ゆが》んだ。

エレベーターのドアが開くと、白い頭をもった末吉祐介の小柄《こがら》な姿が、カーテンがひらかれたステージの役者のように正面に見えた。

「ああ、専務」

末吉は大きな眼をまるくして味岡に近づいたが、頭をさげるでもなく、心やすそうに一緒にならび、その片手を味岡の背中に当てて、

「ちょっと、あそこで」

と、人のあまりいないロビーの一隅《いちぐう》にむかって押しやるようにした。

味岡は末吉のその手を振り払うように彼にむかって立った。

「何だね、末吉君？」

味岡の強《きつ》い眼とは違い、末吉は眼尻《めじり》に皺《しわ》を寄せ、厚い唇《くちびる》を大きく開いてよごれた歯ぐきまで全部見せた。

「あの、おかげさまで、南苑会に入らせていただきました」

末吉は笑いながらはじめてちょっと頭をさげたが、その軽さがいかにも自力で入会したと言いたげであった。

それはおめでとう、という言葉はもちろん味岡には出なかった。

「それは今日のゴルフクラブで知った。ああ、それに先生の紹介もそのあとであったからね」

味岡は硬《こわ》ばった顔で皮肉を言った。

「はあ。今後ともよろしくお願いします」

末吉はきょろりとしていた。

「ぼくはおどろいたよ。だって、君があれほど熱心にぼくに南苑会の入会の口ききをたのんでいたのに、こっちへ来てみると、ちゃんと会員におさまっているんだからな」

「そのことです、専務。ご諒承を得たいと思いますのは」

末吉はやはりにやにやしながら言った。これまで「専務さん」と呼んでいたのに「専務」になっていた。

「諒承？」

ほんとうは「お詫び」というところではないか。

「はあ。なにぶんにもこのゴルフ会のある直前に巨勢先生からお電話をいただいて、君も南苑会に入会するがよい、こんどのゴルフ会から出よ、という急なご命令だったので、つい、専務にはご連絡もできなかった次第です。まことに失礼しました」

末吉はもう対等に近い言葉づかいになっていた。——これには理由があった。

「君は、たしかぼくに巨勢先生にお願いしてくれとひたすらの頼みだったが、ぼくのほかにも君が依頼していた人がいたのかね？」

「いえ、いまだから申しますが、実は先生に直接お手紙を何度もお出ししておりました」

やはり末吉は巨勢に「直訴」していたのだった。

「うむ。そうすると、そっちのほうが効いたというわけだね？」

「はあ。まあ、そういうことで」

もっとも味岡は口先ばかりで、末吉のためにそれほど動いたわけではなかった。

末吉は入会のことで巨勢に予想以上の献金をしているな、と味岡は心ひそかに思った。

——南苑会に入会するのは、巨勢の顔ききによって官庁発注の土建工事の入札に便宜を得ることだった。こんどはどこの省の発注工事があるというのを早く巨勢から聞くだけでなく、指名入札業者にもなれる。南苑会が指名入札業者の集団だというのは、落札についての「談合グループ」ということなのである。

したがってそれぞれの土建会社を代表して南苑会の会員になっている者は、その土建会社の「談合」係ということになる。

日星建設株式会社の営業局には、第一営業部と第二営業部とがある。

第一営業部は官庁発注の公共事業工事を受持つもので、これには地方自治体発注の工事が含まれる。

第二営業部は民間発注の土建工事を受持つ。

日星建設の専務は、三人制である。一人の専務は第一営業部担当、次の専務は第二営業部担当である。味岡正弘は三番目の専務だが、「南苑会」の会員になっていることでもわかるように、いうなれば「談合担当」役員だった。

むろんそんなことは世間に発表できない。味岡が技術部長だったことがあるので、表むきには技術局担当ということになっている。事実上の担当役員は、工学博士でもある若手の優秀な腕の常務であった。

これは大東組建設株式会社でも共栄建設株式会社でもまたその他の大手会社でも同じである。大東組建設の専務成瀬敬一も「談合担当」役員、共栄建設の常務中原武夫も実際の仕事といえば「談合担当」である。

ところが、甲東建設の社長末吉祐介が自身で待望の南苑会の会員になったのは、甲東建設はなんといっても中クラスの新興建設会社なので、「談合担当」にさせていいような部下がいなかったためである。甲東建設が関東近県の自治体公共事業の工事に進出してきたのも近ごろのことである。

しかし、実はこの中級の新興土建会社が案外に油断ができないのである。その経営者は精力的に活動する。一代で大手にのしあがった或《あ》る建設会社は、その経営者が二十年間も巻脚絆《まききゃはん》で毎日各地の現場を飛びまわり、自分の発明した「格言」入りの旗を振り作業員らを叱咤《しった》激励してまわって、今も業界の挿話《そうわ》となっている。

末吉祐介にはそういうバイタリティがあるようだ、あれを南苑会に入れるのは反対だ、どんな「談合」の策略を弄《ろう》するかわからない、と、いちばん危機感をもったのは共栄建設の中原常務であった。

いまや共栄建設がいちばん落ち目になりかかっているので、よけいに末吉を警戒し、排斥していた。

それだけに、今日のゴルフ場で末吉の姿を見た中原は、表面こそ巨勢が近くにいるのでつとめて平静に見せかけていたが、内心の落胆と焦燥は想像以上と思われる。

南苑会に入会できた末吉は、すでに「談合仲間」意識で、もう味岡と対等に近い、横柄《おうへい》な様子を急にとっている。

癪《しゃく》にさわることだった。腹が立つことだった。中原のためにもこの末吉の出過ぎた態度を挫《くじ》かねば、と末吉の脂汗《あぶらあせ》の光る顔と対峙《たいじ》したが、残念ながら時間がなかった。

出町柳の駅にはもう金弥《きんや》が来て待っているにちがいない。

それにいまさら彼から南苑会入会の「諒承」を聞いても仕方がなかった。話をすればするほど不愉快になるばかりだった。

末吉は愛想の雑談のつもりか、今日のゴルフの話をもち出した。

「味岡さん。今日は残念でしたな。日ごろの実力はああいうものではないでしょう?」

「ああ。みっともないところを皆さんにお目にかけた。不出来のときは仕方がないね。君のほうは優勝などして、ずいぶんよかったじゃないか?」

味岡は一刻も早く出て行きたいが、あまり急いでいるところを露骨に見せたくなかった。妙なもので、これが普通の用事だとさっと切りあげられるが、待っている女に会いに行くとなると、その急ぎかたの理由を相手になんとなく察しられそうで、表面だけでも余裕のあるところを見せたかった。

が、このゴルフの話題も彼にとって快いものでなかった。

「幸いしました。優勝はできましたけど、まあ、フロックですよ。南苑会に入れたので、念願の思いが達したせいか、すっかり落着きましたよ。そのせいで、無心にプレイすることができました。まあ、なんですな、何か心にひっかかっているものがあると邪念に邪魔されて思いどおりのプレイはできないものですな。とにかく精神的なスポーツですからね、リズムが崩れたら、どうにも立ち直れなくなりますからね」

そんな講釈を末吉づれに聞くのは心外であった。が、成績の手前、すぐには言い返しができなかった。心にひっかかるものがあるとか邪念とかいうのも末吉の皮肉に聞えた。彼の脂の浮いた顔と濁った眼をまん前に見ていると、かえってその精力的な充実に気圧《けお》された。

「わたしは、1番のティーショットがすべてでしたな。もちろん不安はあったんですが、これが会心の一打でしてね」

末吉は無神経に得々として云《い》いだした。

「……アイアンはともかくウッドは苦手だったんですが、これですっかり波に乗ることができました。ほとんどのホールがパー・オン。パットもよかったですな。味岡さん、2番ホールは何番で打たれましたか？」

「6番アイアン」

味岡は仕方なしに答えた。

「ほう。そりゃ小さすぎたんじゃないですか。フルショットすれば届かないことはありませんが、一六〇ヤードですからね。フルショットしようとすれば、しぜんと身体に力が入って、力むことになります。飛距離の出ないわたしらには大き目のクラブで力を抜いて打ったほうがいいんじゃないでしょうか。わたしは5番アイアンで1オン。幸先よいバーディでしたな」

末吉の黄色く濁った眼には陶酔の色さえ浮んでいた。彼の厚い唇の端には次々と話したくてたまらないように唾《つば》が溜《たま》っていた。

ゴルフをやらない者にとって傍でゴルフの話をされるほど不快なことはない。これは疎外感《そがいかん》からだが、成績の悪かった者が上成績の者から自慢話を聞かされるほどイヤなものもなかった。しかも、それが顔色には露骨に出せないつらさがあった。

が、味岡の内心の焦燥は出町柳駅にいる金弥との約束にあった。電話したときに三十分後だといっておいたのに、すでにそれから二十分以上経《た》っていた。これからタクシーで急いで行っても十五分はかかるにちがいない。駅の前で、来るタクシーをのぞいて立っている金弥の姿が末吉の顔の背後に浮んだ。

もう切り上げようと思うが、末吉祐介の話は切り目がなく、味岡を放さなかった。いい、あの日、神邦ビルの地下喫茶店で彼につかまったときとまったく同じであった。

「そうそう、13番のクリークじゃ、皆さん、苦労していらしたようですね。なにしろ一八〇ヤード付近という意地悪なところにあるんですからね。わたしらのパーティでも二人が落しました」

末吉は話をつづけた。彼はクリークにボールを打ちこんだ味岡に同情したが、それも皮肉としか聞えなかった。

「……わたしもアイアンで刻もうかと迷ったんですが、今日はドライバーの調子がすこぶるよかったので、思い切って挑戦《ちょうせん》したんです。おかげでクリークを楽に越すことができましたよ。次はバンカーですが、わたしはバンカーがわりと好きなんです。ほら、よくプロが云うじゃありませんか。バンカーはグリーンの一部だと思えってね。あれですな。今日も二度ばかりバンカーに入れましたが、ちゃんと1パットの圏内に寄せることができました。アウト42、インではひさしぶりに39をマークして、ハンディが11。今日の成績は、おかげさまで最高でした」

味岡は生理的に我慢のならない状態になった。

「それはよかったね。おめでとう。じゃ、これで」

味岡は身体のむきを変えた。

「あ、どうも、つい、長話をして失礼しました」

末吉はやっと気づいたように頭をさげた。が、味岡の歩き出したほうへついてきて云った。

「お出かけですか。わたしも自分のホテルに帰るところですが、方向が同じなら、途中までタクシーをいっしょにさせていただけませんか。車の中で、南苑会の知識をいろいろと教えていただきたいのですが」

味岡はどこまでもまつわりつく末吉の執拗さに腹が立ったが、表情には出せなかった。

「君のホテルはどこなのかね？」

「四条通りのほうです。味岡さんもどうせあっちの方角へお出《い》でになるんじゃないですか？」

「いや、方向が違うんでね」

味岡は行先を訊《き》かれ、さらにその用件まで質問されたらどう云おうかという思案を走らせながら云った。デリカシイのない末吉ならそんなことを問いかねなかった。

「ああそうですか。それは失礼しました」

末吉はそこで足をとめた。

「話は東京に帰ってからでもゆっくりとしよう」

味岡は末吉が案外あっさりと止《や》めたので、つい、愛想が出た。

「おねがいします」

「じゃァ」

味岡は正直、解放された気になってフロントのカウンターの上に持っていたキイを置いた。末吉は見送りのつもりか、そこまでついてきた。

「行ってらっしゃいまし」

キイボックスを背中にした係が受けとって眼だけで礼をした。

このとき、味岡はフロントのだれかに見られているような気がして、なにげなく視線をそっちへ移すと、奥のほうに先刻部屋に来た客室主任が立ってこっちを見ていた。眼が合ったので、味岡のほうから微笑した。

客室主任はうしろに組んでいた両手を解いて前に回し、小腰をかがめて二、三歩こっちへ来て頭をさげた。さすがは客商売で、先刻は造花のことで苦情は云いにきたものの、いまは慇懃《いんぎん》な態度に変っていた。

末吉が、素早く二人の様子を見てとったようだった。

味岡は、はっとした。あの日、神邦ビルの地下喫茶店で、彼のズボンの折返しに花びらが付着しているのを指摘したのは末吉であった。

（おや、花びらですね。……ガーベラじゃありませんか、専務。これはまた風情《ふぜい》がありますなァ）

その声と、ニタリと笑った顔が、味岡の記憶にもどってきた。

「そいじゃ、ここで失礼します。行ってらっしゃい」

出入口の外まで出るかと思っていた末吉はそのフロントの前で動かなくなって、女に会いに行く味岡を声だけで送った。

味岡は外に出た。ドアの横にいたボーイが前にとまっているタクシーを手招きした。

乗りこむと運転手が、

「どっちへ行かはりますか？」

と訊いた。

「出町柳の駅まで」

味岡は云って、はっと気づき、運転手の顔をバックミラーで入念に見た。昨夜、四条まで乗った運転手とは違っていた。今朝、ホテルの客室主任のもとへガーベラの造花を届けにきた運転手とは別人であった。

なぜこうもガーベラに心がまつわりつかれるのか。

車に揺られながら味岡は頭を抱えた。

それというのも、末吉祐介がフロントのカウンターの前で立ちどまってしまったからだ。末吉ははじめ回転ドアの外まで出るつもりだったのだ。見送りがてらに自分もタクシーを拾う気持があった。

それをにわかにやめてフロントの前に残ったのは、味岡が客室主任に笑顔を投げ、客室主任もまた表面だけでも丁重なもの腰でそれに応《こた》えたのを目ざとく見て、よほど親しい間柄《あいだがら》のように思ったからであろう。

どうしてそんなに親しいのか。好奇心の強い末吉祐介のことで、あのあとで客室主任と自分を話題にして雑談をはじめるのではなかろうか、という気が味岡にはする。

(味岡さんはぼくと同業者で、懇意にねがっている。いい人でね。このホテルにはたびたび見えるのかね?)

といったようなことから末吉は云う。

(いや、めったにはおいでにはなりませんけれど)

と、客室主任が答える。

(ほう。それにしては、あんた、味岡さんとは相当懇意のようだね?)

末吉がさぐりを入れる。

(いや、ちょっとわけがありまして)

(どんなこと? 味岡さんのことなら、何を話してくれても大丈夫ですよ。今日もゴルフをいっしょにしてね。が、いつになく味岡さんは不調だった。そういうことのない人ですがね。なにか気になるようなことがあるらしくて、すこしどうかしてましたな。ぼうっとしていた。ほかのことに気をとられていたようです)

(ぼうっとなっておられるんですか。ほかのことに気をとられてですか。なるほど、それだとわかります)

(何かあったのかね?)

(実は、あの方が部屋に備えつけの造花のガーベラを黙って持ち出されましてね)

(なに、ガーベラだって?)

(造花です。安ものですからたいしたことはないのですが、ホテルの備品ですからね。

手前どものホテルは備品の管理がうるさいのでして。タクシーの運転手に届けられたのですから、やはり、その、いちおう、お客さまに事情をおうかがいしなければならなかったのです。しかし、あのお客さまが、そういう気がかりなことに心を奪われておいででしたら、一種の放心状態で、つい、ふらふらと眼の前にあるガーベラの造花をポケットに突っ込んで外出されたということはわかりますね。それを早くうかがっていれば、些細《ささい》なことで苦情を申し上げるのではありませんでした。反省していますす)

(ほう、ガーベラをね)

車の後から会話が追って味岡の耳に聞えていた。

末吉祐介も読んで知っているにちがいない。大東組建設の成瀬が云った東京の新聞記事のことだ。

(味岡がそんなにガーベラを気にして、ホテルの造花まで持ち出して捨てたのは、あの殺人死体とかかわりがあるからではないか)

そんなことを口の中でつぶやいてうなずき黄色い眼をぎょろっと剝《む》いている末吉の顔がまた見えてきた。

おれは関係がない。

「関係があるものか」

思わず口走った。

「は？　なんぞ云わはりましたか？」

運転手がふり返った。

「いや、なんでもない。……出町柳はまだかね？」

腕時計を見た。ホテルを出て十二分経っていた。

「へえ、あと、七、八分どす。この道路も混《こ》むようになりましてなァ」

前に車がつかえていた。信号が青になってもすぐには進めなかった。

よくない事態になった。末吉にズボンに付いたガーベラの花弁のことを想《おも》い出させないようにしたかったが、新聞記事といい、フロントでの客室主任との会話といい、逆の方向に進んでゆく。

――しかし、末吉が客室主任とそんな話を交わしているとはかぎらないぞ。そう考えるのはこっちの想像だ。実際はなんでもないのだ。末吉はあのまま主任とは一語も話さずにホテルを出たのだろう。どうも悪いほうへ悪いほうへと臆測《おくそく》が伸びてゆく。ほんとに、どうかしている。やはり神経衰弱気味なのだ。

味岡は眼を閉じ、指で眉間《みけん》を揉《も》んだ。

が、すぐその下から、

――末吉がガーベラのことを巨勢にしゃべるのではなかろうか。

という想像が新しく起ってきた。いま巨勢にとり入るため忠義顔をしている末吉のことだ、なんでも話題になることはへらへらとしゃべるのではないか。

しゃべってもこっちには関係ないことだが、悪い材料にはちがいない。気の重いことがまたふえてきた。

「お客はん。着きましたで」

出町柳《でまちやなぎ》の駅が灯をつけて近づいていた。

八

味岡はタクシーを降りて出町柳駅の前を見た。男女が人待ち顔に入口前に立っているのはどこの駅風景も同じであった。金弥《きんや》の姿はなかった。

味岡は中に入った。改札口に流れて行く人の群のほかに構内に佇《たたず》んでいる者はあったがそこにも金弥はいなかった。

腕時計の八時三分は構内の電気時計の針と一致していた。金弥との約束より四十五分は遅れていた。

　彼は金弥が違う場所で待っているのではないかと思い、構内をひととおり歩いた。隅《すみ》に明るい灯のついた売店がある。若い女の店員が客に品ものを渡している。その近くにも女は立っていなかった。

　出入口を出てまわりを歩いたが、彼女の姿はなかった。対《むか》い側をすかして見たが、往来にも出ていなかった。

　末吉に呼びとめられて無駄口《むだぐち》をきかなかったら約束の時間どおりにこられたのに、といまいましくなった。

　しかし、金弥がこのまま帰ったとは思えない。わざわざ刈野温泉から京都まで出てきたのである。四十五分の遅れはおろか一時間でも一時間半でもこっちがくるまで待っているはずだった。

　味岡は、タクシーを降りたときに金弥が待ちかねたように前から飛び出してくるのを期待していた。ずいぶん待ったわ、どうしたの、と息をはずませて詰問《きつもん》されると思っていた。彼は対い側の街の灯を眺《なが》め、肩すかしを喰《く》った気になった。

　もしかすると、あまりおそいので金弥はタクシーで市中に買いものに行ったのかもしれない。待合せ場所がきまっているので、はぐれることはないと思って、そうしたのかもしれない。そう考えてヘッドライトがこの駅前にむかってくるのをいちいち見ていたが、そのライトが消えて車から降りる客はみんなはずれていた。

八時半になった。こんなはずはない。あと二十分待とうと思った。が、二十分が一時間になったところで金弥がくるまでは動けなかった。諦《あきら》めて帰るつもりにしていても、その直後に女がくるような気がするのは待合せているときにだれもが経験するところである。

金弥に何か予期せぬ故障が起ったのではないか。たとえば彼女が乗ったタクシーが衝突して怪我《けが》をするとか、乗る前でも道を歩いていて車に刎《は》ねられるとかいった交通事故である。そのまま病院に運ばれてしまえば、彼女のほうから連絡のしようがない。

いや、ある。Kホテルに連絡する方法だってあるではないか。

味岡はこれに気づいた。交通事故などといういやな空想は別としても、ここで待っていた金弥があまり遅いのでKホテルに様子を訊《き》きに電話をかけてきているかもしれない。

味岡は電話ボックスに歩いた。むろんそこで電話している金弥の姿はなかった。彼はポケットからKホテルのマッチを出してその番号どおり数字をまわした。

「——号室の味岡ですが、ぼくの出たあとで電話はなかったですか？」

不愉快なホテルだが、いまはそこが頼りであった。

「少々お待ちください」

交換台が切れたとみえ、若い男の声が事務的な調子だった。待たされている間も、味岡は受話器を耳に当てたままボックスのガラス越しに外に眼《め》を配っていた。到着するタクシー、歩いてくる人。灯のこぼれている出町柳の駅前をこんなに仔細《しさい》に観察したことはなかった。

声が出た。さっきのとは替っていた。

「味岡さまですね？」

フロントの一人だろうが、客室主任の声ではなかった。客室主任はまだ残っているかもしれなかった。この電話を奥まった席で聞いているような気がした。

「電話はございました」

「どこから？」

胸の動悸《どうき》がにわかに高くなったが、できるだけ落ちついて問うた。

「ご婦人の方で、キンヤさんという方からのお電話のおことづけを七時四十五分にいただいております」

キイ・ボックスに押しこんである伝言メモでも見ているらしかった。やはりそうだったのか。七時四十五分といえばタクシーの中だった。

「どういう伝言？」

味岡は急いだ。

「はい。お先に行ってお待ちしております。行先はコウヨウソウ・ホテル。鞍馬線《くらません》の貴船口《きぶねぐち》駅の近くですから、すぐにお判《わか》りになれます。行き違いになったらしいので味岡さまからお電話があったときはそうお伝えしてほしい。……そういうおことづけでした」

「コウヨウソウだって？」

「はい。紅葉はモミジです」

「ありがとう」

「どういたしまして」

味岡はボックスのドアを手荒く押して外に出た。

電車は、乗客でほぼいっぱいだった。市中から沿線の家に帰る人ばかりだった。

――金弥は、やはり先に旅館へ行っていた。しかし、もう少しこの駅で待っていてもいいのに。

味岡は金弥の電話伝言で連絡がついたので、ほっとしたが、連絡がつけばついたで
そういう不満があとから起きた。

ホテルに電話して外出していると聞いたのだったら、自分が出町柳に向っていることは分っているではないか。なぜにもう少し駅で待てなかったのか。

京都駅前の喫茶店から彼女がホテルの部屋に電話してきたときは、貴船の旅館で落合うのはいやだといった。

少し話が違うとは思った。しかし、女はあんまり待たされたので、不機嫌《ふきげん》になったのかもしれない。京都に来た匆々《そうそう》に約束より四十五分も待たせては憤《おこ》るのは無理もないが。しかし、まあ仕方がない。すこしぐらい憤らせたほうが、そのあとの愉《たの》しみに深味が出るかもしれない。

味岡の口もとはゆるみかけたが、気がついて、唇《くちびる》の端を締めた。

金弥の伝言電話によって、ホテルのフロントの連中に、旅館へキンヤという女に会いに行ったことが筒抜けに知れてしまったではないか。——

電車が一駅ずつ停《とま》るごとに乗客がかたまって降りて行った。乗りこんでくる者がいないので座席の空きはひろがるばかりだった。外は黒い山が次第に窓に近づいていた。

——そうして今夜ホテルには戻らない。フロントの連中が笑い合っている様子が眼

に浮ぶようであった。夜になるとフロントも閑《ひま》になる。そこにはボーイたちも集ってくる。泊り客を話題にするのはそのときだろう。

いくらフロントに威厳をつくってキイを預けても、これではすべてが壊されてしまった。

それに、女の名前がいけなかった。キンヤという姓はない。芸者の名前というのはだれにでも分ってしまう。どうして村上という本姓を云《い》わなかったのか。

それに、金弥が喫茶店から部屋に電話してきたときに、今夜の旅館は紅葉荘ホテルです、とどうして云わなかったのだろうか。あのときその名さえ云えば、電話伝言でくりかえして話す必要はなかった。そうしてフロントの連中に何もかも詳細に知られる気遣いもなかったのだ。

もっとも、金弥にしてみれば、はじめは一緒にタクシーでその旅館に行くはずだったので、こっちに紅葉荘ホテルの名を教える必要もなかったといえる。彼女だけが心得ていればよかったのである。

末吉にロビーでつかまったばかりに何もかもちぐはぐなことになり、裏目ばかりが出た。しかもゴルフの自慢話を聞かされたあげくに。

また、駅に停った。乗客がぞろぞろと降りた。駅前に灯が集っているだけで、そこを過ぎると窓がすぐ暗くなった。両側の窓に真黒な山がせり出してきていた。

《夏は涼しい鞍馬山へ！　健康を守る厄除《やくよ》け護摩《ごま》を！》

味岡は車内に吊《つ》ったポスターをぼんやり見上げていた。杉木立の上に烏天狗《からすてんぐ》が舞う画《え》がついていた。

——もしかすると、フロントの連中が末吉祐介《すえよしゆうすけ》にこのことをしゃべるかもしれない。

彼はまた不愉快な想像を持った。

末吉はあのホテルに泊っていないから、そんな話をフロントの者から聞くはずがないとは思いながらも、末吉が今晩か明日の朝にでもまたまたあそこに現われるような予感があった。

貴船口駅が近づいてくる。車内はがら空きになってゆく。味岡は眼を閉じた。イヤな想像にひきずりこまれるのを防ぐために、いまは紅葉荘ホテルに待っている金弥を考えることにした。

貴船口駅の前は一本道であった。これが坂道となっている。上りの方向が鞍馬山のケーブル駅にちがいない。味岡はその坂道を反対の下りに歩いた。人家が道に沿って一列にならんでいた。看板の出ている紅葉荘ホテルは人家から百メートルばかりはなれた山側の斜面にあった。ホテルといっても二階建ての小さなもので、本格的なホテルではなかった。うしろは黒い杉林であった。木の葉の匂《にお》いが鼻に漂ってきた。

出入口のドアを押すと、うす暗い照明で、廊下の先がさだかに分らなかった。その奥をさえぎるように大きな鉢《はち》植えの棕櫚《しゅろ》などが置いてある。

横のフロントもせまく、それでも蝶《ちょう》ネクタイをつけた男が中に坐《すわ》っていた。前に立った味岡をちらりと見上げて軽く頭をさげた。

「いらっしゃいませ」

「あのう、先刻《さっき》、伴《つ》れが着いているはずですが……」

自分の名も金弥という名前も云いたくなかった。先刻着いた「伴れ」といえばわかると思った。金弥が和服できているか洋装できているか分らなかったので、特徴が云えなかった。

「はい。お着きでいらっしゃいます。二〇八号室です。この廊下のつきあたりの角から右へ八つ目の奥でございます」

ボーイをよぶとか、じぶんで立って案内するというのでもなかった。蝶ネクタイはフロントの箱の中から出てこないのである。

味岡は案外な心持だった。金弥の話では客から紹介された閑静でいいホテルだということであった。だが、これではまるで話に聞いているラブ・ホテルつまり連込みホテルではないか。それも貧弱なのである。

このへんは京都の郊外で山静かな場所だからラブ・ホテルがあるのはふしぎでないにしても、もう少しましな建物であってよい。しかし、なまじっかホテルの従業員に案内されて室内でサービスされるよりも気楽は気楽であった。

NO.208 の白文字がついているドアをノックしたが返事はなかった。ノッブに手をやると鍵《かぎ》がかかってなく、抵抗なく開いた。味岡は黙って中に入った。

せまい三和土《たたき》の前が閉めきった襖《ふすま》になっている。それだけで和室とわかった。靴《くつ》を脱ぎ、襖を開けると、八畳ばかりの畳の部屋で、正面に床の間と違い棚《だな》、部屋のまん中が朱塗りの卓という型どおりの配置であった。床の軸は水墨淡彩の山水、生花は百《ゆ》合《り》の花、違い棚にガラスケース入りの京人形があり、隅にテレビがあった。

だれもいなかったが、その卓の上には茶道具の横に黒鰐《わにがわ》皮のハンドバッグが置いてあった。壁ぎわの衣桁《いこう》に吊るされたハンガーには明るいベージュ色のブラウスとその下に同色のスカートが二つに折られてかけてあった。金弥は和服でなく、ツーピースできていた。ハンドバッグも派手なデザインで、ブラウスの型も若むきになっていた。金弥は旅行だというので若やいできているな、と思った。

本人の居ない理由はすぐに知れた。近くからじゃあじゃあと水音がしていた。湯を出しているらしい。その様子だと風呂《ふろ》に入ったばかりのようだった。

横の乱れ箱を見ると、二組の浴衣《ゆかた》の一つがなく、残った一つだけが板のようにたたまれて片方にあった。

味岡は、やれやれと卓の前に坐って煙草《たばこ》を喫《す》った。灰皿の横に茶碗《ちゃわん》が二つあって、一つは盆の上に伏せてあるが、一つには茶が半分残っていた。熱湯を入れたジャーと急須《きゅうす》があったので、茶碗を起して急須に湯を注ぎ、ゆっくりと飲んだ。テレビのスイッチを入れてみたが、故障しているらしく画面が出なかった。

そんなことをして二十分ばかり費したが、浴室から金弥が出てくる様子はなかった。蛇口《じゃぐち》から出る湯音だけがしている。長風呂であった。

味岡も洋服を浴衣に着かえた。刈野温泉の経験で女といっしょに湯に入りたくなったのである。横の襖を開けるとせまい廊下のようなものがあって洗面所の隣にスリ硝子《ガラス》の浴室のドアがあった。電灯がついていて、スリ硝子には中の湯気がいちめん真白に映っていた。湯音は高くなっていた。

「おい」

味岡は、それでも浴衣を脱ぐ前にドアの外から声をかけた。返事はなかった。

「おれだよ、いま着いた」

やはり答えはなかった。髪でも洗っているのか。女は髪洗いにうつむいていると湯音といっしょに外の声が聞えないのかもしれない。

味岡はドアを中に押し開いた。蒸気が渦巻《うずま》いて顔にかかってきた。その湯気の下から眼を凝らして浴槽《ゆぶね》を見た。女の裸身はどこにも見えなかった。せまい浴槽のふちからこぼれた湯だけがタイルの洗い場に池のように溜《たま》っていた。

味岡は浴衣の裾《すそ》をからげて靴下を脱ぎ、入ってゆき、蛇口の湯をとめた。

なんだか様子がおかしい。いまになって気づいたことだが、上り湯の脱衣《だつい》籠《かご》に脱ぎすてた浴衣も下着もなかった。

もとの座敷に戻って、これまで開けてみなかった横手の襖を開いた。

水色の地に花模様の夏蒲団《ぶとん》が二流れならべて伸べてあった。枕元《まくらもと》に小さなスタンドは置いてあったが消してあり、襖をあけたこっちの座敷の明りでその蒲団の一つがもり上って見えた。

「なんだ、もう風呂から上って寝ていたのか？」

味岡の胸に浮んだのは、出町柳の駅で長いこと待たされて憤った金弥だった。むくれて蒲団に入り、声をかけても返事もしないでいるな、と思った。

「おい、金弥。どうしたんだ?」

味岡は笑いながら枕元に近づいた。顔まで隠している掛け蒲団の端をめくった。

味岡は叫びをあげたいような気持で部屋を出て入口の三和土の靴に片足を入れた。定まらぬ瞳《ひとみ》に女の中ヒールの白い靴が映った。ここに入るときは部屋に上るのに気がせいて見落したのだったが、いまは横の履物入れ箱の上に置いてあるのがかえって眼についた。

蒲団の中で死んでいる女の靴が生きもののように揃《そろ》えてあるのを見ると、彼は上りかまちに力が抜けたように腰を落した。

彼は頭を抱えこんでうずくまった。これからの自分の行動である。

すぐにフロントの男に報《しら》せようか。警察に訊問《じんもん》される。氏名、住所、職業を云わねばならない。死んでいる女と自分とは関係がないと云っても、では、なんのためにこのホテルに来たかと訊《き》かれる。その答弁が苦痛だ。苦痛というよりも困難だ。要するに女に会いにきたのである。

死んだ女は違っていても、場所と時間とを打ち合せて女と泊るつもりで来たことには間違いない。無関係とはやがてわかるにしても、それまでは警察に留置されるかもしれない。

新聞に名前が出る。発見者は日星建設の専務味岡正弘だった。味岡は京都北郊の貴船にある紅葉荘というラブ・ホテルに行った。新聞につづいて雑誌も書きたてる。会社の名誉を著しく傷つけた。役員を辞任しなければならない。

妻の怒り悲しむ顔が浮ぶ。家には来年女子大を卒業する娘と、今春大学に入った息子とがいる。

フロントの男には報せないことにした。黙って逃げることだ。

どうして逃げるか。こういうホテルのしくみとしてフロントの前を通る以外に出口はなかろう。

味岡には前に読んだ新聞記事が浮ぶ。アベックでとった部屋から男だけが出て、フロントとか帳場とかに、伴れは睡《ねむ》っているから起きるまでそのまま寝かせておいてくれ、自分は先に帰るからと料金を払って出たというのである。あとで従業員がその部屋に行ってみると同伴の女は殺されていた。警察では帰った男を重要参考人としてその行方を捜査中というのである。

味岡はそれを脱出の方法に考えた。フロントの蝶ネクタイにそう云って部屋代を払う。二十分くらいですぐ出て行くのだから、あの男は妙に思うだろう。急に用事ができてね、伴れのほうは今夜泊るそうだからよろしくたのむと云っておく。

が、これは危険である。あの男に顔をじっくりと見られる。入るときも見られたけれど、これは普通に客として一瞥《いちべつ》をくれただけであった。が、二度目となると先方の印象が強くなる。あの男から凝視されて人相や身体《からだ》の特徴をおぼえられるだろう。五十前後の年齢と肥えた体格だ。二十分ですぐ出て行くというのだから、これを奇体にとられたらなおさら観察がこまかになろう。先方に疑念が生じたらすぐにでもこの二〇八号室に走るかもしれない。

フロントを通らずに逃げることだと彼は決心した。なんとしてでも知られずにここを脱《のが》れなければならない。

彼は靴を小脇《こわき》にかかえ、さっきの床の間のある部屋に引返した。寝室の襖とは反対側にカーテンがあった。これをめくるとガラス戸になっていた。内側からさしこんであるネジ錠をはずした。濡《ぬ》れ縁《えん》があって狭い中庭になっている。すぐ前がブロック塀《べい》であった。かなりの高さに見えた。

夢中になっているときは、日ごろできないと思っていることが超力的にできるものである。たとえば火災のときの避難にそれがよくある。あんな重い物をよく背負ったものだとあとでおどろくのである。

肥《ふと》った身体の味岡が靴を紐《ひも》で結んで首にかけ、そのブロック塀をよじ登って外へ飛び下りたのだった。降りたときに灌木《かんぼく》を折ったとみえ高い音がした。静かな、山中にもひとしい夜である。彼は胆《きも》を冷やしたが、ホテルの中から追ってくる足音はなかった。

そこで首にかけた靴をはずし、つないだ靴紐を解き、はじめて両足を入れた。塀に沿った小径《こみち》がある。草の茂った向うは渓流《けいりゅう》であった。その渓流に逼《せま》って杉の山林が真黒にひろがっていた。これが重量をもってのしかかってくるようだった。

小径はホテルの出入口横へ行けるようにも分れていたが、おそろしくてそっちへは行けなかった。彼は坂になっている小径をまっすぐにしばらく歩き、家の裏手につきあたったところで右に折れた。舗装したひろい道路に出られた。

十時に近いので、道路沿いの家はみんな戸を閉めていて、家の前に立っている者は一人もいなかった。反対側の高い土堤《どて》を、明るい灯を窓に輝かせた電車が下り姿勢で走ってきたので、彼は思わずそれに背をむけ道ばたにしゃがんだ。

貴船口駅には入らなかった。あとからホテルの従業員が追ってきそうだったからである。そうでなくとも、貴船口駅からその時間に乗車した男があると駅員から警察に言われそうであった。

味岡は坂道を歩きつづけた。うしろから駆けてくる足音はなかったが、肥っていて歩くのに苦手な彼が、小休止もせず一キロの上り勾配《こうばい》の道路をひたすら足を運びつづけた。ここにも非常のさいの超力が働いていた。山林の中についた夜の道では行き遇《あ》う人とてなかった。

鞍馬駅にようやくたどりついた。駅前の斜面にある大きな旅館も黒い影になっていた。

ホームには電車が入っていた。味岡は駅の出札口にできるだけ顔を見せないようにして終点出町柳駅行の切符を買った。車内には十人ばかりの客がまばらにいたが、彼は隅《すみ》に腰かけ身体をねじまげて窓辺をむいていた。終電車の一つ前であった。

あれは殺された死体だった。味岡は窓の闇《やみ》に流れる寂しい灯を眺《なが》めながら思った。錯乱もようやく凪《な》ぎかけていた。

うすぐらい灯で見たのが剝《む》き出された両眼だった。静止した瞳と白眼《しろめ》に光が溜っていた。蒲団の端をめくって対面したのが東明経済研究所の事務員沢田美代子だった。

頭は枕からはずれて落ちていた。顎《あご》が仰向いて白い頸《くび》に赤い輪の筋があったように思うが、気持が動顚《どうてん》して定かでない。

髪が濡れていた。さわったときに指に水がついたので、その感覚はよくおぼえている。風呂から上ったばかりというところだった。

しかし、浴槽の湯は蛇口から出し放しであった。溢《あふ》れた湯がタイルの洗い場に池のように溜っていた。靴下を脱ぎ、その中をはだしで歩いて蛇口の栓《せん》をとめた記憶がある。

女が湯から上って蒲団の中で心臓麻痺《まひ》などを起して急死したのだったら、蛇口の栓はとめているはずだ。女は宿の浴衣をきて、かけ蒲団の下に横たわっていた。だれかが湯を出し放しにしておいたのである。

入浴しているところを襲われたと考えてみる。死体を浴槽から出して浴衣を着せ、敷かれた蒲団の中に置く。そうとしか思いようがない。

先刻、伴れが着いているはずだが、とこっちがきいたとき、フロントの蝶ネクタイは、はい、お着きでいらっしゃいます、二〇八号室です、と即座に答えた。先刻といったのはこっちは四十分くらいのつもりだったのだが、もっと正確に女の到着時間をあの男に聞いておけばよかった。

ドアには内から鍵をかけてなかった。そこにだれかが侵入した。女は浴室にいた。女が風呂をつかっていたのだから、部屋に入ってからそう時間が経《た》たないうちだったのだろう。やはり、こっちがくる四十分くらい前にホテルに入ったのであろう。してみると、女を殺した人物はおれとはわずかの時間の差で逃げたのだ。

どこから逃げたのか。もし彼女が男づれで来たのだったら、その男は例の手でフロントには伴れが寝ているからといって出て行ったはずだ。しかし、あの蝶ネクタイはこっちが訊いたとき、お着きでいらっしゃいますとすぐに部屋番号を教えた。お待ちかねです、といったような口ぶりであった。だから、沢田美代子はホテルに一人で来た。——

京都にむかって夜の風景が流れていた。一駅を通過するごとに暗い中の灯がふえてくる。山が去って空と野がひらけてきた。高い建物の明りも、ぽつぽつと見えてきた。

窓ガラスには車内の照明で自分の顔が映っていた。その顔を外の灯が横断して走るのである。映画の二重焼きした場面のようだった。

広い額についた横の筋、活力のない眼、不格好な鼻、しまりのない口、ふくれた頰《ほお》、鼻のわきから唇《くちびる》の端に刻みこまれた深い皺《しわ》。光線が両側からさしているので、窓に浮いた顔の明暗は醜い部分を強調していた。

その顔にむかい、味岡は口の中で云った。しっかりしてくれ。どうやら落し穴に落ちたらしい。心をしずめてこの穴から這《は》い出よう。あわててはならない。自分で混乱をつくらないことだ。考えろ。

考えろ、と言葉をかけた窓の鏡の眼は怯《おび》えていた。

彼は窓から首をまわした。眼が上をむいた。

《夏は涼しい鞍馬山へ！　健康を守る厄除《やくよ》け護摩《ごま》を！》

吊《つ》りポスターの文字が、度の合わない眼鏡で見るようにぼやけていた。

これはいけないと思って視線を下にむけた。少ない乗客のほとんどが睡っていた。

膝《ひざ》を組んだ男のズボンの下から派手な色の靴下が伸びていた。

味岡は、はじめて足の知覚が革にじかに接触しているのに気づいた。靴下をはいてなかった。

靴下を脱いで浴室にこぼれた湯の池を歩いたが、あわててそのままはかないで来た。脱いだ靴下をどこに置いただろう。

また激しくなった動悸《どうき》の中で思い出そうとした。耳が鳴ってきた。

蒲団の中の女を見て浴衣を洋服に着かえたのだが、靴下ははかなかった。早く立ち去りたい気持がこみ上って習慣的なことまで忘れていた。――洋服、シャツ、ズボン下などは乱れ箱からとって一つ一つ着た。シャツのボタンが容易にかからなかったから、あわてていたのだ。が、水色の靴下が乱れ箱の底にあれば無意識にそれをとって足に穿《は》く。そうしなかったのは、靴下が見えなかったからだ。あれは乱れ箱の外に落ちていたのだろう。自分はぞんざいな性質《たち》で、靴下でも乱暴に脱ぎ放しにして片方ずつどこかに飛んだりしていて、よく女房に文句をいわれる。

靴下をあの部屋に残してきた。これはもう間違いなかった。

素足に靴ではKホテルにも帰れなかった。出町柳駅に着き、駅前の雑貨屋がまだ店を開けていたのにはたすかった。

「どうかしやはりましたか？」

イスにかけて買った靴下をはく彼に店の主人がきいた。裸足《はだし》で靴をはいてくる客もめずらしい。

「水たまりにはまりこんでね。濡れた靴下《くつした》は捨ててきた」

「そりゃまあ、お気の毒に」

水溜りに入ったにしては靴は濡れてなかった。店主がそこまで気がついたかどうか。

駅前にもどってタクシーを待った。

あの置いてきた靴下が証拠になるだろうか。銘柄《めいがら》は縫いこんでなかった。靴下も普通品のありふれたものだった。女房がデパートで買ってきた。全国に何万ダースとなく売り出されている品ものだ。証拠にはならない。

駅前の風景は三時間前とあまり変りなかった。ただ、構内には人が少く、売店が閉まっていた。駅前も灯が減って暗くなっていた。風景の静かな変化といえばそんな程度である。が、そのあいだに自分の身に起ったものは激動的であった。一生の浮沈にかかわる重大さだった。そんなことが過去わずかの時間に起ったとは信じられないくらいだった。錯覚で終ったら、どんなにいいだろうと思った。

タクシーはなかなかこなかった。横を見ると公衆電話ボックスの中で髪を伸ばした若い男が受話器を耳に当てて面白そうに話していた。灯が若者の顔と肩を照らしていた。

三時間前は、自分もあのボックスに入ってKホテルに電話していた。

——ご婦人で、キンヤさんという方からのお電話のおことづけを七時四十五分にいただいております。

味岡の脚は電話ボックスに歩いた。

時計を見た。十一時十五分だった。夜の遅い家ならだれかが起きているはずだった。この公衆電話は市外にも通話できるだろう。彼はポケットから手帳を出して繰った。

若者の通話は長かった。受話器を握りしめて笑いながら聞いたり口を動かしたりしている。

あれでは、あとから入っても受話器に若者の指の温《ぬく》もりが気持ち悪く残っているにちがいない。

ふいに彼の持った手帳が慄《ふる》えだした。

自分の指紋を紅葉荘というラブ・ホテルの二〇八号室にいっぱい撒《ま》き散らしてきた！

若者がボックスから出てきた。

「お待ちどおさん」

京都らしい挨拶《あいさつ》を残した。

彼は逆上した意識で、半ば機械的に中に入った。受話器には若者の指のあたたかみがべっとりとついていた。

眼の前に電話局の標示があった。

《この公衆電話では市外通話はできません》

タクシーがようやく駅前に来た。

「どちらへ？」

乗ってから味岡は運転手に訊《き》かれた。

「……」

この場になって彼は迷った。

運転手は重ねてきいた。

「とにかく、御池《おいけ》通りに」

Ｋホテルには帰れない。ほかのホテルにしなければ、と思った。御池通りにある別のホテルを考えた。十一時を過ぎた街は通行人も車も少く、タクシーは矢のように走った。

――しかし、ほかのホテルに今夜泊ると、万一あとで警察から質問されたときに状況が悪くなるぞ。Ｋホテルに宿泊していながら今晩だけほかのホテルに理由もなく泊ったとすると、それだけでも警察に怪しまれる。お前は人を殺した直後だからＫホテルにまっすぐに帰ることができなかったのだ、ほかのホテルに隠れていたのだ、ときめてかかられそうである。そう先のことを考えると、戻りたくないＫホテルに入るより仕方がなかった。御池通りに来て彼は行先を運転手に云った。

ホテルのドアを押したのが十一時三十五分であった。味岡はそこから内部の様子を見るように眼を配った。客の姿はなく、照明も半分にして隅《すみ》がうす暗くなっている。

そこに彼を待ちかまえているような人影は眼に入らなかった。

フロントの枡《ます》の中も人が見えなかった。むろん客室主任の姿はない。彼はほっとした。これで出て行ったときの連中がかたまっていたら、かれらにじろりと顔を見られ、数時間の情事を済ませて帰ったと嗤《わら》われるにちがいなかった。連中は、その行先と女の名前まで知っている。

（ご婦人でキンヤさんという方からのおことづけで、鞍馬線《くらません》の貴船口《きぶねぐち》駅の近くの紅葉荘ホテルでお待ちしているということでございます）

このホテルに帰りたくなかった理由であった。

彼の靴音でキイ・ボックスを背にした係が一人、カウンターの中から顔をあげて立ち上った。睡《ねむ》そうな眼をして、彼の云《い》う番号のキイをとり出して事務的に渡した。

「おやすみなさい」

無表情で感情のない声だった。

部屋に入ると、上衣《うわぎ》とネクタイをベッドに投げつけた。シャツのボタンをはずして、水をコップに溢れるまで注《つ》いで飲んだ。咽喉《のど》が痛いほど乾いていたのをはじめて知った。

イスに尻《しり》をおろすと腰から下に疲労の重い鈍痛が這上《はいあが》ってきた。が、そこで休んではいられなかった。彼は肘《ひじ》かけに両手をかけて号令でもかけるようにして重い腰を浮せ、ベッドに投げ捨てた上衣からポケットをさぐって手帳をとり出した。出町柳《でまちやなぎ》の公衆電話ボックスの中で開いたのと同じページで、昨夜電話で聞いた金弥《きんや》の家の電話番号がひかえてあった。

十二時五分前だった。夜のおそい職業だから、まだ起きている。電話を外線直通にして手帳の数字通りにダイヤルを回した。頭の四つの数字は刈野局の局番だった。

耳に信号音が鳴っている。それが四回つづいて年寄りの女の声が出た。

「金弥さんのお宅ですか？」

「はい。どちらさまで？」

「座敷で前にお会いした者です。いま、居られますか？」

取次の者にはいきなり名前を云いたくなかった。

「すこしお待ちください」

年とった女の声は、座敷の客だというので素直に引込んだ。雇い婆《ばあ》さんかもしれなかった。

しかし、味岡はもう少しで受話器をとり落すところだった。金弥は家に居るらしいのだ。R県の刈野温泉の家に。

「もしもし」

まぎれもない金弥の声が出た。彼は咽喉が詰って声にならなかった。

「もしもし。……おかしいわね」

声がいぶかっていた。それも金弥のものだった。

「……金弥さんか？」

彼はようやく云った。自分でも声が変っているのが分った。

「はい。金弥です。どちらさま？」

「味岡だよ」

「味岡さん？　あっ、味岡さんなの。いつ、こっちへいらしたの？」

おどろいてはいたが、屈託のない調子だった。

「刈野に来ているんじゃないよ。この電話は京都からかけている」

「あらいやだ。刈野からだと思ったわ」

ダイヤル直通では市外電話か市内電話か取次いだ人にも区別がつかない。

「君は京都に来ていたんじゃないのか？」

「京都に？　いいえ、ずっとこっちに居たわ。刈野から動かなかったわよ」

この声は五時間前に京都駅前の喫茶店からだという電話の声と少しも変っていなか

った。あのときは受話器にレコードの音楽が入っていた。

「変だな。今日の夕方の七時前に、君は京都駅に着いたといって、ぼくのいるこのホテルに電話してきたがね」

味岡の声は震えていた。

「わたしが？」

金弥は、呆《あき》れた、という声を出した。

「とんでもないわ。わたしは京都なんかに行かないわ。だからそんな電話を京都からあなたにかけるわけもないわ。……ねえ、おばさん」

彼女は、そばにいる雇い婆さんらしいのに確認を求めた。そうですよ、姐《ねえ》さんはずっとこっちでした、と年よりの声が受話器に入った。

「それじゃ、その前に刈野からゴルフ場に電話をしてこなかったか？」

「ゴルフ場に？　そんな電話、しないわ。味岡さん、ヘンなことばかり訊くのねえ？」

その声や言い方は、ゴルフクラブの事務所に呼び出されてそこの電話で聞いたのとまったく違わなかった。

（味岡さん。あなたがこっちへ寄ってくれるかどうかアテにならないから、わたしのほうから京都に行くのよ。……わたし、あんたに遇いたいの。ふ、ふふふ。……よそのホテルか旅館に行きましょうよ。それはわたしが京都に着いてからKホテルのあんたの部屋に電話するわ。行先はそのときに決めましょうよ）

「もしもし、どうかなさったの？」

「いや、聞いている」

「わたしはこっちからも京都からも電話しないけど、あなたが帰りに刈野温泉に立ち寄るといわれたので、待ってるのよ。ねえ、ほんとうに待ってるのよ」

彼は耳を澄ませた。この言葉の調子も「京都駅前の喫茶店」からかけてきた声と同じであった。

（そいじゃ、出町柳の駅で待ってるわ。もしもし。あんまり待たしちゃァ、いやよ。……そお？　うれしいわ）

もしあれが他人のかけたニセ電話だったら、世にこれほど似た声を出せる者がいるだろうか。

「わかった」

味岡は眼を落して云った。

「それじゃ、これで切るよ。おやすみ」

イスに音立てて腰を落した。

直通のダイヤルだと刈野からだか京都からだか分りはしない。ひとむかし前の市外電話だと、交換手が、たとえば「刈野からです」とかならず告げたものだった。現在の直通ダイヤル方式だと、刈野に居ても、京都で電話をかけていると云っても判別がつかない。

だが、正午ごろにゴルフ場にかかってきた電話といい、夕方七時前にホテルにかかってきた電話といい、他人のつくり声では決してなかった。とくに正午の電話には、金弥でないと云えない言葉があった。

(どうしても早くあなたに遇《あ》って話したいことがあるの。あなたが訊いていた山下さんのことよ)

「山下」は、神邦ビルの屋上で他殺死体となって出た柳原孝助がその前に刈野温泉に潜伏していたときの偽名と思われる。その山下のことを話すという金弥の約束だった。

こんな独自なことを第三者が声真似《まね》だけで云えるだろうか。

昼間の電話も夕方の電話も金弥本人のものだ。金弥は見えすいた嘘《うそ》を吐《つ》いている。嘘というよりも策略だ。

金弥の電話に乗せられてうかうかと夜の鞍馬山麓《さんろく》のラブ・ホテルに横たわっている

沢田美代子の死体へ近づいた。それも宿の浴衣《ゆかた》に着かえ、彼女の入っている蒲団《ふとん》の傍に坐《すわ》るばかりだった。逃げてこられたのが現実でなく思われた。

巨勢《こせ》堂明《どうめい》の秘書的存在だった沢田美代子がどうしてあのような場所で死体となっていたのか。首に絞殺の痕《あと》をたしかに見たと思う。何よりも浴槽《ゆぶね》の湯が出し放しにしてあったのが他殺の証拠だった。

沢田美代子はなぜ殺されたのか。それを考えるのはいまの味岡の脳髄ではできなかった。どうして自分が嫌疑《けんぎ》の圏内を脱《のが》れるかという思案で占められた。

警察に自分の名をいって電話しようか。紅葉荘の二〇八号室に女の他殺死体があると教えるのだ。わざわざ電話で通報するのだから警察では疑わないだろう。

なにをとんでもないことを考えているのかと味岡は殴られたようにわれにかえった。名前を出しては絶対に駄目《だめ》だ。殺人者の嫌疑は晴れても、女に遇いに連れこみホテルに行ったとわかっただけでも致命的だ。

いまの電話でもわかるように、金弥は、こっちの云うことを否定するだろう。京都になんか行きませんよ、刈野から動いていません、そんな電話をかけたこともありません、味岡さんの云うことはみんなデタラメです。

——それに、蒲団の中に横たわっていた沢田美代子は、殺されて間もないといった状態ではなかったろうか。浴槽の湯が出し放しにしてあった。

彼女の髪は濡《ぬ》れていた。枕《まくら》をはずして頭を落していたが、その下の敷蒲団も濡れていた。そういえば、彼女の顔に手がさわったとき、冷たかったという記憶がない。むしろあたたかかったように思う。湯から上って間もなかったのだ。そこへちょうど自分が行き合せた。ごていねいに次の間で二十分くらい待っていた。

あの部屋に指紋をいっぱい残してきたと思うと味岡は貧血が起りそうだった。云い逃れのできない物的証拠だ。どうしたらよいか。どうすればよいのか！

もし、出来ることだったら、これから貴船へ行き、あの紅葉荘ホテルの二〇八号室にもう一度忍びこみ、乾いた布で指紋の付いていそうなあらゆる場所を拭《ぬぐ》いたかった。何時間かかろうと、指紋が一つも残らないように消したかった。あの忘れてきた靴下も取ってきたい。

じっとしていられなかった。味岡は疲れて腰が石のように重いのも忘れ、部屋の中を喘《あえ》ぎながら歩き回った。

九

ベッドに入ったが、ろくに眠れなかった。

そんなはずはなかった。昼間はゴルフ場で十八ホールを回った。ふだんだとそれだけでもくたびれてぐっすりと熟睡に引きずりこまれるのである。そのうえ、夜はあのホテルの裏側のかなり高いブロック塀《べい》を乗りこえて、鞍馬《くらま》駅までの長距離の坂道を走るように歩いた。日ごろの体力を超えたものが非常事態の中で発現したのだが、そのあとは身体《からだ》じゅうが萎《しな》びて、回復のためにも生理的な自然の機能が死んだような睡《ねむ》りに導くはずであった。

それなのに、眠れなかった。たしかに身体が石になっていたが、頭の神経だけは起きていた。心臓も鼓音が耳に聞えるほど高くて速かった。寝返りを何度もうった。そうすればするほど眼《め》の奥が冴《さ》えるのだった。鼓膜に地鳴りがつづいた。

窓のカーテンにうすく白い色が透けてみえてきた。五時になっていた。彼はベッドから降りて、カーテンをいっぱいに開けた。どこかの寺の塔が回教寺院のミナレットのように突き出ている京都の黒いシルエットの上に、涼しげな乳白色がひろがっていた。

夜が明けた。味岡はこれを待っていた。

電話機に寄って直通で東京のダイヤルをまわした。

信号が行っている。耳につけた受話器に眠っている家の気配が聞えた。区切りをつけてベルがその家に響いていた。その信号音は十回で熄《や》んだ。

「もしもし」

眠そうな中にもびっくりした中年女の声だった。その女も電話で起されたとき時計に眼を遣《や》ったにちがいなかった。五時三分であった。

「朝早く恐縮です。専務の味岡ですが」

「あ、専務さん……」

中年女の声は眼が醒《さ》めたようになった。

「申訳ありません。大石君をおねがいしたいのですが」

「は、はい。ただいま」

道路建設部長の妻は急いでオルゴールの音色《ねいろ》にかえた。それが四十秒ほどつづいた。早暁《そうぎょう》なので音律は冴えて受話器に伝えた。

「専務。大石です。お早うございます」

音色が断たれ、大石謙吉の声があわてたように出た。声がかすれているのは妻にたたき起されたからだった。

「お早う。朝早く起して悪かったね」

「いいえ。どういたしまして。あの、いま、どちらからですか？」

大石の声は気ぜわしそうであった。こんな時間に専務が電話をかけてきて、何ごとが起ったかと思っているようだった。

「京都のKホテルからだ」

「はあ。さようですか」

「そちらに、なにか変ったことはないかね？」

「いえ、べつに。……変ったことといいますと？」

大石は意を判じかねたように問い返した。

「変ったことといえば、状況の変化だ。むろん、業務の上だが」

「それは何もございません。ご安心ねがいます。……けど、専務のほうに何かそういうお心当りでも？」

「いや。なにもないよ」

「はあ」

大石の狐《きつね》につままれたような表情が見えるようだった。

「済まなかった。こんなに朝早く電話して」

「あの、専務」

大石が急いで呼びかけた。

「……」

「あのう、そちらでは巨勢先生にお会いになられたわけですが、こんどはこの前の約束は確実に実現してもらえるのでしょうねえ？」

「ゴルフ会だよ、例の。そういう話を先生にする時間はない。みんな集ってるんだから」

「しかし、そのあとにある懇親会場の廊下なんかで立ち話でもされたんでしょう。そこで先生から実行の確約をとりつけていただけなかったんですか？」

「大石君。懇親会はお流れだったんだ。先生の都合で」

「お流れ？」

「中止だ。それからね、南苑会《なんえんかい》には末吉《すえよし》君が新たに加入していた」

「甲東建設の末吉さん……？」

「ぼくが口をきいたわけではない。末吉君がじかに先生にたのみこんで許可してもらったらしい」

「ほう」

——こんな話をするため大石を叩《たた》き起したのか。味岡は自分で自分がわからなくなった。

「もしもし」

道路建設部長の大石謙吉は、受話器の前で黙っている味岡に呼びかけた。沈黙しているのではなく、味岡の喘ぐような呼吸《いき》づかいが大石の耳にもとどき、何か異常事態の発生を感じとったのであろう。この早朝電話もふだんにないことである。

「専務、どうかなさいましたか?」

大石は心配そうにもういちど呼びかけた。

「大石君」

味岡はやっと声を出した。

「はあ?」

「どうやらワナにかけられたらしい」

「え、ワナ? どういうことですか?」

「……」

味岡はまた激情がこみ上ってきて声が詰った。

「まさか、前の約束を違《たが》えて、こんどの工事からウチをはずそうという謀略のことじゃないでしょうね？」

大石の声も高くなった。

「いや、まだそういうところまではいっていないが」

「いっていないが、何ですか？　そのワナというのは？」

そのワナというのは、と味岡は咽喉《のど》まで言葉が出かかったが、それが口から吐けなかった。巨勢堂明と特別な関係にある沢田美代子の他殺死体が横たわっている連込み旅館におびき寄せられたとは、重大すぎて、話も複雑すぎ、電話などでは云《い》えなかった。それに、こんな興奮状態では話が支離滅裂になりそうで、とうてい正確には伝えられそうになかった。

「大石君、いまは何も云えない」

「はあ。……では、どなたかその部屋の近くにいらっしゃるんですか？」

「え、この部屋の近くに？」

云われて味岡のほうが受話器を持ったまま、思わずあたりを見回した。

「……いや、そういう者はいないが」

「そうですか。なんだか心配ですね」

「何が心配かね？」

「いつもの専務とは様子が違うような気がするからです」

「……」

「専務は、いつ東京にお帰りですか？」

「これからこのホテルを引き払って、なるべく早い時間の新幹線をつかまえて帰る。帰ってからゆっくり話す」

「わかりました」

「しかし、君と会って話をするのは本社じゃない。執務室にはいろんな人間が入ってくるからね。そうだ、東京でないほうがいい」

「え、東京でなく？」

大石はまたおどろいた声を出した。

「うむ。……」

東京にまっすぐに帰るのは危険だという考えが味岡の胸を閃光《せんこう》のように通過した。

では、何処《どこ》にすればよいか。彼は頭の中で東海道線の地図をくりひろげていた。

「大石君。ぼくの留守に、ぼくを訪ねてくる者はいなかったか？」

味岡は地図の点検を急にあとまわしにした。

「そりゃ、たくさんお客さんが見えましたよ。専務が出張中というので、帰社されるのを待つということでした。わたしが代理で聞いている件数も相当ありますが」

「いや、業務関係じゃない」

「個人的な用事で見えた人ですか？　そういう客は、電話だと交換台か総務部のほうでお断りし、来社した方は受付まででお帰りになったと思います」

「その中で、ヘンな用件できたものはいなかったかね？」

味岡の頭には警察の捜査員があった。

「ヘンな用件でですか？」

大石は判じかねていた。味岡も警察の者とはいえなかった。

「とにかく、ぼく個人に関して変った用事で来た人だ」

「ありません。聞いていません」

警察はまだ来ていないようだった。しかし、昨日まで来なかったとしても、今日も来ないという保証はない。

（ところで、東京の新聞には、神邦ビルの屋上で発見された他殺死体の捜査の続報が出ていないか？）

味岡は、つづけてよほどそれを大石に訊《き》こうかと思った。が、この質問の答えが彼に怕《こわ》かった。捜査の進展が不安である。それに第一、そんなことを彼にきけば、その事件は専務とどういう関係がありますか、と大石に反問されるか、反問されないまでも大石に疑問をあたえるにちがいなかった。

「大石君。こんど、こっちに来てね、巨勢先生の正体がわかったよ」

味岡は、また、突然、話を変えた。頭に浮ぶことがそのまま口をついて出るみたいで、彼は自分ながら思考が分裂しているように感じられた。

「先生の正体って、なんですか？」

「先生が、大蔵省や各省の高級官僚やそのＯＢに強いという理由《わけ》がさ。じつに、ひょんなことから知れた」

「え、それは、ほんとうですか？」

大石は、専務のくるくる変る話にとまどっていたようだが、この言葉は少からず彼に好奇心を起させたとみえ、受話器が震えるような高い声を出した。

「……そりゃァ、大収穫でしたね。専務。だれも知らないその秘密を発見されたのは。いったい、何ですか？」

「この電話では云えない。あとで君に会ったときに話すよ」

味岡は踏みとどまった。

「わかりました。専務。それでは、どこでお会いしましょうか？」

大石は、質問を前にもどした。が、こんどはずっと乗気になったようだった。

「そうだね。……」

味岡に東海道線の地図が再び出てきた。「ひかり」だと途中は名古屋にしかとまらない。「こだま」は停車駅が多い。

(熱海《あたみ》にしようか。どこか静かな温泉旅館に入って、大石と相談しよう。熱海が人目につくなら湯河原《ゆがわら》でもよいし、熱川《あたがわ》あたりでもよいが。……いやいや、それだと熱海と同じようなものではないか。知った人間のだれが遊びに行っているかわかったものではない。そうすると、浜松あたりか。浜松だと東京から遊びに行く連中は少なかろう。それに京都と東京のほぼ中間にあたる)

「浜松にしよう」

味岡は受話器に告げた。

「浜松ですか。わかりました。浜松はどこでお待ちしましょうか？　駅ですか？」

大石は、そう訊きながら妻に鉛筆とメモを急いで持ってくるように云いつけていた。

「駅は、まずいな」

「はあ？　そうすると、どこかホテルか旅館にでも入って？」

「市内でないほうがいい」

こんな心理状態のときに、ざわざわした市内では落ちつかなかった。

「温泉のようなところがいいかもしれない」

「浜松近くの温泉地といいますと、浜名湖の北側にある館山寺《かんざんじ》か、もっと豊橋寄りの蒲郡《がまごおり》ぐらいですが」

「館山寺がいい」

「わかりました。館山寺はどこの旅館にいたしましょうか？」

「ぼくは、館山寺には行ったことがない。君は知ってるか？」

「二、三度あります。五年前に三ヶ日《みっかび》の北方で、県の二十キロのバイパスをわが社で請負ったときに工事の監督に出かけました。そのとき昼飯を旅館で食ったことがあります。……専務、あの工事も専務の叱咤《しった》激励で、同業の七社を最後の談合ではねとばして仕事を取りましたね。いま考えても愉快です。あのころは、専務のおかげで、ウチはみんな気合がはいっていました。憎まれるだけ闘志が湧《わ》いたものです。いや、いまでも気合がはいり放しですが。専務。専務にも金鈴湖に行っていただき、予定工事現場を見ていただいたんです。ぜひ、あの全工区の五区以上はウチで取らなきゃいけませんせん。積極性はウチの社風ですからね。専務がそれを作られたんですよ。専務、こんども頑張《がんば》りましょう。わたしもこれに全精力を集中するつもりです。ご指導ねがいますよ」

大石の声は当時を思い出してか心地よげな昂奮《こうふん》があった。

「大石君。じゃ、君のほうが館山寺の旅館かホテルに詳しいわけだ。どこがいいかね？」

味岡は、大石の陶酔に乗れずにいった。

「失礼しました。それだと、ええと、そうですね、湖翠閣《こすいかく》がいいでしょう。あんまり大きくない日本旅館ですが。湖の傍ですからすぐ判《わか》ります」

大石は、旅館の名を一つ一つ漢字の説明で伝えた。

「よかろう。そこで落ち合おう」

「承知しました。それで、何時までにその旅館にわたしは入っておればよいでしょうか？」

「いまが、五時三十分か。ぼくは六時半にこのホテルを出る。七時台の〝こだま〟に乗れば浜松には九時半ごろには着く。館山寺のその湖翠閣には、時間の余裕をみても十時半には入れるよ」

「わかりました。では、わたしは、これからすぐに支度をして館山寺に行きます。十時には湖翠閣に入っているようにしたいと思います」

「大石君。この話合いは君とぼくだけの内密な会合だ。ほかの者には黙っていてくれ。ほかの役員にも、幹部社員にも。君も急なことで仕事上困るだろうが、今日はね、しかるべく口実をつくって会社を休んでほしい」

「わかりました。そのつもりだったんです」

味岡は腹心の忠実に満足した。三十分以上にわたる長電話は終った。

彼はイスからはなれ、ベッドに移って倒れるように背中をつけた。眼《め》は白亜の天井に動かずに向いていた。電話機の傍のスタンドだけに灯を入れていたが、カーテンをとりのけた窓ガラスには朝の白い明りが増していた。

――いまの大石との電話の打合せは、昨夜の金弥《きんや》との待合せの電話のやりとりとそっくりではないか。これに思い当った。

何ということだ。偶然の電話のなりゆきまで似ているとは。落ち合う旅館は先方の指定だ。そこに何時までに入る。

気味が悪いくらいだった。しかし、金弥の場合は、場所も、その旅館も向うの指定だった。大石との電話は、浜松と決めたのはこっちだし、温泉のある旅館と云ったのもこっちだ。あとは大石がその指定に導かれて館山寺の湖翠閣を答えたまでだった。金弥のときとはだいぶん違うではないか。

味岡は天井を睨《にら》みつづけた。

大石と話し合っているうちに、こんどの罠《わな》のからくりに推測がついてくるだろう。二人で語り合い、おかしいと思われる人物を一人一人洗い出してみることだ。だいたい、見当はついているが。

大石に会うと思うと味岡は元気が湧いてきた。この場合、この腹心の部下が頼りであった。


顔を剃《そ》っているうちに、味岡は家に電話しようと思った。六時五分前だった。このホテルを七時前には出ないと十時半までに館山寺の湖翠閣という旅館には入れない。家じゅうでまだ寝ているが、仕方がなかった。無性に電話がしたかった。

ベルが鳴りつづけている。大石の家にかけたのと同じだが、わが家だけに味岡には電話機のある茶の間が浮び、そこから女房や子供たちの寝ている部屋の距離まで眼の前に出ている。三、四分ぐらい経《た》って信号音が止《や》み、女房の声が出た。大石の家と同じだ。しかし、こっちは一時間も遅い。

「あら、あなたですか？」

妻は少し意外そうだったが、異例の早朝の電話でもそれほどびっくりはしていなかった。夫の声とわかって泰然としていた。

「変りはないか？」

「ヘンね。こんな朝早く電話でそんなことを聞いて。べつに変りはありませんよ」

女房は電話のベルで起されたせいか不機嫌《ふきげん》そうな声だった。咽喉に痰《たん》がからんででもいるように老婆《ろうば》のような声だった。

「警視庁から、おれに何か聞きたいことがあるといってだれか来なかったか？」

味岡は思いきって問うた。

「そんな人はだれも来ませんよ」

妻は自若としていた。警視庁と聞いても会社の関係だと思っているらしかった。女房の鈍感が、味岡にはいまの場合、救いであった。警察は来なかった。

考えてみると、行先が分っているのだから、警察がくるとすれば、会社に聞いてこのホテルにじかにやってくるわけだった。どうも頭の中が濁っていると思った。

「まだ京都だ。今晩、帰るよ」

味岡は云った。

「そう。何時ごろ？」

「いろいろとこっちで用事があるから、十一時を過ぎるだろう」

なるべく夜遅く戻りたかった。

「そうですか」

感動のない声だった。

味岡のほうが索莫《さくばく》とした気持になって、

「ポピーの毛は剪《き》ってやったか？」

と、どっちでもいいことをきいた。飼犬のコリーのことだった。

「いいえ、まだです」

「明日の朝、おれが剪る。それまでそのままにしておけ」

「そうします」

女房は京都から朝早く電話をかけて来て、何をバカバカしい、という口ぶりだった。

「じゃァ」

娘も息子もまだ寝ているだろう。べつにどうしているかとも訊かなかった。

「今晩、十一時ごろね。何か、お夜食でもつくっておきましょうか？」

「そうだな。冷し素麺《そうめん》くらい用意しておいてくれ。冷蔵庫でよく冷くしておいてな」

「わかりました」

受話器を置いた。家庭が切れた。

味岡は急いで身支度をしながら、片手でダイヤルの番号を二回まわした。

「お早うございます。フロントでございます」

「いまから引きあげる。会計の用意をしておいてくれたまえ。それからポーターを部屋に寄越《よこ》すように。ゴルフ道具があるんでね。それから、駅までの車をたのむ」

こんなホテルはもう一刻も早く出たかった。

「あの、いま、お発《た》ちのお客さまがたで車のお呼びが混《こ》んでおります。少々、お時間がかかりそうですが」

「どのくらい？」

「三十分か四十分くらいはお待ちねがうかと存じます」

そんなに朝立ちの客が多いとは知らなかった。ロビーは混んでいるらしい。

ふと、危惧《きぐ》が湧いてきた。

(末吉祐介《すえよしゆうすけ》が下に立っているかもしれない)

このとき、ドアの下に物音がしたので味岡はぎょっとした。

ドアの隙間《すきま》から朝刊が半分床の上にすべりこんでいた。

味岡は新聞を拾いあげた。おずおずと開きかけたが、おそろしくて指が動かなかった。社会面のトップに《貴船《きぶね》のホテルで女性絞殺さる。逃げた伴《つ》れの男》という大見出しの活字が直撃してきそうであった。

彼は神仏に祈るような思いで眼を閉じてページをひらいた。眼を開けたが、幻影の活字は消えていた。あるのは関係のないほかの事件ばかりだった。写真といえば丹後海岸の海水浴の混雑ぶりが大きく出ていた。

(どうしたのだろう？　あれは昨夜の夢だったのか？)

そんなことはあり得なかった。どうして夢や幻想なんかでありえよう。げんにいまはいている靴下《くつした》は家から持ってきた水色ではなく、昨夜出町柳《でまちやなぎ》の商店で買った黒の安物であった。それに、この靴だ。裏の泥《どろ》が両側にもこびりついていた。ホテルを逃げ出して裏側の小径《こみち》を歩いた証拠だった。

(朝刊に出ていないのは、あの死体がまだ発見されてないからだ)

味岡は判断した。

紅葉荘ホテルの従業員が二〇八号室を見に行くのは、朝になってからだろう。あまり起きてこないのでドアを叩《たた》き、はじめて変事を知るということではないか。それはいまごろかもしれない。時計は六時四十分になっていた。

それとも、発見が未明の二時すぎだったら記事に間に合わない。朝刊の締切は午前一時半か二時までだろう。

室内にはテレビがあった。ニュースは七時からだ。最初は総合ニュースで政治問題からはじまる。地方ニュースはそのあとだから七時十五分ごろから出るにちがいない。それまではここで待てないし、見るのが怕《こわ》かった。

電話の音に、痙攣《けいれん》が総身に走った。

「フロントでございますが、お待たせしました。玄関が空きましたので、どうぞ」

「ポーターを……」

「いま、お部屋にうかがわせました」

直後にチャイムが鳴って、二十五、六くらいの色の黒い、長身のポーターがドアの外に立っていた。

隅《すみ》に立てかけたゴルフ道具を肩にになない、スーツケースを持ったポーターは味岡の後からエレベーターに入った。

「昨夜は、よくお睡《やす》みになりましたでしょうか？」

二人だけの函《ケージ》の中でポーターは背中を壁にもたれた格好できいた。

「どうして？」

思わず反問したのは、ポーターにまで内偵《ないてい》されているような気がしたからだった。

「いえ、昼間のゴルフでお疲れやと思いましたんで」

ポーターは昨夜の外出を知ってないようだった。今朝から交替したのかもしれない。昨日の客室主任も今日は非番のはずだ。

しかし、末吉祐介はロビーのどこかにひそんでいるかもしれなかった。フロントの窓口で金を払っているとき、靴音を立てないで影のように寄ってきて、専務、お発ちですか、と背中から声をかけそうな気がする。

ロビーの端で降りた。眼を左右に配ったが白髪頭《しらがあたま》は見えなかった。会計《キャッシャー》の窓口で示された勘定書《ビル》の数字どおりに財布の札を数えた。奥に客室主任の姿はなかった。かぞえている途中で、ふいに後をふりむいたのは、背中に風圧のようなものを感じたからで、逆に忍び寄った相手を睨み返すつもりであった。白い頭はどこにもなかった。領収証をもらってポケットに押しこんだ。

前の広場では、タクシーの後部トランクに運転手がゴルフバッグを押しこむところだった。ポーターに五百円札をくれてやってスーツケースをうけとり、車の中に入った。窓ガラスの外でポーターが腰を折ったが、大きな眼をむいてこっちの顔を直視していた。

十

「駅の新幹線側へ」

これでようやく京都とお別れであった。二泊三日が三年ぶんにもあたるような長い滞在だった。

肩を座席に着け、煙草《たばこ》の烟《けむり》を肺臓に溜《た》めた呼吸《いき》といっしょに吐いた。

(どうして、こんなことになったのか)

流れてくる風景がめまぐるしくて眼蓋《まぶた》を閉じた。

だれかにねらわれている。そうでなければこんな目に遇《あ》うことはない。

個人的なことで思いあたるものはなかった。家庭のほうは、不満はあっても紛争はない。特定な女の問題もかかえてなかった。現在の会社に入社して三十年近く、会社だけに尽してきた。そのため個人の欲望も犠牲にしてきている。機会はいくらでもあったのだが。

がむしゃらに働いてきたのは、日星建設をなんとかして一流の建設会社に押し上げるためであった。入社当時は三流会社もいいとこだったが、いまはなんとか一流へと迫っている。《追いつけ、追い越せ》という言葉が味岡は好きだった。他人には魂のないこの俗な標語が、彼には聖句のように気に入っていた。

なにごとも体験のない人間には理解ができまい。この句には屈辱をうけた者の忿怒《ふんぬ》と復讐《ふくしゅう》がこもっている。差別で痛めつけられてきた者を奮起させる檄《げき》であった。この標語を口ずさむと、リズムが進軍喇叭《らっぱ》の響きをもつ。眼を先行するトップグループの背中へ標的のように密着させ、走る身体《からだ》から汗が地に流れ落ちる。歯を喰《く》いしばった形相が見えて、味岡には好きだった。

その歯を喰いしばった形相が若いころの自分だった。ある公共事業の工事の指定にはいれたが、入札値の談合について同業者との折合いがつかなかった。渋い着物の似合う恰幅《かっぷく》のいい談合屋が入って、お前では話が分らん、社長を呼べといった。社長は病気で寝ている、わたしが全権を任されていると云《い》ったら、小部屋にひきずりこまれてステッキで感覚がなくなるほど打擲《ちょうちゃく》された。顔が腫《は》れ上ったが、うめき声はくいしばった歯で防いだ。実際に殺されるかと思った。警察には絶対に届けなかった。届けたら最後、こっちが自滅である。そういう「俠客《きょうかく》」のような談合屋が横行する時代であった。いまから十五、六年ぐらい前の話で、日星建設も片隅のほうで仕事をつっているときだった。業者の談合でも「古顔」と「新参」とがあり、「新参」はいつも「古顔」の横暴に泣くが、そのうちに談合による仕事が回してもらえると思い、顔でおとなしく笑っていたものだった。

日星建設も少し成長した。味岡はそのころから社長の代理で「談合」の場に出ていた。

その場の雰囲気《ふんいき》もしだいに呑《の》みこめるようになった。会社も手をひろげてきた。しかし、新しい地域での仕事ではいつも新参であった。むろん公共事業ばかりの入札である。

入札日はたいてい現場説明の五日ないし十日後であった。話し合いはその前日が普通だが、長引きそうなときは前々日に談合を持つ。時間と場所は現場説明のあった帰りに決める。その土地ごとに業者の団体があって、談合の場をとりしきるのは古顔の輪番になっている幹事であった。県庁や市役所に近いビルの一部屋に会員が集る。

指名を受けた業者は、各社とも運動しているので官庁の幹部役人や地元代議士などに日ごろからコネを持っていた。そのために一社にすっきりときまることがなかった。

曾《かつ》て十三社による談合があった。まず全員が部屋に集ったところで古顔の幹事が、今回の仕事について各社の希望の有無を聞きます、と云って一社ずつ聞く。

希望します、とか、ウチはみなさんのお世話になっているので、今回は辞退します、などいろいろあって、結局、八社に絞られた。

八社が話し合うことになった。だれも先に立って発言しなかった。うかつに何か言うと、居合せた連中にたちまち群狼《ぐんろう》のように牙《きば》をむいて食いつかれるのを知っているからだ。沈黙のうちに互いの様子を眼でさぐり合っていた。幹事は苛立《いらだ》ったように云った。

（いったい、どうするんですか。黙っているんじゃ、どうにもならんでしょう。それなら、まず原則を決めようじゃありませんか。第一に、最悪の場合でもタタかないこと）

実際に競争入札をすると、その結果、落札値を下げてしまうからである。

（そして、最終的には多数意見に従うことです。どうですか？）

ほとんどが賛成する。多数意見となると古顔連中だけの横車がまかり通り、新参も後難をおそれて、それに賛成しないわけにはゆかないのである。味岡が出たとき、それに反対する社が二社あった。幹事と古顔とは眼を剝《む》いた。

(あんた、原則に反対だと云うが、それなら、どうやって話をまとめるというのかね。それともはじめから話をまとめる気がなくてここに出てきたのか。まとめるつもりがないなら、すぐ帰ったらどうか。真意をはっきりと云ってみろ)

その見幕に二社の代表は挫折《ざせつ》した。

(そうまで云われるのでしたら、ええと、原則を決めるだけのことですから、みなさんの意見に従います)

ここで反対した社は、あいつは生意気だ、まず落してしまえ、と睨まれることになる。

次は、幹事の提案で、八社がそれぞれ希望の趣旨を述べた。

(最近、工事の実績がないので、こんどはどうしても欲しいんです)という者。

(こんどだけはわたしの顔を立ててほしい。次には、きっとみなさんのお世話をいたします)という者。

(今回、営業的には、どうしてもこの仕事をもらわなくてはならないんです。社内的な詳しいことは云えませんが、名前だけでいいからお願いします)という者。

その言葉の含みは、この社が落札はして、実際の工事は他社に回し、名義料四パーセントでいいというのである。

（ウチは経営が苦しいんです。この工事を取らないと、手形がまわらなくて……）と泣き言をいう者もあった。

すると幹事が怒鳴った。

（経営が苦しいのは、経営努力が足りないからだ。苦しいのはみんな同じだ。苦しいから工事がとれるというのなら苦労はしない。そんなネボケタことを云うな）

（ウチはこの会に入って五回ほど入札に参加しているんですが、まだ全然取れていないので、今回はぜひおねがいします）という者。

（生意気なことを言うな。こっちだって今まで何十回とやっているが、取れたのは二回だぞ。新入りが何を言うか）

古顔が叱《しか》った。

こうして諦《あきら》める者が次第に出てきた。

（こんどは皆さんに貸したことにしますので、次回はわたしのほうをおねがいします）

しかし、次回に取れる保証はどこにもなかった。

幹事は云った。

（このまま、みんなで話し合っても仕方がありませんから、組合せでやりましょう。一時間だけ待ちますので、よろしく）

クジ引きをして二社を一組にし、そこから一社を選定することになった。三畳くらいの狭い部屋で二人で話し合う。これは大手もいっしょだった。話し合いといっても内容ははじめから何もなかった。むしろヘタにしゃべって説得されるのを避けた。

手洗いに行くとか電話をかけに行くとかいって部屋をちょっと脱《ぬ》け出すのがいた。味岡もはじめはそれを言葉どおりに受けとっていたが、あとになってだんだんにわかってきた。部屋を出て行った者は、すでに落札希望をオリてしまった社の男のところへ行って相手の悪口を云い、中傷するのであった。あいつは、ただ、仕事がないから欲しがっているだけなんだ。どうも云うことが生意気だ、あんな野郎はやっつけてしまえ。

三組のうち二組はまとまった。一組はどちらも譲り合わずに決まらない。一時間という約束は迫ってくる。そのうち、オリてしまった社の連中がその部屋に集ってきた。部屋を脱け出て相手の悪口を吹聴《ふいちょう》してまわったのがそのとき毒薬のような効力をもってくる。

――あんたが頑張《がんば》るのはわかるけれどね。しかし、みんな約束を守ってオリてるじゃないか。

(いや、どうしても、今度は仕事が欲しい。絶対にもらってこいと云われたんです)

――もらってこいと云われたとは、どういうことだ。おまえは責任も持っていないのか。もし責任を持ちきれないなら、おまえなんか帰ってしまえ。

(いや、仕事をもらうまでは帰れません)

――なに、帰れん？　帰れんと云ったって仕方がないじゃないか。そんなことを云っているのは、おまえだけだぞ。

――おまえは、いつもガタガタ云うじゃないか。この前だって、おれがなだめても、いうことをきかなかった。こんなことばかりやってると、次から仕事をもらえないぞ。この業界では、もう、生きてゆけないようにしてやる。おまえがそういう態度なら、おれはいつだって対抗する。なんなら、チンピラの百人ぐらい連れて工事現場を襲わせようか……。

胸ぐらをつかむ者もいた。

皆にとりまかれ、責めたてられて顔面蒼白《そうはく》となり、両手を突いて頭をさげる。

(おねがいします。どうか、おねがいします)

――おねがいしますだけですむと思うか。そんなことで済むなら、話し合いなんかいらないぞ。

――まあまあ、そう云わないで、と止めに入る者もいた。なあ、あんた、あんたもまだ年は若いようだから、この仕事は相手の社に任しなさい。おれは役所の局長も、代議士の先生がたも知ってるんだから、今回あんたの社が引けば、次はおれがあんたの顔を立つようにしてやるから。この仕事だけがあんたの社の全部じゃないだろ。

(この仕事が、わたしの社の生き死《しに》にかかってるんですから、おねがいします)

――おれの云うことが聞けんのか。おれが、ちゃんとすると云っているのに、信用できんのか。

(次には、きっと、絶対に、恩をお返ししますから)

――何をぬかす。今度のことを云っているんだ。次のことなんかどうでもいい。

(おねがいします。このとおりです。拝みます)

拝んでいるのが十五年前の自分の姿だった、と味岡は思い出している。

その後は《追いつけ、追い越せ》の聖句のもとに、若い部下に曾ての自分と同じ姿をさせてきた。社の絶対命令だ。殺されても仕事を取ってこい。

どうしても駄目《だめ》なときは最後の手段がある。幹部や古顔連中にこういうのだ、いいか。——わかりました。わたしはこの場から本社に電話して退社します。そのかわり、全部しゃべってやる。どんなことをしゃべろうと、辞めた以上は本社に迷惑がかかることはないから、おれも裸一貫だ。おれ一人が牢屋《ろうや》には行かん。みんなを抱きこんで数珠《じゅず》つなぎで仲よしで行かせてもらいましょう。部長さんも局長さんも、市長さんも知事さんも、なんなら赤ジュウタンを踏んでいらっしゃる先生がたにも……。こう云ってやると、たいてい、あわてて水を入れる者が出てくるものだ。まあまあ、そこまで怒らんでもいいじゃないか。待て待て。そこまで云うんだったら、ここで、ちょっと待ってろ、とな。

味岡は、来しかたを考えている。新幹線こだま号のグリーン車の中ほどに坐《すわ》ってである。頭上の棚《たな》にはゴルフバッグを乗せていた。アメリカの有名メーカーの手造り品である。

日星建設も自分も今よりは若かったときだ。

——談合が詰めにきても、どうしてもオリない一社があり、逆に窮鼠《きゅうそ》の勢いでその者から駆けこみするぞと恫喝《どうかつ》されたらまわりの社はどうするか。

幹事が残っている六社を集めて云う。

「あいつはだいぶん攻めたが、どうしてもダメだ。だが、このままあいつを帰らしてしまうと、われわれがヤバい。仕方がないから落札《とっ》た社が多少包んでくれるか」

このへんでだいたいケリはつく。逆襲に出た社の代表も引けどきは心得ている。啖《たん》呵《か》を切ったものの、それは本音ではない。居合せた各社だけでなく業界から村八分にされたら、会社の自滅につながる。

幹事の話があると、各社はあっちの部屋こっちの部屋を往復し、出たり入ったりしながら、ひそひそと談合の収拾につとめる。このようにして三組のなかからそれぞれ一社をえらび、これに無競争の一社を加え、四社を二組に分ける。さらにこれから二社を撰《えら》ぶという操作で一社にしぼる。パターンはだいたいきまっていた。

そのほか人気投票とかクジ引きとかで落札の一社を決めることもある。が、この偶然事も見かけだけで、たいていは「根回し」がしてあるものだ。

もっとも、談合なるものはそう簡単には決まらないしきたりとなっている。入札日の前日からはじめるときなどは、午前中から午後五時まで会館の部屋で話合いをおこない、そのあとは料亭でつづけ、ひどいときは徹夜になる。げんに、入札の一分前まで決まらなかったときもあった。そのばあいはフカシをやった。

フカシとは、予算価格が一億円くらいのとき、倍の二億円程度の入札価格をつける

ことである。当然に発註の官公庁は、

――入札をやりなおせ。三十分ほど時間をやるから、もっと考えろ。

と云ってくる。業者たちはその間に談合を重ねるのだ。

しかし、常に談合の場を乱すような「うるさい会社」はなんとか始末をつけねばならないと業者たちは考えてくる。

その方法の一つは、各社が共謀してマークした一社のことを議員や役人らに中傷することで、あることないことが告げ口される。

――あいつは、いつもいつもがむしゃらに仕事をよこせといってはみんなの調和を乱すんですよ。

――あの社は徒党を組んでは無茶ばかりやりおる。そうしてわざと秩序の攪乱《かくらん》を企て、あとで抜けがけの功名をせしめようとするのです。

――先生（議員連中）が仕事を取れと云ったから頑張ったなどと云って、先生がたに責任をなすりつけていますよ。

――あいつは、課長と仲がいいというのを云いふらしている。ときには課長の女を知っているなどと云ってみたり、とにかくでたらめばかり云うんです。ああいう奴《やつ》を入札に加えたりしていると、汚職の火がつくかもわからんですよ。

――（投書で）あいつは談合ばかりやっているし、業者仲間に金をたかる。談合の場でゴネてみせ、落札した社からアイサツ料を取ると、自分のポケットに黙って入れています。その分け前の金を貯《た》めて家を建てたり、女に店を出させたりしています。

列車の窓に、関が原の山間部を東に越した風景が流れていた。下り坂になって速力が増している。家が増え、しだいに都市に近づきつつあった。頭上の棚にあるゴルフバッグが列車の揺れで低い音を立てた。隣席はサングラスをかけたこぎれいな女で、指を額に当てて睡《ねむ》っていた。しゃれた夏服のノースリーブからあらわれた腕は海水浴にでも行ったのか小麦色に日焼《ひや》けしていた。京都駅から乗り合せて一言も口をきかなかった。伴《つ》れがないのか、だれもそこに近づいてくる者がなかった。

が、味岡の回想は窓に走る風景に眼をむけたままであった。風景は映ってもいまは無機物と同じで、彼の過去の場面がたちあらわれる幕《スクリーン》でしかなかった。

（業者仲間に嫌《きら》われ、排斥されながら、よくこれまで頑張ったものだ）

味岡は回想の長巻を捲《ま》きあげながら自身への批評をつくっている。そのような苦労を重ねてこそ日星建設をここまで伸ばした。若い者にはその体験を教えて積極主義を叩《たた》きこんでいる。辛苦をともにした六十五歳の社長星井英雄は一、二年後には会長になって次をあんたにやってもらうと云《い》っている。

それら一連の過去の経験は何を自分に教えたか。

地方の公共事業の入札に参加してわかることは、地方自治体単位の議員は地方公務員に睨《にら》みを利《き》かせ、その議員は県会議員団の統制に服し、県議はまた選出の国会議員と利害の一致から多くは「乾分《こぶん》」関係になっていることである。

地方の土建業者は、また自治体役人とコネをつけたがる。これは直接の発注者側だからあたりまえである。その役人たちは議員らの掣肘《せいちゅう》を受けているようだが、もちろんかれらの言いなりばかりにはなってはいない。その工事が大きすぎると当然に中央官庁との関連がもたれる。建設省とか自治省などは工事面での接触だが、工事費の補助金とか助成金などの獲得となると、大蔵省の権限に入る。こうなると、地方自治体の議員では歯が立たない。国会議員でもよほど大蔵省に影響の強い者でないと役には立たない。しかし、そういう国会議員はまことに寥々《りょうりょう》たるものだ。

官僚ほど強いものはいない。とくに大蔵官僚は明治以来、伝統的なエリート意識から他省の官僚に超然とし、これを睥睨《へいげい》している。予算編成に際しての大蔵省案内示に対する各省高級官僚の予算獲得の折衝ぶりが端的にそれを見せている。その主計官に対する態度はほとんど卑屈に近いほど慇懃《いんぎん》をきわめている。某省の局長で、その実力は次官以上といわれている役人が深夜作業の主計官の肩を揉《も》んだりする。それも予算の増額を少しでも欲しいからである。

こうなるとナミの国会議員の出る幕はない。地方自治体の役所の部・課長の机の上に置く肩書入りの威力ある名刺も大蔵省役人にはクズ紙でしかない。中央省庁の官僚はなべて面従腹背の習性をもつといわれているが、とくに大蔵官僚においてそれが強いといわれ、大臣にも形なき抵抗をする。

予算を握っていることが、地方自治体の公共事業をも活殺自在にしている。補助金などのほか自治体の起債に対する許認可権をもっている。自治省や建設省がどのように自治体側の味方について躍起となっても、これればかりはどうすることもできない。自治体も土建業者も先生（議員）がたに対して無力感をおぼえるだけである。

味岡の前に登場してきたのが巨勢《こせ》堂明《どうめい》であった。

巨勢と南苑会《なんえんかい》の存在を大蔵省の元高級官僚から聞いてきたのは社長の星井英雄であった。なんでも大蔵省に顔が利く凄《すご》い人が居るらしい、と星井は云った。

（大蔵省に顔が利く？　そんな人とウチとは関係がないでしょう）

およそ十年前のことだった。専務になったばかりの味岡も、まだ、目先がみえなかったといえる。

（いや、そうじゃない。大蔵省というところは、財布をにぎっているだけに各省の新規事業の計画を知っている。各省とも大蔵省の意向、つまりそれについて予算を取れる見込みがあるかどうかを打診せんことには画《え》にかいた餅《もち》になるからね。極秘にしている各省の新事業計画のすべてを、まだ胎動のうちから知っているのは内閣官房でもなければ、与党の政審会でもなく、大蔵省主計局の幹部あたりだ、とこういってOBの人は説明してくれた。それは政府の公共事業だけではない。地方では県から市町村単位にいたるまで、自治省を通じて大蔵省の内意を叩いている。貧乏な自治体は何をしようにも政府からの補助金がいる。借金で賄《まかな》おうとすれば起債の認可が必要となってくる。そういうことで、中央から地方にいたるまであらゆる新規の公共事業計画の情報は大蔵省でとれる。それも単に情報だけではない。大蔵省幹部を背景にしているということだけで、工事も取りやすかろうというのだよ。何しろ、金を出してくれるところだからね。それに今後のこともある、なまじっかなバッジ先生の威力どころではない、というんだ）

その大蔵省のOBに手引きされて最初に巨勢堂明に接触したのが星井社長であった。どこで会ったか知らないが、五、六回そういうことがあって、社長はあとを味岡に引きついだ。

(得体の知れない人だ。大蔵省幹部クラスにおどろくほど顔が利いているのは事実だ。ああいう人に力になってもらえると、ウチはもっと伸びる。が、心配はある)

(汚職が暴露する危険ですか？)

(そこは巧妙にやっているようだから危険率は少いほうだろう。心配というのは巨勢堂明氏の正体がよく分らないことだ)

(有力政治家と裏でつながっている黒幕ですかね？)

(でもないらしい。それだったら噂《うわさ》ぐらいにはなるが、それがさっぱり出てこない。なんでも戦争中には南方に行ったことがあるということだが)

(社長、ぼくが巨勢さんを担当しましょう。万一のときは、ぼくが泥《どろ》をかぶればいいんです)

(気をつけてくれ。君には強引なところがあるからね。南苑会というのには大手二社も入っている。これまでのように地方の談合破りとは違うからね)

(それだからこそ、わが社は伸びてきたのですよ。その南苑会というのに大手が加入していたって、土建業者の世界という根本のところは変りません。かえって闘志が湧《わ》きます)

(それが不安だね、君には。まあ、あんまり摩擦を起さずに……)

(上手にやります。ところで、巨勢さんの仲介料と先方へのお礼との比率とか、届ける方法というのは？)

(先方への届けはない。それは一切出来ないことになっている。巨勢さんに「会費」をお払いするしくみになっている)

十年前の会話だった。……

眩《まぶ》しい陽《ひ》に白い豊橋駅のホームがうしろに流れてから味岡は窓の風景を現実に戻した。次の浜松到着は十五分後とアナウンスする車掌の塩辛《しおから》声も耳に達した。いまのうちに手洗いに行っておこう。

「失礼」

隣のノースリーブの女性は揃《そろ》えた両脚を膝《ひざ》ごと横に捻《ねじ》った。

前方へ通路を歩く。乗客のうしろ頭と背中とを見て行くだけである。数は少い。ばらばらにかけていて、静かなものだった。夫婦者が頭を寄せ合って睡っている。頭が見えないのは本を読んでいる組だった。

三分後にこの通路を戻った。こんどは両側の乗客の顔を正面から見て歩くことになった。けだるげな表情ばかりであった。三分間に動いている者は一人もいなかった。

「失礼」

ノースリーブの女性はまた両脚を回転ドアのように外に曲げた。窓に席に坐って煙草《たばこ》に火をつけた。気がついてみると煙草を吸うのも忘れていた。浜名湖が流れてきた。この青い展開風景も強い陽で半分は白くなっていた。その白くかすんだ湖面の奥をぼんやりと塞《ふさ》いでいる壁のような低い山のあたりが館山寺《かんざんじ》と見当をつけた。景色の流れが遅くなる。時計を見た。九時二十分である。館山寺で会う大石との約束時間にはちょうどよかった。

味岡は立ち上り、棚からスーツケースを下ろした。次いでゴルフバッグに手をかけた。いまとなっては荷厄介《にやっかい》なものだった。図体《ずうたい》が大きいだけに邪魔になる。下におろすつもりでかけた手を放した。茶色の革の下に白い紙の端が出ているのが見えたからだ。

なんだろうと思ってその紙を引張り出してみた。バッグをここに乗せるときにはなかったものである。厚手の模造紙がいくつにもたたまれていた。

その一端を解いて色刷り印刷物の折りたたまれたものと分った。だんだんにひろげると、ポスターだった。文字が出てきた。

《……守る厄除《やくよ》け護摩《ごま》を！》

隠れている文字が《夏は涼しい鞍馬山《くらまやま》へ！　健康を》となっているのは全部を開いてみるまでもなかった。

この電車内吊りポスターは前に二度見た。

一度は、金弥《きんや》に会いに出町柳《でまちやなぎ》から乗った鞍馬行の電車の中で。二度目は貴船の紅葉荘ホテルで沢田美代子の死顔を見て逃げ出して乗った電車の中で。

思わず手が凍りついたとき、解けかかった包みの中から下にばらりと落ちたものがあった。

水色の靴下《くつした》である。まぎれもなく、紅葉荘ホテルの二〇八号室に遺《のこ》してきた自分の靴下だった。

味岡は鼠《ねずみ》のような臆病《おくびょう》な眼であたりをうかがった。

浜松で降りる客が五人ほど席を立って自分の荷物を持っていた。あとは席に沈んでいる。さっき通路を往復したときに見た客と変りなかった。

だれもこっちのほうを見ている者はなかった。隣席のノースリーブの女は相変らずイスの肘《ひじ》かけに肘を突いて指を額に当てて眼《め》を閉じていた。

味岡は、水色の靴下をポスターに包みこむと、スーツケースの口を開いてその中に突込み、チャックを閉めるなり通路を駆けるようにドアへ向った。

ホームに列車は停止した。

「あぶないじゃないか」

乗降口のデッキの前にいた男が、うしろから押してくる男を振り返って睨んだが、味岡の吊り上った眼を見てあとの声を呑《の》んだ。男のほうが呆《あき》れ顔になってホームにとび降りた肥えた紳士を眺《なが》めた。

列車の窓を内側から叩く者がいた。棚に指をむけて忘れたゴルフバッグを味岡に教えようとしていた。

味岡は改札口にかたまっている降車客の群を押し分けていた。

十一

あとになって、味岡正弘の「変った行動」の一つとされたのが、この六月二十八日午前九時二十四分、浜松駅着「こだま」号を降りたときの彼の様子だった。

それはたいそうあわただしい態度だった。彼はデッキにかたまっている降車客をつきのけるようにしてホームにとび降りると、大急ぎで改札口へむかった。このとき、網棚《あみだな》に置いたゴルフバッグを持って行かなかった。それに気づいた乗客が窓ガラスを叩いてホームを歩いて行く彼に注意を送ったが届かなかった。

ゴルフ道具はアメリカのメーカーからとりよせた手づくりの高価品だった。ゴルフ場では皆にほめられるし、彼も自慢している道具であった。それを忘れて降りた。そばに乗せた安もののスーツケースの方は忘れずにちゃんと持って降りているのである。改札口でも、前にいる人の背中をつつくようにしてさきに出ようとした。そうしてキップを係員に渡さなかった。

「おい、おじさん！」

若い係員が眼をむいて彼のうしろから怒鳴った。彼は背中から呼びかけられ、まるで追跡者に一喝《いっかつ》されたように肩をひとふるいさせた。キップを要求されたと分って引返して係員にそれを渡したが、その顔は蒼《あお》ざめていた。さらにその視線は改札口を出て来る人の流れにむけて警戒的であった。

駅前にならんでいる先頭のタクシーに乗った。

「館山寺の湖翠閣《こすいかく》に行きたいのだが」

「わかりました」

運転手はメーターの把手《とって》を勢よく倒した。

車はぎらぎらとした白い道を走った。雲も光に融《と》けかかっていた。車内の冷房は快くきいていた。

「お客さん。暑いですか？」

バックミラーに眼をむけた運転手が云った。

「……暑いのでしたら、クーラーをもっと強くしましょうか？」

鏡の中にいる味岡は頭から汗を流していた。

客が黙っているので運転手は冷房を強めた。彼は後の窓をふり返り、後続車の正体をたしかめるようにした。追跡を懸念《けねん》しているようにみえた。

「運転手さん」

客はきいた。

「君は、ぼくがいまの〝こだま〟で降りてくるのを知っていたかね？」

この質問の意味がわかりかねて運転手はきょとんとした。

「どういうことですか？」

「いや、ぼくがあの列車で浜松駅に降りるのをだれかに知らされていたか、ということなんだが」

「いいえ」

運転手は頭を振った。

「だれからも聞いていませんよ」

「そうか」

ちょっと黙っていたが、またきいた。

「君はぼくが改札口から出て、君の車に乗るのを前から待ちかまえていたのかね？」

「前から？　いえ、そうじゃありませんよ。われわれタクシーは駅前で順番にならんで駐車しているんですよ。ちょうどぼくの車が先頭になったときにお客さんがたまたま乗られたわけですよ。前からあなたが乗られるのを待ちかまえていたわけじゃありません。偶然ですよ」

「偶然かね、ほんとうに？」

客が奇妙な念押しをしたので、運転手はこの印象をあとまで記憶していた。それだけではなかった。

すると客は、降りる、と急に云いだしたのだった。まだ四キロも走っていなかった。

「館山寺においでになるんじゃなかったんですか？」

運転手はぽかんとなって客席をふり返った。

「急に用事を思い出したんでね。ここまででいいよ」

館山寺温泉に行くはずの客が、こんなところに用事があったのをにわかに思い出したというのもおかしなことだった。客はそわそわしてスーツケースを引きつけ、料金を払って降りた。

運転手が車をUターンさせてその道を駅のほうへ引返すとき、肥《ふと》った客はスーツケースをぶら下げて道ばたにぼんやりと立っていた。そうしてしばらく走ってバックミラーを見ると、客は通りがかりのタクシーに手をあげて乗りこんでいた。

運転手は頭をかしげた。おかしな客もいるものだ。館山寺に行くのに、なんでこんなところでタクシーの乗り換えをしなければいけないのか。

タクシーを乗りかえて味岡は肩ごと大きな吐息をついた。

思い切って車をかえてよかった。あらゆるところに眼に見えないアミが張りめぐらされているようだ。駅前で客待ちしているタクシーでも油断がならなかった。こっちの到着時間が相手に分っているらしい。

網棚にいつのまにか載っていた自分の忘れた靴下と、それを包んだ鞍馬山の電車吊りポスターのことでもそれはわかるではないか。相手は、あの車輛《しゃりょう》にこっちが乗っているのを知っていた。先々に手配していれば、改札口を出てから自然と乗れるようにタクシーを駅前に位置づけしていることも可能なのだ。

あの列車には、自分を狙《ねら》う人間が京都駅から乗っていた。すでにKホテルを出るときから尾行していたのであろう。こっちがうしろの車に気がつかなかっただけなのだ。鞍馬山の電車吊りポスターは、その電車に乗って貴船《きぶね》のホテルへ行ったことを知っているぞという相手からの通告であり、それに包まれた靴下は、そのホテルの二〇八号室にいたことを相手は証拠でつきつけていた。

だれがそうしたかは不明だった。あの車輛では手洗い所を往復するときに乗客の顔を見て通ったものだが、むろん知った人間はいなかった。挙動の変な者もいなかった。みんな元どおりに座席に沈んでいて、あの包みを網棚のゴルフバッグの下に置いてきて座席に戻ったといった様子の者は見えなかった。

隣にはノースリーブの独り旅らしい女性がいた。サングラスをかけて始終、うつらうつらと睡《ねむ》ってばかりいた。それでは次の車輛のどこかに見えない相手は乗っていたのか。いまから考えると、食堂車を往復するために他の車輛の乗客たちが通路をよく歩いていた。そういう客にまぎれた相手が、手洗いに行った留守に、靴下を包んだ鞍馬山の電車吊りポスターの紙を網棚へひょいと置くことができる。

道路にも暑い陽光が降りそそいでいた。あたりには桑畠《くわばたけ》が青く茂っていた。

「このへんが三方《みかた》が原《はら》です。武田《たけだ》信玄と徳川家康《いえやす》とが戦争したところです」

乗りかえたタクシーの運転手は説明した。

トラックの走行が多かった。それも鉄道貨車の一台ぶんくらいはある大きい図体なのである。黄色い車体に巨大な砲弾形のをうしろに乗せて走るミキサー車もあった。ここでもミキサー車が建設現場に向っている。まだ京都にいろいろなことが待ちかまえているとは知らない前、大石から見せられた金鈴湖の道路工事見積りが頭に浮んできた。

「セメントコンクリート舗装は厚さ十五センチとして起算。粗骨材は百平方メートル当り一三・二〇立方メートル、二万二千四百四十キログラム……」

味岡の唇《くちびる》が動く。

運転手が速力をゆるめ、バックミラーをのぞきこんだ。わけのわからぬ数字のようなものを独りで呟《つぶや》いている客が心配だったのだ。鏡の中の肥えた顔は何かを見つめているように、ぼんやりとした表情でそこにとまっていた。

「お客さん」

「……」

運転手は後部座席にむかってよびかけた。

「なにか、云《い》われましたか？」

味岡はわれにもどった。

「いや、別に」

桑畠などの丘陵地帯が切れて、左側の窓に浜名湖の北岸が見えていた。青い湖面に夏の太陽が泳いでいた。

「湖翠閣は、もうすぐですから」

運転手は客の頭をしずめるように云った。

「湖翠閣だって。それはどこにあるのかね？」

客が虚《うつ》ろな口調で訊《き》いたので、運転手はおどろいてブレーキを踏んだ。

「だって、お客さんが館山寺の湖翠閣へ行けと云われたんですよ」

「ああそう」

客は頼りなげにうなずいた。

「……そう云ったかね？　それなら早くそこへ着けてくれ。そうだ、そこに、ぼくを待っている人間がいる」

運転手はまたアクセルを踏みつけた。うす気味の悪い客は早く降ろさねばならなかった。精神障害者の客に、うしろから首を絞められた同僚のことを運転手は思い出していた。

湖翠閣は湖面の奥まったところに立っていた。うしろに山がそびえていた。山頂にケーブルカーが昇ったり降りたりしていた。

玄関先に仲居が出迎えた。運転手は客からもらった料金を間違いないかと掌《てのひら》の上でていねいに調べていた。スーツケースをうけとった仲居に運転手は何か耳打ちしていた。仲居が客の顔にちらりと眼を走らせた。

「日星建設の味岡だが、大石君というのがここに来ているはずだけど」

「はい。お待ちかねでございます」

番頭が客室用の電話をとった。

帳場《フロント》前のロビーとの間の廊下を仲居に案内されて歩いた。泊り客を送り出したあとの旅館は各部屋とも掃除の最中らしく、あちこちから電気掃除器の騒音が聞え、うす暗い廊下にも頭に布をかけ作業服のようなものを着た仲居たちがうろうろしていて、わびしいものだった。

その廊下の向うから白っぽい夏服をきちんときた中年男が足早にきていたが、味岡の前五、六歩のところで立ちどまった。

「あ、専務」

道路建設部長の大石謙吉だった。

「お早うございます」

大石は頭を深く下げた。

「お早う。君は何時《いつ》？」

味岡は、ほっとした顔でたずねた。

「一時間前にはいり、お待ちしていました。あ、どうも、お疲れさまでした。お部屋のほうは用意させてあります。お疲れでしょうから、そこで、ちょっとお憩《やす》みねがって……」

そのあと話し合いやら打合せをと云いかけたのだが、ふと味岡の顔を見上げて、

「おや、ずいぶん汗が」

と眼をまるくした。汗が頤《あご》の下まで雫《しずく》になって流れていた。

「ほんとに」

横の仲居も味岡を見上げて、

「お暑かったんでございましょう。たいへんなお汗でございますわ。ひと風呂《ふろ》、お召しになられましては？」

と云うのを大石が引きとった。

「君、すぐに風呂の用意を」

と命じた。

「かしこまりました」

「浴室は、部屋にも付いているんだろう？」

「はい。共同の大浴場もございますが、お部屋のほうにもございます」

「すぐに、そっちのほうを用意してください」

「かしこまりました」

仲居が味岡の前を歩き出した。

「専務。お風呂から上られたころに、用意させてある私の部屋にご案内させますから。かんたんな川魚料理を支度させておきます。お話はそこで」

大石が長い顔を寄せて云った。

「うむ」

「専務。あの、ゴルフバッグは？」

大石は仲居がスーツケースしか持ってないのを眼にとめてきいた。

「あ、そうか」

「え？」

「列車のなかに置いてきたらしいな」

「え、お忘れになった？」

「らしいな」

大石は味岡のとぼけたような云い方にその顔をもういちど見た。

「そりゃァ、すぐにここから手配しましょう。新幹線の列車だと乗務している車掌に直接電話で話せますから。九時二十四分に浜松駅着の上り〝こだま〟のグリーン車の何号車でしょうか？」

「たしか十二号車だったと思う」

「座席番号は？」

「おぼえていない」

「では、ぼくは帳場のほうに参りますから」

大石は腕時計をめくり、あたふたと別れて行った。

味岡が通された部屋は、前の庭越しに湖面を見晴らしていた。仲居はすぐに部屋の隣に入って浴室の支度をした。蛇口《じゃぐち》から流れ出る湯の音がしていた。

上衣《うわぎ》もズボンも脱ぎ、下着だけで味岡は部屋の中に立ち、湖面のほうを見ていた。

ボートや小舟が浮んでいた。下着は汗でびっしょり濡《ぬ》れていた。

「ご用意ができました。あの、お湯はまだ出しておりますけど」

仲居が手を拭《ふ》きながら部屋に戻って云った。

入れかわりに味岡は部屋を出て小さな浴室のドアを開けた。

蛇口から温泉の湯が浴槽《ゆぶね》に流れ出ていた。湯気が真白に立っている。湯が浴槽のふちにこぼれそうになっていた。蛇口からは湯がつづけて流れ落ちている。じっと見ていた味岡の眼《め》がひきつった。貴船のラブ・ホテルの浴槽がそこにあった。

汗でぐっしょり濡れた下着のまま、味岡は廊下に飛び出していた。


仲居の報《しら》せで自分の部屋からのぞいた大石は、下着姿で廊下をうろうろしている味岡を見た。

「専務、どうかなさいましたか?」

近よって味岡の腕に手を当てたが、大石の掌はシャツの汗で水にさわったように濡れた。

「あの部屋に付いた風呂はダメだ」

味岡は落ちつかぬ瞳《ひとみ》で、うわごとのように云った。

「ほう。どこか故障でも？」

「そんなんじゃない。……とにかくダメだ」

「なんでしたら、わたしの部屋の風呂でも？」

「ダメだ。個室の風呂は気に入らん。とにかく、あれはダメだ」

味岡の蒼《あお》い顔色を見ていた大石が、

「そうですか。じゃ、大浴場においでになりますか？」

というと、味岡ははじめてうなずいた。

「では、仲居にご案内させます。お下着がたいへんな汗ですから、それは仲居さんに洗ってもらって、着がえをスーツケースからお出しになっては？」

「うむ」

「風呂からお上りになったら、わたしの部屋でお待ちします。……あ、それから、専務。ゴルフバッグはお乗りになった〝こだま〟の十二号車の網棚《あみだな》にあったそうです。車掌に電話連絡したらそう云ってましたから、とにかく東京駅の遺失物取扱所に預けるようにと頼んでおきました。本社に電話手配して取りにやらせます」

大石から見て、このときも味岡の表情に反応がほとんどなかった。自慢にしていたアメリカ製手づくりのゴルフ道具が無事だったというのに、べつに安堵《あんど》もしないし、よろこびもしなかった。

着がえの下着を取りに大石を従えて部屋に引返した味岡は、スーツケースを開きかけたが、何を思ったか、急にファスナーを鳴らして閉めた。

「大石君。悪いが、ちょっとここをはずしてくれんか？」

振り返って命じた。

「はあ」

大石は廊下に出た。

あとで警察官の質問に日星建設道路建設部長大石謙吉は、そのときのことをこう答えている。
《そのスーツケースの中には、傍に立っているわたしに見られては都合の悪いようなものが入っていたんじゃないかと思います。むろんそれは犯罪関係とかそういうものじゃなくて、だれだって他人にのぞかれたくないものは入っていますからね》
スーツケースの中には、京都北郊、貴船《きぶね》の紅葉荘ホテル二〇八号室に残した靴下と、それを包んだ鞍馬山の電車内吊りポスターとが突込んであった。味岡はそれを大石に見られたくなかったのである。

この「寄贈物」は〝こだま〟の自席の網棚に置いたゴルフバッグの下に押しこんであった。早く処分しなければならない品だ。車内では浜松駅に到着するまぎわだったので、あわててスーツケースの中に詰めこんだものの、駅に降りてからも捨て場所がなかった。東京に帰る前までには何とかかたづけなければ、と味岡は思っている。

大石は、味岡が階下の大浴場に行ったあと、じぶんの部屋にビールや川魚料理を運ばせて彼が上ってくるのを待った。

三十分もすると、その味岡は大石の部屋にくたびれ果てた顔で入ってきた。

「専務、お疲れのようですね。お元気づけにまあ一杯。よく冷えておりますよ」

大石は仲居に注《つ》がせたグラスをあげた。飲めない味岡もグラスを持った。

かたちだけの乾杯が終って、

「食事を済まされたあとは、少しお睡《やす》みになったらいかがですか？　お疲れがなおりますよ。今日はゆっくりされて夜は女の子でも入れて唄《うた》でもうたわせましょう。……なあ、君、ここは温泉地だからそういう妓《こ》はかなり居るんだろう？」

と、大石は傍の仲居にきいた。

「はい。芸者衆は五十人くらい居りますけど」

「芸者？　そういうものは要らん」

味岡がびくっとしたように首を振った。大石は刈野温泉の夜のこともあり、怪訝《けげん》な顔をしたが、

「まあ、それはいずれあとで。まだ晩までにはだいぶん時間がありますから」

と、腕時計を見た。十一時を回っている。彼は眼配せして仲居を座敷から出した。

「専務。今朝早く京都から家へ電話をいただきましたが……」

大石はおもむろに云い出した。

「そうそう。朝早く電話して済まなかった。奥さんもびっくりなさったろう？」

味岡は、それでも普通に詫《わ》びた。

「いえ、女房は専務さんから早朝に電話をいただくなんて、光栄だと云ってました」

「時間が気になったんだが……」

「電話は、いつかけてくださっても結構です。夜中であろうと未明であろうと。……それで、どういうことなんでしょうか？」

「うむ。……」

味岡は何から話し出してよいか、云うことがいっぱいあって、混乱のなかでそのいとぐちがつかめぬふうにみえた。

窓からは、背後の山についたケーブルカーの発車ベルの音と、案内のアナウンスが

聞えていた。

あとで、大石謙吉はそのときの話合いというのを、このように述べている。

《味岡さんはたいそう落ちつかない様子でした。その日の午前五時ごろに京都のKホテルからわたしの家に電話をかけてこられたのも常軌を逸したと思えないこともないのです。むろん日ごろにないことでした。その電話の内容もいつもの味岡さんに似合わない、妙なものでした。自分の留守に本社にヘンな者が訪ねてこなかったかとか、ワナにかかったとか云われました。専務はとり乱されているな、と思いました。で、ゆっくりお話をしようということになって館山寺《かんざんじ》の湖翠閣《こすいかく》で落ち合う約束になったのです。それは味岡さんが、京都と東京の中間だと浜松あたりがいいと云われたので、わたしが前に行ったことのある館山寺のその旅館のことを云うと、味岡さんがそこがよかろうと云われたのです。ご本人は館山寺には行ったことがないと云われました。

湖翠閣にはわたしの方が早く入って京都からくる味岡さんを待ったのですが、そのとき、ゴルフバッグを持っておられないので、訊《き》きますと、新幹線の列車の中で忘れた、といわれるのです。アメリカのなんとか社というメーカーの手づくりのゴルフクラブで、ご自慢のものでした。それを列車の中に置き忘れたのですから、ふつうだと、だれでもあわてるところですが、そのときの味岡さんの様子は、けろっとしたものでした。

そこで、今朝の電話で味岡さんが云ったワナにかけられたということ、それはどういうことですかときいてみたんです。すると味岡さんは、まだはっきりとした確証はないけれど、どうもぼくはワナにはめられたような気がする、と、早朝の電話では昂《こう》奮《ふん》されていたが、旅館の座敷で会ったときは、だいぶん慎重になっておられたというか、口ごもっておられたのです。そこで、わたしは、そのワナというのは業界方面ですか、ときくと、そうだとも違うとも答えないで黙っておられるのです。そこで、わたしは云いました、専務、あなたが中心になって日星建設もこれまでずいぶん積極的に仕事を取ってきた、追いつけ追い抜けのスローガンをあなたは好きだった、その積極的活動のためにわが日星建設も他の業者仲間からはえらく強引なやりかただと見られてきたし、憎まれもしてきている、つまり敵をいっぱいつくっている、あなたがワナにかかったというのはそういう心当りですか、ときいたんです》

そういう大石の質問に、味岡はまともに答えなかった。云えなかったのである。

正体がはっきりしないこともあったが、貴船のラブ・ホテルに金弥《きんや》に会いに行ったところそこで沢田美代子の死体と対面したという告白は、いくら大石へも、今は云えなかった。云う勇気がなかった。他殺死体発見のきっかけがきっかけだった。羞恥《しゅうち》が、打ちあける勇気を押し返すのである。

しかし、ワナは明瞭《めいりょう》だった。げんに網棚に靴下《くつした》と鞍馬山《くらまやま》の電車内吊りポスターとが知らない間に置いてあった。けれどもそれは云うことができない。

「今朝の電話では、昨日のゴルフ会で甲東建設の末吉《すえよし》さんが南苑会《なんえんかい》に入会したのがわかった、それは巨勢《こせ》先生が直接に許可されたということでしたが」

大石は訊いたものだった。

「末吉君は抜け目がない。ぼくに南苑会入りの紹介をさんざん頼んでおきながら、一方では自分でちゃんと巨勢先生にお願いしておったんだ。ゴルフ場でも先生にべったりで、わがもの顔だったよ。不愉快だった」

味岡はそう云った。

「末吉さんがウチのお株をとって追いつけ主義で甲東建設をのし上らせようとするのはわかりますがね。いまでも業界に嫌《きら》われていますが、そのうち、本格的に業界をひっかきまわしますよ。油断のならん人です。それにしても、あれほど南苑会の新加入にうるさい先生が、どうして業界から嫌われている末吉さんをそう簡単に加入させたんですかね。よっぽど先生に献金したのでしょうかね？」

「巨勢さんは、献金だけでは動かん人だ。南苑会の組織を守るには、献金で人をやたらと入れたんじゃ守りきれない。厳選主義だ。なにしろ世間に洩《も》れたら、先生と関係のある各省の役人、とくに大蔵省の高級役人やOBに迷惑をかける。そうなると、そういう人脈でできている巨勢機関そのものが壊滅するからね」

「そのことですよ。今朝のお電話で、巨勢先生が大蔵省の高級官僚やOBに顔が利《き》く秘密がわかったといわれましたが」

「ゴルフ会をやっているあのゴルフクラブで偶然に、戦時中の巨勢さんを知っている人に遇《あ》ったんだ。シンガポールの老中国実業家でね、つまり華僑《かきよう》だ」

マレーの陸軍司政官だった巨勢堂明《どうめい》が学徒兵のなかで東京帝国大学の学生だけを択《えら》んでとくに世話し、可愛《かわい》がっていた。それが現在、高級官僚やOBの巨勢人脈をつくりあげている。眼の利く男である。雄大な先物買いであった。

味岡はその話をしたあとで、眼を据《す》えて大石に云った。

「大石君」

「……ぼくは、このネタを握った以上、それに沿って巨勢人脈を詳細に追跡調査するつもりだ。かならず出てくるよ、汚職がね。当時の学徒兵だと本省の局長か、そのポストを経験したOBだ。もちろんその地位に上ってゆくまでには課長もやるし、主計官もやっている。収賄《しゅうわい》はそのへんからはじまっている。そういう連中を全部追跡するんだ。どこのダム建設工事の際には、マレーにいた東大学徒兵に該当する大蔵省の役人はだれだったかをね。その調査ができ上ったら、ぼくは巨勢堂明に居直るつもりだよ。あんまりぼくにヘンなことをさせるようだったら」

「さっき、ワナにはまったと云われましたが、巨勢さんが専務にヘンなことをさせているというのはそのことですか？」

「まあ、そうだな。ただし、ぼく個人じゃない。日星建設に対する陰謀だ」

「すると、ある業者が巨勢さんにこっそりたのんでウチをワナにかけようとしているのですか？」

「そういうことだ。めざましく伸びているウチの社を叩《たた》き落そうとする他社がいる。目の敵《かたき》にしているんだよ。それにはまず専務のぼくをワナにかける。ぼくが日星建設の代表だからね。社の機構を叩き落すのは不可能だから、そこに事件をこしらえあげるのだ。その作られた事件に代表のぼくをまきこませる。それで社のイメージダウンをさせて談合から外そうという狙《ねら》いだ。そいつが巨勢さんを味方にひきいれている。ぼくには、それがだれだか、およその見当はついているがね」

「それは、だれですか？　容易ならぬことですが」

「いまは云えん。わかっているが、もう少し待ってくれ」

「……」

「ただ、これだけは指摘しておく。与党のいまの政審会路線部会幹事も、たしか戦時中は召集の陸軍少佐でマレーのほうの駐屯《ちゆうとん》部隊長の副官をしていたはずだ」

「あ、高尾雄爾《ゆうじ》参議院議員？」

「あれも東京帝国大学出身だ。元内務官僚でね。幸運にもパージはまぬがれた。その後参議院議員になったんだが、その高尾雄爾氏がいま云ったような経歴だ。ぼくは高尾議員の後援会が主催する会費のえらく高いパーティに巨勢さんの義理から出席したことがあるが、そのパーティの席上で、高尾議員がそのマレーの副官時代の回想談をご愛嬌《あいきよう》に披露《ひろう》したことがある。ぼくはいま、それを思い出して考えついたんだ。東大の学徒兵を巨勢司政官にとりもったのは、この高尾少佐じゃないかとね。そうでなければ、いくら司政官でも縁もないのに東大生の学徒兵だけをえらぶわけにはゆかない。そこに多少でも縁故がないとね。その縁をつくったのが高尾少佐だ。東大の学徒兵にとっては先輩だからね。それにかれらの上官だ。そうして司政官と駐屯部隊の副官とは、業務上の連絡などで、これまた通じ合う仲だ。げんに高尾さんと巨勢先生とはいまでも親しい。とくに高尾さんは与党の政審会路線部会幹事だから、建設省の蔭《かげ》の実力者だ」

「おどろきましたね」

　大石は味岡のはてしない想像力にも一驚していた。

「それだけじゃないよ。これも今になってぼくに思い当ることだが、この六月十日に、巨勢さんの事務所がある丸ノ内の神邦ビルの屋上で柳原孝助という男の他殺死体が出てきた事件を知っているだろう？　新聞にもかなり大きく出ていたから」

「殺された人の名前までは憶《おぼ》えていませんが、その事件のことは新聞で読みました。あれは犯人がまだ挙ってないようですが」

「柳原孝助は柳原光麿《みつまろ》と自称して高尾議員の後援会で岐阜高尾会幹事長といっていた。詐欺《さぎ》の前科《まえ》が二つある。殺される前もどこかの会社から高尾さんの名を出して大金を詐取し、警察に追われていた。ところで、この詐取した大金だけど、その金がどうやら高尾さんのところへ流れているような気がする。議員さんというのはいくらでも金がほしい種族だからね。まさか詐欺漢を使って金を持ってこさせたわけではあるまいが、あとで、そういう性質の金だとわかってもだな、当人から先生には絶対に迷惑をかけないと云われると、便利な金のことだから、つい、そのままにしてしまう。それに柳原孝助の場合は、逃亡していて居所が分らんのだからね。その男が、さっきも云ったように絞殺死体となって巨勢さんの事務所のある神邦ビルの屋上から出てきた。おそろしいことだよ」

《わたしは、専務はひどくお疲れになっているから、しばらく部屋でお睡みになってくださいと再三すすめました。じっさい、そのときの味岡さんは、とりとめのないことばかり云っておられました》

しかし、大石は味岡から聞いた巨勢堂明関係の話は、警察にいっさい口をつぐんでいた。これを話すと、こんご日星建設の官庁仕事が激減するからである。

大石謙吉は、味岡が部屋で昼寝をしたのを見とどけてからタクシーを呼ばせ、静岡市にむかった。

《わたしは、専務が午睡《ひるね》されたため、お話相手になることもなかったので、その時間を利用して静岡市に行き、関係方面の挨拶《あいさつ》に回りました。関係方面というのは、県庁の土木部土木課、市役所の土木部土木課、ならびに建設省中部地方建設局の静岡国道工事事務所、それに日ごろ何かとお世話になっている県会議員や市会議員の先生方でありました。これはわたしどものような商売だと、挨拶が慣例になっております。文字どおりご挨拶だけでしたが、それでもお一人に面会して二十分や三十分くらいかかりますから、全部でだいたい三時間くらいは要しました。戻りは静岡駅から午後四時二十分発の快速電車に乗り、浜松駅には約一時間で着き、それよりタクシーで舘山寺《かんざんじ》の湖翠閣《こすいかく》に帰ったのが午後六時すぎでした。そうして、自分の部屋に入ると、仲居が顔色を変えて、専務のことを報《しら》せに来ました》

——味岡正弘が眼《め》をさましたのは五時すぎであった。昨夜の京都のホテルではろくに寝てなかったこともあり、そのあと新幹線の〝こだま〟号の網棚《あみだな》の一件から疲労困《こん》憊《ぱい》も加わり、頭の中も身体《からだ》も腐った縄《なわ》がぼろぼろに解けたような状態で、大鼾《おおいびき》をかいて睡《ねむ》りこけていたのだった。

眼が開いたのは、ケーブルカーの発着所から聞える拡声器に乗ったアナウンスか音楽か、それともカーテンの隙間《すきま》から洩れた夏の西日が顔の上に移ってきて暑さをおぼえたのか、そのどちらともいえず、あるいはその両方でもあった。

枕《まくら》から顔をあげて首を動かしたひょうしに、近くの畳の上に新聞がきちんと置かれてあった。睡っているあいだに仲居が忍び足で部屋に入ってきて置いて行ったものらしかった。

新聞の題字で地方紙の夕刊とわかった。味岡は起き上ってすぐに社会面をひらいた。

(京都北郊のホテルで若い女絞殺さる。逃げた伴《つ》れの中年男を捜索)

中ほどの三段抜き、見出し活字が大きく出ていた。

味岡は刃《やいば》を突きつけられたような気持になった。彼は洋服ダンスに歩み寄り、ふるえる指先で上着のポケットから眼鏡をとり出した。記事を読むのに、はじめは瞳《ひとみ》が定まらなかった。

（二十八日午前一時四十分ごろ、京都市左京区鞍馬貴船《くらまきぶね》町の紅葉荘ホテルの二〇八号室の前の廊下を通りがかった従業員がドアのスキから湯気のようなものがふき出しているのに気がつき、フロントから同室に電話したが応答がないので、合鍵《あいかぎ》で入ったところ、六畳和室に敷かれた蒲団《ふとん》の中で年齢二十七、八歳くらいの女客が首を絞められて死んでいるのを発見、すぐに所轄署《しょかつしょ》に届出た。同署の調べでは、女の死亡時刻は前夜の九時すぎごろ。遺留品のハンドバッグに入っていた東京丸ノ内の書店の領収証に「沢田美代子様」とあるので、この名前が被害者と思われる。今日午後、大学法医学教室で解剖に付する。

ホテルのフロントの話では、同人は前夜八時二十分ごろに一人で来たが、伴れがあとからくるといって二〇八号室に案内させた。約一時間経《た》った九時すぎ、五十歳ぐらいの男がきて「伴れが待っているはずだが」といったので、フロントでは同室を教えた。一時四十分ごろ従業員が入ったときは、その男の姿はなく、脱いだ浴衣《ゆかた》が投げ出されてあった。所轄署では、その男が濡《ぬ》れ縁から裏庭に出て塀《へい》をよじ登って小径《こみち》に飛び降りて逃走したことを、ガラス戸や塀についた指紋ならびに地面の足跡などで推定、参考人として行方を捜査中である。

従業員の話　廊下にふき出した湯気で浴室の湯が出し放しになっているのを知り、フロントから注意の電話をかけたが返事がないので合鍵で室内に入った。浴室のタイルの床が浴槽《ゆぶね》からふきこぼれた湯であふれて部屋の中も湯気が立ちこめていた。そこで蛇口《じゃぐち》の湯をとめて、六畳の間をのぞいたところ、二つ敷いた蒲団の一つに八時すぎに来た女客が殺されていたのでびっくりした。あとから来た男は、浴衣を脱いで逃げているので、女といっしょに風呂《ふろ》に入り、蒲団に入ったところを殺したと思われる。

そのさい、浴室の蛇口の湯をとめるのを忘れて逃げたので、発見が早かった）

——やはり沢田美代子だった。間違いではなかった。暗い灯で見た蒲団の中の横顔は錯覚でも何でもなかった。

だれが彼女を殺したのだろうか。——

いや、そんな、のんびりしたことを考えているときではない。この新聞には、紅葉荘ホテルの従業員の話として、二〇八号室の浴室の湯が出放しになっていたといっている。従業員というのは、うす暗いフロントにいたあの陰気な蝶《ちょう》ネクタイの男にちがいない。そいつが、浴槽からタイルの床に湯が溢《あふ》れ流れていたので、すぐに蛇口の湯を止めた、と述べている。

これは、おかしい。それこそおれが実行したことではないか、と味岡はもつれた頭の中で考えをまとめようと努力した。おれは流れ放しになっている蛇口の湯をとめた。げんに着がえた浴衣の裾《すそ》をたくしあげて、湯で溢れたタイル床の池に入ったのをおぼえている。

あの従業員は午前一時四十分ごろに、二〇八号室に合鍵で入ったというから、おれより約四時間あとにあの部屋に入って、おれと同じことをしたのだ、と味岡は耳鳴りがしてくる中で考えた。

おれがたしかに栓《せん》を閉めた湯が、あとから出放しになっていたというのは、――だれかがおれの逃げたあとから蛇口の栓を再び捻《ひね》って開いたということなのだ。

すると、だれかが、あの部屋の中に隠れて、おれの行動を見ていたということになる。むろん、そいつが沢田美代子を殺した奴《やつ》にちがいない。犯人は、おれがそのあとからあの部屋にやってくるのを知っていた。……

それで、はじめて「こだま」の十二号車の網棚にあった靴下の謎《なぞ》が解けてくるではないか。あの靴下は、あの部屋におれが忘れてきたものである。それを持ち出し得るのは、おれが逃げ出したあとも、あの部屋に残っていた者だけにできることだ。味岡は、胴震いがした。殺人者は二〇八号室に潜んで、おれを見ていた。室内のどこだかわからない。暗い中から眼を光らせ、瞳を凝らして、おれの一挙一動を監視していたのだ。

よく相手はおれに飛びかかってこなかったものだ。いやいや、おれを殺してしまえばおしまいになるからだろう。相手の罠《わな》は、あくまでもおれを沢田美代子殺しの犯人に仕立てるにある。おれを殺すのが目的ではない。

――いっそ、警察に行って、ありのままを云《い》おうか。新聞では、逃げた伴れの中年男を「参考人」として捜査中だと報じている。

だが、それをどう云って警察に弁明するのか？

おれは、フロントの男に「先刻《さっき》、伴れが着いているはずですが」と云った。自分の名も金弥《きんや》の名も云わなかった。さっき着いた伴れといえばわかると思った。はたして蝶ネクタイは、はい、お着きでございます、と廊下の突き当りの角から右へ折れた八つ目の二〇八号室を教えた。そのドアはロックしてなかった。

浴室から湯音がしていた。ホテルの浴衣に着がえた。金弥は浴室にいなかった。六畳をのぞいて蒲団が人の形でもりあがっているのを見た。「おい、金弥。どうしたんだ？」と枕元に近づいた。

（それから、どうしましたか？）

と、捜査課の係官が訊《き》くだろう。

（金弥だと思って、蒲団をはぐって見たら、違う女が死んでいました。それで、びっくりして逃げました）

（それは少し違うのではないですか。あなたは、その蒲団の中に入って、女を抱き寄せましたね？）

おれは、女を抱き寄せただろうか？　いまになってみると、どうも、そうした行動に出たように思う。枕元にしゃがんで女に声をかけて顔をつついただけではなく、金弥だと思いこんでいるものだから、蒲団の中にすべりこみ、彼女の肩に手をかけて抱きよせた、かもしれない。女の身体は温かった。その髪が風呂上りで濡れていて、こっちの掌《てのひら》に水がついた。あれも、女を引き寄せたときだったかも分らぬ。いや、きっとそうしたのだろう。おれが遅れてついたので、金弥がむくれてモノも云わないで横になっていると思ったものだから、おい、どうした、と自分のほうへ引きよせたようにも記憶する。

もしそうだとしたら、発見時の沢田美代子の死体にそのような様子が残っていたかもしれない。いや、きっと一人で静かに横たわった姿の死体ではなかったのだろう。

（いえ、抱き寄せたりなどはしていません）

　と答えても、係官は首を振るかもしれない。

（嘘《うそ》を云っては困ります。床の中の被害者の浴衣は乱れていましたよ。ひとりでに寝乱れたのじゃありません。横に寝た男に抱き寄せられて下半身が乱れたのですよ）

（けれど……）

（あなたは、二〇八号室に入ってホテルの浴衣に着がえましたね？）

（はい）

（そうして、女といっしょに風呂に入ったね？）

（いえ）

（蛇口から湯が出放しになっていた。女と二人で浴室を出たが、栓を閉めるのを忘れていたのだ）

（それは違います。さっきも申し上げたように、わたしがその部屋に入ったときには浴室の湯が出放しになっていたので、わたしが蛇口の栓を閉めたんです）

（閉めた蛇口から、どうして湯が流れ出てたのかね？　従業員はそれで二〇八号室に注意をむけたんだよ）

(閉めた栓を再び開いたのは、別な人間です。きっとあの部屋にかくれていて、わたしが逃げたあとで蛇口の湯を出放しにしておいたにちがいありません)

(そんな見えすいた嘘を云っても通らないよ。あんたは、自分の犯行をのがれるために、実在しない人間をつくっている。あんたは、沢田美代子を前から知っているね?)

(知ってはいますが、それはただ仕事上のことです。そんな深い仲ではありません)

(かくれ遊びは表面には出ないものだ。あんたは京都のゴルフに行く機会に、彼女をそのホテルに呼び寄せていたのだ)

(そんなバカなことはしません。あれは刈野温泉で知り合った金弥という芸者と浮気するために約束したのです。あの連れ込みホテルも金弥が電話で云ったんです。ですから、蒲団の中の女は、金弥だと思って……)

こんな「供述」がどうして警察署に行ってできようか。

いい年齢《とし》をして、自分から恥をさらしに出頭するようなものだ。旅先の温泉芸者と一夜寝て、また浮気に京都で落合う約束をした。のこのことそのラブ・ホテルの部屋に行ったら、沢田美代子が死んでいた。

(沢田美代子というのは、巨勢《こせ》堂明《どうめい》という人の丸ノ内の事務所で働いている秘書だぞうだね。その沢田美代子とは、いつごろからねんごろになったんですか？）

巨勢堂明や沢田美代子の名前が出ては、よけいに云えない。これは破滅につながる。自分もだが、日星建設という会社もだ。

警察に行くなどとはとんでもない。事情を説明しても警察は信じてくれない。かりに、最後には判《わか》ってくれたとしても、それまでにはおそろしく長い期間がかかる。悪くすると起訴されて公判廷で争い、そこでやっと無罪が分るということになるかもしれない。その間、新聞に出る。被疑者になったというだけで屈辱的な破滅がくる。むろん会社を辞めるしかない。妻の離婚、子供らとの別離。考えただけでも地獄の昏《くら》い淵《ふち》をのぞくようである。——

しかし、味岡は新聞の「指紋」の記事に突きあたって身体中に鳥肌《とりはだ》が粟粒《あわつぶ》のように立った。

あの部屋には、ガラス戸や塀だけではなく、いたるところに指紋を遺《のこ》してきている。出入口のドアにも卓にも浴室のドアにも襖《ふすま》にも柱にも蒲団にも、いたるところに自分の指紋がついている。

逃げる途中にもその指紋のことが気にかかり、よっぽど引返して拭《ぬぐ》い消してこようかと思ったことがある。あのときは、おそろしくてそれが実行できなかったが、果せるかな指紋のことがこの新聞記事に出ている。

しかし、あの指紋で、すぐにこっちの身もとがわかるわけではない。指紋の照合は指紋台帳に載っている者だけである。前科のない自分は、指紋台帳にないから、いまのところいいようなものだが。

だが、その「指紋台帳」はこの湖翠閣のこの部屋がその代りになっているではないか。

この部屋の出入口の格子戸《こうしど》にも襖にも応接台にも茶碗《ちゃわん》にも障子の桟《さん》にも午睡《ひるね》の枕にも。そうして手にとったこの夕刊にも。

――捜査の追跡がここまで伸びてきたとき、この部屋の指紋こそ京都貴船のラブ・ホテルの指紋照合の「台帳」になるではないか。

味岡はとび起きた。彼は着ていた浴衣（ああ、これもホテルの浴衣だ！）を脱ぐと、それをくしゃくしゃにして手に握りこみ、出入口の格子戸で手をかけたと思われる個所を入念に拭《ふ》いた。ステテコ姿である。卓上の茶碗はもちろん拭いた。その応接台も障子の桟も次々と入念に拭った。

ひととおり拭いてしまったが、まだほかに残っているような気がする。警察の鑑識の白い粉から指紋一つでも浮び上ってきたら、それだけでも生命《いのち》取りだ。

味岡は、再度拭き直した。あらゆるところを。こんどは広範囲にわたった。強い摩擦で浴衣がむせび泣きのように鳴った。

それでも安心ができなかった。三度目を、前よりはもっと範囲をひろげて拭いて回った。

次は、畳が気になりだした。坐《すわ》ったところ、手を突いたところ、寝たところ、指がふれたと思われるすべての個所を丸めた浴衣で、ごしごしと拭きあげた。汗が出てきた。血走った眼で見直すと、まだほかにも指紋が残っている不安に駆られた。また拭き直しにかかった。丁寧に、丁寧に。拭き残しがないように。

折から入口をはいりかけた仲居が、一心不乱に大掃除をしている味岡の姿を見つけると、顔色を変えて立ちすくんだ。──

（下巻に続く）

松本清張著

小説日本芸譚

千利休、運慶、光悦――。日本美術史に燦然と輝く芸術家十人が煩悩に翻弄される姿――人間の業の深さを描く異色の歴史短編集。

松本清張著

或る「小倉日記」伝

芥川賞受賞　傑作短編集(一)

体が不自由で孤独な青年が小倉在住時代の鷗外を追究する姿を描いて、芥川賞に輝いた表題作など、名もない庶民を主人公にした12編。

松本清張著

黒地の絵

傑作短編集(二)

朝鮮戦争のさなか、米軍黒人兵の集団脱走事件が起きた基地小倉を舞台に、妻を犯された男のすさまじい復讐を描く表題作など9編。

松本清張著

西郷札

傑作短編集(三)

西南戦争の際に、薩軍が発行した軍票をもとに一攫千金を夢みる男の破滅を描く処女作の「西郷札」など、異色時代小説12編を収める。

松本清張著

佐渡流人行

傑作短編集(四)

逃れるすべのない絶海の孤島佐渡を描く「佐渡流人行」、下級役人の哀しい運命を辿る「甲府在番」など、歴史に材を取った力作11編。

松本清張著

張込み

傑作短編集(五)

平凡な主婦の秘められた過去を、殺人犯を張込み中の刑事の眼でとらえて、推理小説界に新風を吹きこんだ表題作など8編を収める。

松本清張著
巨人の磯
大洗海岸に漂着した、巨人と見紛うほどに膨張した死体。その腐爛状態に隠された驚きのトリックとは。表題作など傑作短編五編。

松本清張著
渦
テレビ局を一喜一憂させ、その全てを支配する視聴率。だが、正体も定かならぬ調査による集計は信用に価するか。視聴率の怪に挑む。

松本清張著
共犯者
銀行を襲い、その金をもとに事業に成功した内堀彦介は、真相露顕の恐怖から五年前に別れた共犯者を監視し始める……表題作等10編。

松本清張著
渡された場面
四国と九州の二つの殺人事件が、小さな同人雑誌に発表された小説の一場面によって結びついた時、予期せぬ真相が……。推理長編。

松本清張著
水の肌
利用して捨てた女がかつての同僚と再婚していた——男の心に湧いた理不尽な怒りが平凡な日常を悲劇にかえる。表題作等5編を収録。

松本清張著
隠花の飾り
愛する男と結婚するために、大金を横領する女、年下の男のために身を引く女……。転落してゆく女たちを描く傑作短編11編。

新潮文庫最新刊

畠中恵著
むすびつき
若だんなは、だれの生まれ変わりなの？　金次との不思議な宿命、鈴彦姫の推理など、輪廻転生をめぐる5話を収録したシリーズ17弾。

島田雅彦著
カタストロフ・マニア
地球規模の大停電で機能不全に陥った日本。原発危機、感染症の蔓延、ＡＩの専制……人類滅亡の危機に、一人の青年が立ち向かう。

千早茜著
クローゼット
男性恐怖症の洋服補修士の纏子、男だけど女性服が好きなデパート店員の芳。服飾美術館を舞台に、洋服と、心の傷みに寄り添う物語。

本城雅人著
傍流の記者
組織の中で権力と闘え!!　大手新聞社社会部を舞台に、鎬を削る黄金世代同期六人の男たちの熱い闘いを描く、痛快無比な企業小説。

柿村将彦著
隣のずこずこ
日本ファンタジーノベル大賞受賞

村を焼き、皆を丸呑みする伝説の「権三郎狸」が本当に現れた。中三のはじめは抗おうとするが。衝撃のディストピア・ファンタジー！

塩野七生著
小説　イタリア・ルネサンス3
—ローマ—

「永遠の都」ローマへとたどりついたマルコ。悲しい過去が明らかになったオリンピアとの運命は、ふたたび歴史に翻弄される——。

状《じよう》況《きよう》曲《きよく》線《せん》(上)

新潮文庫　ま－1－57

平成 四 年 一 月二十五日 発 行
平成二十一年 七 月 十 五 日 二十二刷改版
令和 三 年 二 月 二 十 日 二 十 五 刷

著者　松《まつ》本《もと》清《せい》張《ちよう》
発行者　佐藤隆信
発行所　株式会社 新潮社

郵便番号　一六二―八七一一
東京都新宿区矢来町七一
電話 編集部(〇三)三二六六―五四四〇
読者係(〇三)三二六六―五一一一
http://www.shinchosha.co.jp

価格はカバーに表示してあります。

乱丁・落丁本は、ご面倒ですが小社読者係宛ご送付ください。送料小社負担にてお取替えいたします。

印刷・大日本印刷株式会社　製本・加藤製本株式会社

ISBN978-4-10-110963-3　C0193